Вечная история Любви

МАРК
КУШНИРОВ

Любовь Орловой и Александрова

ЖИЗНЬ
КАК КИНО

Эксмо
Москва
2015

УДК 791.44.071(47+57)
ББК 85.374(2)
К96

Оформление *П. Волкова*

Иллюстрация на переплете *С. Яковлева*

Кушниров, Марк Аронович.

К96 Любовь Орловой и Александрова. Жизнь как кино / Марк Кушниров. — Москва : Эксмо, 2015. — 384 с. — (Вечная история любви).

ISBN 978-5-699-79331-0

Любовь Орлова и Григорий Александров прошли вместе светлый путь создания советского мюзикла. Двойной портрет лучезарной звезды и фаворита тоталитаризма на фоне Эпохи и Кино поможет читателю лучше понять, зачем «ее каблуки выстукивали мелодию несбыточного счастья» и почему баловень и фаворит Судьбы искренне повторял: «Все хорошо! Все будет хорошо».

Творчеством была не только работа, но и личная жизнь Чарли и Спенсера, как называла друг друга в интимном общении эта известная миллионам людей «звездная» пара, одновременно очень закрытая даже для близких. О многих ее тайнах, о том, как зажигаются звезды и кому это нужно, рассказывает киновед Марк Кушниров.

УДК 791.44.071(47+57)
ББК 85.374(2)

ISBN 978-5-699-79331-0

ОТ АВТОРА

Иные впечатления детства — вроде бы из самых пустяковых — остаются в памяти на всю жизнь.

...Дачный поселок, в котором обосновалось наше семейство — где-то на полпути между станцией Внуково и одноименным аэропортом, — по своей заповедности лишь немногим уступал Переделкину, Красной Пахре, Николиной Горе, задолго до войны облюбованным и освоенным столичной интеллигенцией.

Во Внукове жили многие знаменитости, в том числе и те, чьи имена непременно появятся на страницах этой книги: Игорь Ильинский, Леонид Утесов, Виктор Гусев (на будущей улице Виктора Гусева), Василий Лебедев-Кумач (на будущей улице Лебедева-Кумача), Исаак Дунаевский...

Пожалуй, самой выразительной приметой поселка был, да и сейчас остается, овраг — длинный, почти в километр, неглубокий, травянистый. Дачи вперемежку с лесом живописно драпируют его пологие склоны. На дне оврага подростки гоняли мяч, играли в лапту. Одно место в первый же послевоенный год было выкошено под волейбольную площадку и только сейчас окончательно заросло травой и кустарником.

Я бежал по тропинке, протоптанной в низине оврага, впереди небольшой дачной компании и вдруг замер: огромная, остромордая, остроухая овчарка трусила мне навстречу. А за нею легкой походкой шла статная молодая женщина в белом летнем костюме — брюки (!), пиджак, шляпка (помнится, тоже белая). Я узрел доселе не виданное мною сочетание: золотистые волосы и голубые глаза.

Улыбнувшись — зубы так и блеснули, — она не сказала, пропела: «Собака не кусается». Вот и все.

Я очень хотел оглянуться, но постеснялся. Компания скоро меня догнала — я увидел взволнованные лица, услышал возбужденный разговор. Из разговора выяснилось, что встретилась нам знаменитая артистка, что зовут ее Любовь Орлова, что лет ей не то сорок, не то далеко за сорок (тут дамы слегка разгорячились, но тем не менее согласно решили, что «выглядит она бесподобно»), что дача ее неподалеку и там, по слухам, есть комната, где показывают кино. Последнее сообщение меня добило. Какой загадочной и заманчивой представилась мне тогда жизнь этой прекрасной женщины!

А на другой день, как нарочно, другая встреча, еще сильнее возбудившая мое воображение.

Далеко от дома, на берегу нашей речушки, я увидел ту же собаку, но уже с мужчиной, с хозяином. Они не спеша приближались ко мне. Разглядев его, я сразу все понял. И как-то даже обрадовался. Жизнь наглядно подтверждала: конечно, у такой женщины мог быть только такой муж — рослый и статный, голубоглазый и приветливый, — лицо, как у короля из детских сказок. (Льдистый холодок в голубых глазах я заметил много позднее.)

Я спросил его про собаку. Он объяснил мне, что это немецкая овчарка. Но сейчас их называют восточноевропейскими, потому что разводят не только в Германии, но и у нас... И голос у него был под стать — негромкий, мягкий, почти задушевный.

Как же хорошо, подумал я, живется им в своем доме, немного похожем на маленький замок (от забора была видна только башенка, часть кирпичной стены и открытая просторная терраса), как улыбчиво и возвышенно все, что их окружает: вещи, цветы, люди. Людей, впрочем, представлял смутно — только аккуратно одетых слуг и старомодно-учтивых гостей.

В жару, наверное, окна затенены шелковыми шторами — двери открыты, и по комнатам гуляют приятные ветерки. В сырую погоду горит камин, хозяева в креслах перед огнем читают книги, беседуют, обращаясь друг к другу как-нибудь по-королевски. Нора дремлет на волчьей шкуре.

...Самое поразительное, что потом, спустя двадцать лет, войдя в этот дом и сблизившись с его обитателями, я обнаружил, что мои простодушные детские фантазии не так уж далеки от реальности. Все было: и цветы, и камин, и продуманное убранство комнат — благородная солидность кабинета, изящество спальни, гостеприимный простор столовой. Дом, до отказа заполненный двумя людьми — и больше никем: их словами, жестами, улыбками, привычками, вкусами. Ничего постороннего, чуждого. Бывали и гости. Их принимали радушно, щедро, порой чуть-чуть церемонно. То были истинно светские приемы (когда дело не касалось уж самых близких), где хозяева светились красотой и счастьем.

Их отношения, нежно-предупредительные, были окрашены некой ритуальностью. 27-го числа каждого месяца отмечался день их знакомства. Отмечался взаимными поздравлениями и цветами. Ни один гость не слышал, чтобы они обращались друг к другу на «ты». Всегда — «вы». И даже в письмах, свойски-нежных, предупредительных, — «Вы». Гости, расходясь, удивлялись: игра? обет? подражание? Или как в Англии: «ты» — только Богу и королю?

— Тристан, — сказала Изольда, — вы, кажется, забываете о моей чести.

— Нет, прекрасная госпожа, ваша честь всего для меня дороже...

Старомодная, чуть-чуть показушная церемонность? Да, не без нее. Но было, сдается мне, еще одно — что-то вроде негласного уговора. Их связывали не только личные отношения — деловые тоже. Они были публичной парой и взаимно хотели выглядеть равноценными персонами — равносуверенными. Такое деликатно-сдержанное обращение друг с другом как бы подчеркивало их обоюдную и равную значимость в глазах окружающих.

Существовала и еще одна форма обращения друг к другу. Он называл ее Чарли, она его — Спенсером. Чарльз Спенсер Чаплин оставался для них обоих кумиром всю жизнь.

А помните слова Чаплина из его автобиографии? «Для того чтобы сделать комедию, мне нужен только парк, полицейский и хорошенькая девушка».

Составляющие успеха Александрова были другие, за исключением «девушки». Любовь Орлова стала путеводной звездой творчества Александрова и едва ли не самым обаятельным мифом «великой эпохи» — так называли когда-то годы сталинской диктатуры. Я не хотел бы безоглядно растаптывать этот миф.

Моя благодарность судьбе за встречу с голубоглазым королем на берегу нашей дачной речушки памятна и безмерно велика. Григорий Васильевич Александров очень помог мне в написании этой книги. Он и Лев Николаевич Миронов — один из главных спутников и очевидцев жизни Любови Петровны — многое поведали мне о первостатейной звезде советского экрана.

Рассказывая о вещах и важных, и сокровенных, ни один из них ни разу не перебил себя обычным для таких случаев: «Это — не для книги!», «Об этом писать не стоит!», «Это — строго между нами» и т. п. Оба сразу и очень спокойно дали понять, что нисколько не боятся сделать тайное явным, ибо верят в серьезность моих намерений (и в нелегкость задачи) и вполне полагаются на мой такт и чувство меры. Такое доверие дорогого стоит, а оправдал ли я его — судить читателю.

Но правда есть правда: без эпохи — без ее «великих иллюзий», без мифологии сталинщины — Любовь Орлова и Григорий Александров непредставимы, необъяснимы. Вот почему будущая книга изначально виделась мне как двойной портрет на фоне эпохи. Эпохи и Кинематографа.

За всем, что есть в искусстве Любови Орловой и ее мужа — режиссера Григория Александрова, стоит Время, стоит Эпоха.

Эпоха воистину потрясающая. Потрясающая размахом свершений, трудового энтузиазма, размахом душевной прочности и оптимизма, размахом планов и надежд, размахом жертвенности и героизма. Размахом лжи и беззакония. Унижения и униженности.

Орлова и Александров не просто отразили эту эпоху, они сами были одним из самых неотразимых, самых действенных аргументов этой эпохи. Были одним из ее великих достижений — дерзостным вызовом и неповторимым рекордом. И потому стали одной из самых убийственных ее улик.

Орлова и Александров начинали свой путь в театре. Но не сцена стала их предназначением и подлинной творческой радостью. Кино. Чудо двадцатого — а возможно, еще и двадцать первого — века. (За «дальнее» я не ручаюсь.) Они застали это чудо в его рассветные годы. Кино только-только обрело звук и сразу же показало умение звучать ярко, красиво, убедительно, а подчас и умно. Они вошли в мир кино, чтобы подтвердить собою его Красоту и Силу. Его чудотворность. И преуспели в этом, как мало кто...

Но справедливости ради следует добавить, что подтвердили они своей жизнью и нечто менее высокопарное. То оборотное, что присуще искусству кино исконнее и нагляднее, нежели другим — «старшим» искусствам: суетность, пошлость, обман (и не только возвышающий), подневольность коммерческой и политической конъюнктуре. И потому я старался не избегать серьезного и по мере возможности нелицеприятного киноведческого контекста. Без этого фона их портрет был бы также заведомо неотчетлив.

Трудно предположить, что Любовь Петровна и величавый голубоглазый король из детских сказок хорошо сознавали свою миссию. Да и думали ли они о «звездном» призвании вообще? Они истово и любовно делали свое дело — дарили людям смех и бодрость, учили не опускать головы, не вешать носа, любить Родину и ненавидеть ее врагов, внешних и внутренних.

Любовь Орлова была актрисой. Она любила хвалу и в избытке познала ее. Критические стрелы с редкостным постоянством облетали ее стороной. Правда, рикошетом отлетали в нее те камни, что попадали в Александрова, и это больно ранило ее, особенно в последние годы. Но сама она, будучи постоянно на виду, оставалась недосягаема для уколов, укоров, не говоря уж про удары.

Она была достойна хвалы, и вряд ли к лицу биографу — мне ли, другому — желание (пусть даже из самых честных побуждений) пригасить, притушить сияющий ореол ее личности. И если я пребываю в сомнениях, размышлениях, мучительно боюсь впасть ненароком в то славословие, которое стало почти неотрывным и даже где-то естественным, то вовсе не потому, что хочу разрушить светлую легенду об актрисе, отрезвить сонм ее бесчисленных поклонниц и поклонников.

Прежде всего я думаю о ней. Она знала свою популярность и дорожила ею. Ей нравилось быть обожаемой, несравненной, единственной, горячо любимой, всемогущей, ослепительной. Но в глубине своего естества она сторонилась, стеснялась этого. Любовь Петровна была слишком умна, воспитанна, интеллигентна (вот-вот!), чтобы принимать все это всерьез. Она прошла хорошую школу жизни и хорошую школу творчества. Орлова была современницей великих актеров, безмерно восхищалась ими и, будучи гораздо популярнее многих из них, никогда не посмела бы возомнить себя более талантливой, более великой.

Я помню ее человеком здравым и трезвым, помню, как ядовито процитировала она какую-то слащавую статью, где автор взахлеб расписывал «явление Орловой народу» — как выпархивает она из «Бьюика» и чуть ли не возносится к небу на руках поклонников. Горько поморщившись, она сказала: «Нехорошо... некрасиво. Ах, как нехорошо! Это же все внешнее... пустое. А что за этим стоит!»

А и вправду, что за этим стоит?

Легко догадаться, что имела в виду Любовь Петровна. Адский труд, ангельское терпение, поминутная нервотрепка, усталость до чертиков, тысяча всяких запретов, вечный избыток тяжкой работы и вечная нехватка отдохновения от нее.

Но если б только это! Если бы... Тогда нам осталось бы лишь пожалеть, что Любовь Петровна не вела всерьез дневников (только путевые, да и то нерегулярно), не удосужилась написать воспоминания и была не склонна выносить на люди свои заботы и горести. И потому судить о ее творческом подвижничестве нам чаще приходится с чужих слов, с чужих воспоминаний. Увы, кроме творчески-благодатных, хотя и тяжких трудов, ее светлый путь сопровождался — когда неприметно, когда явственно — множеством конкретных теней, от которых она далеко не всегда могла с легкостью отмахнуться. (Мы тоже не вправе отмахнуться от них.)

...Снова и снова всматриваюсь я в даль той эпохи. И как-то властно и уверенно этот план застилает неизгладимое впечатление моего детства — уйдешь ли куда от него? Маленькая, хрупкая, почти бесплотная фигурка, в летней широкополой шляпе. На подмосковной дачной тропинке. Под веселой и безалаберной сенью орешника...

ДО ПОРЫ ДО ВРЕМЕНИ

И такое подходит чудесное...
Анна Ахматова

26 октября 1939 года обитатели дома № 16 на площади Челюскинцев — знаменитое место в центре Ярославля — были взбудоражены непривычным зрелищем. Около дома остановилась черная «эмка», из нее в сопровождении двух мужчин, военного и штатского, вышла молодая женщина, весьма изящная и явно нездешнего вида — серое пальто с поясом, серый беретик, — и решительно направилась к одной из дверей. Что-то очень знакомое было в ее улыбке, походке, но никто не решался произнести вслух невероятную догадку: «Неужели это она?!»

...Когда-то, еще в минувшем столетии, площадь, на которой стоял невысокий, в три этажа дом, называлась Плац-парадной. И была она длинной-предлинной — тянулась чуть ли не с километр вдоль Волги. Вполне возможно, что это была самая длинная городская площадь в России.

Трудно жить на площади с таким названием. Поэтому ярославцы говорили просто — Парадная: «Сходи на Парадную», «Был на Парадной»...

Однако в начале двадцатого века площадь сильно видоизменилась. Превратилась из площади скорее в бульвар, благоустроилась. Центром бульвара был памятник

Павлу Демидову, богачу, меценату, сановнику, действительному статскому советнику и кавалеру многих российских орденов — основателю демидовского лицея в городе Ярославле, третьего по значению в России.

Гуляя по бульвару, было принято доходить до его границ, обозначенных двумя церквами: Ильи Пророка, что в центре города, и Успенским собором, что по-над Волгой.

Сейчас уже нет ни памятника, ни лицея, ни Успенского собора. Лицей разбит снарядами во время подавления эсеровского мятежа в 1918 году, Успенский собор и памятник снесены в тридцатые годы. А бульвар остался. Современные ярославцы именуют его Демидовский сад. И оказался он частью все той же площади, получившей в 1936 году имя площадь Челюскинцев.

И остался на этой площади замечательный дом — возможно, один из первых на этом месте. Строился он на рубеже двух веков — восемнадцатого и девятнадцатого. Строился долго, почти десять лет — сначала левый флигель, потом главный дом, потом правый флигель. Строился по заказу городского головы Матвеевского. По тем временам он, наверно, казался грандиозным строением. Как сказано в путеводителях, «характерный пример парадной городской усадьбы в стиле зрелого классицизма».

Именно здесь, в центральном здании, выходящем фасадом на бульвар, поселился в 1910 году уже немолодой акцизный чиновник Петр Федорович Орлов. Поселился временно, хотя и надолго: до окончания большого строительства, на котором служил по своей акцизной, то есть финансовой, части.

Был он одинок, но не холост. В Москве у него оставалась семья — жена, две девочки. В семейной жизни Петр Федорович был бы счастлив, если б сумел вовремя побороть в себе слабость к картам. Он играл, проигрывался, вконец подорвал материальное благополучие семьи, чем сильно омрачил супружеские отношения, и, наконец, поняв, как далеко зашел в своей слабости, обещал исправиться и по мере возможности загладить свою вину. Было решено, что Петр Федорович временно удалится из семьи и постарается найти «доходное место». Так появился Ярославль.

Строился мост через Волгу. То была грандиозная стройка — в ряду других грандиозных, что разбудили, разбередили Россию в начале столетия. Как и везде, на этом строительстве наблюдалось много безобразий и злоупотреблений. Петр Федорович, будучи контролером, не раз попадал в щекотливые ситуации, но выходил из них, как видно, всегда достойно — его репутация в глазах начальства, в глазах влиятельных горожан была неизменно высока.

В доме Матвеевского, где впоследствии стали жить его потомки, Орлов занимал формально пять комнат, да еще кухню с передней. Как бы для всей семьи. Но семья жила отдельно, в Москве и в Ратухине (под Ярославлем) — только дочек время от времени ему привозили. Так что обитал отец фактически в двух комнатах. В одной из них, самой светлой и обжитой, пребывали девочки.

...Несколько лет тому назад меня начали донимать звонками представители нынешнего Дворянского собрания: не располагаю ли я какими-то конкретными свидетельствами о высокородном происхождении Любови Орловой? То, что оно высокородное, у них сомнений не было. Причем речь шла не просто о дворянском, а именно о высокородном происхождении — из рода знаменитых братьев Орловых. Все мои уговоры и уверения (разуверения) не действовали, но меня, в конце концов, оставили в покое, как видно убедившись, что никакими подтверждениями я не располагаю.

Дм. Щеглов, ссылаясь на В. Н. Санеева в книге «Любовь и маска», пишет, ничтоже сумняшеся: «Лучшая исполнительница ролей домохозяек и ударниц коммунистического труда (то есть Любовь Орлова. — *М.К.*) являлась потомком десяти русских православных святых, двое из которых — Великая княгиня Киевская Ольга и Великий князь Киевский Владимир — причислены к лику равноапостольских...» Охо-хо! Знаю, что многим поклонникам и поклонницам Орловой хотелось бы (особенно сегодня, когда дворянское происхождение так модно, так болезненно желанно) видеть ее княгиней или графиней, но чего нет, того нет ! И никогда не было.

Отец Любови Петровны по внешности, по вальяжности, по обиходным привычкам мог бы, наверно, сойти за аристократа, но был он такого же разночинного происхождения, как сотни тысяч других Орловых во всех уголках России. Он был высок и красив — мягкий овал лица, идеально соразмерные черты, голубые глаза. Он неплохо играл на рояле. Имел неплохой голос. Ему доводилось петь в домашних концертах и с Шаляпиным, и с Собиновым.

С Шаляпиным Петр Федорович встречался в основном в Ратухине, куда летом время от времени наезжал к семье. Но и в Ярославле тоже — в том же доме у Матвеевских. Также и с Собиновым. Хозяева дома, видные и богатые горожане, приятельски общались с обоими певцами. А с Леонидом Николаевичем, коренным ярославцем, просто дружили домами. По-свойски принимали его и сами часто наведывались в гости. Нередко ходил с ними за компанию и Орлов. И раза два-три брал с собой дочек.

Голосок у будущей звезды уже тогда был приметен. Отец разучивал с нею несложные романсы, потом не без гордости демонстрировал ее успехи гостям.

Девочка обожала бывать у отца. Она бегала с сестрой по крутым волжским скатам, махала платком пароходам, а больше всего любила расхаживать по лодкам, плескавшимся на привязи у кромки воды. Лодки качались, уходили из-под ног, бились бортами — было приятно и страшно.

Окна отцовского дома выходили на бульвар. Было хорошо видно гуляющих, слышно их разговоры, смех. На углу неподалеку от окон стояла афишная тумба — ее разноцветный наряд каждый день чуть менялся.

Зимой на деревья слетались галки, садились на купол церквей. Звон несся над городом. Бульвар зимой делался черно-белым, прозрачным, и памятник Демидову был виден отовсюду.

...Выйдя из машины и подойдя к двери, Любовь Петровна поискала взглядом звонок. Звонка не было. Спутник в военной форме уже собрался было постучать, но дверь открылась — на пороге стояли хозяева квартиры, немолодые супруги в непрезентабельной домашней одежде.

Любовь Петровна объяснила, что хотела бы посмотреть дом своего детства, что не была в Ярославле много лет, что здесь одно из самых любимых и памятных ее гнезд. Хозяева поспешно проводили ее в комнаты. Она рассматривала стены, окна, оживленно удивлялась, что многое сохранилось в прежнем виде. Умилялась: «Вот этой дверной ручкой я ночью однажды рассадила себе щеку...» «За это зеркало мы прятали наши девчоночьи секреты...» «Вот здесь я спала...» «А этому зайцу на картине я пририсовала усы...».

Снаружи у дома стали собираться соседи. Заметив из окна скопление людей, Любовь Петровна заторопилась.

Афишную тумбу почему-то перенесли к соседнему дому. Наверняка на ней было объявление, извещающее о концертах в Театре имени Волкова группы московских артистов во главе с заслуженной артисткой республики, орденоносцем Любовью Орловой.

...Из всех домов ее детства это единственный сохранившийся до сих пор.

...Поклонники хотят знать о знаменитости все, зачастую и то, чего не было. Не будем, однако, с ходу изобличать это стремление. Во-первых, потому, что отношения знаменитости с публикой искони похожи на любовный роман, а в таком романе неизбежны крайности. И ревность, и обида, и душевное ослепление, и даже безумные порывы. Во-вторых, потому, что и мы — кому по «долгу службы» положено быть выше этих крайностей — тоже не святы. В каждом из нас, того и гляди, просыпается такой поклонник — любопытный, обидчивый, ревнивый и безрассудный. Далеко не всегда соблюдающий деликатность и чувство меры. И тем небезопасный.

Так хотелось бы держаться в рассказе должной меры, но вот где она — должная? Хорошо советовать: во имя монументальности, цельности портрета избегайте вдаваться в подробности, в мелочи частной жизни... поменьше интимностей, бытовизмов... помните завет Пушкина... Все так, только как бы в этой монументальности не утерять ту же меру, не спрямить витиеватую судьбу, не свести многозначный образ к парадной одноликости.

Значит, что же? Будем держаться золотой середины? Меж двумя правдами — парадной и обиходной? Будем. Постараемся. Это значит, что автор обязуется повествовать о личной жизни актрисы лишь в той степени, в какой она влияла (отражала) — прямо и непосредственно — на ее творческую судьбу. Большего автор обещать не может.

Итак, Любовь Петровна Орлова родилась в 190... Здесь рука моя невольно вздрагивает. Ах, как не хотела Любовь Петровна видеть, помнить, знать эту дату! Даже самые светлые моменты детства готова была предать забвению, лишь бы не вспоминать дату своего рождения. «Сколько вам лет, скажите честно?» — спрашивали в записках самые бесцеремонные, спрашивали в сороковые годы, в пятидесятые, шестидесятые. Она отвечала: «Сколько дадите, столько и есть!» И улыбалась своей «фирменной» улыбкой. «Сколько тебе лет, признайся?» — пристали к ней как-то Ильф и Петров, оба вместе. Она отмахнулась: «Маленькая собачка до старости щенок». И показала язык.

«Когда она появлялась на сцене, — вспоминал Ростислав Плятт, частый партнер ее по спектаклям Театра имени Моссовета, — в зале сразу же возникал легкий шумок... мы пережидали его... В этом неясном шелесте ясно угадывалось: «сколько ей лет?»

(Любопытно, что о такой же реакции зала вспоминают очевидцы последних спектаклей с Сарой Бернар.)

Один из устных рассказов Александрова, где правда, как всегда у него, растворяется в пене фантазии, поведал на этот счет и такое. Как-то им, Орловой и Александрову, довелось гостить на вилле у итальянца — магната, мецената, аристократа и, ко всему прочему, любителя кино. Когда вошли в дом, на рояле в гостиной, на пюпитре (Орлова обещала спеть), вместо нот был положен только что отпечатанный в личной типографии хозяина справочник: краткие биографии знаменитых киноартистов. Книга была открыта на странице с «Орловой». Увидев дату рождения, Любовь Петровна не сдержалась и укоризненно сказала хозяину: «А я думала, вы — истинный мужчина!» Потом гости пошли обедать, а когда через два часа снова вернулись в гостиную, хозяин подвел актрису к роялю, где лежал заново отпечатанный справочник — без злополучной даты.

Когда осенью 1972 года в прессе вдруг чередой появилось чуть ли не с десяток статей об Орловой, многие не поняли повода этого дружного славословия. Любовь Петровна лично просила министра культуры ни в какой торжественной форме не уточнять этот повод. Говорят, это лишило ее добавочных почестей — зато не лишило ореола вечной молодости и красоты.

...Теперь дата рождения — 1902 год и без того известна по некрологам. Любовь Петровна избегала рассказывать о своем детстве даже Григорию Васильевичу. И только три красноречивых фрагмента постоянно напоминали о нем в доме во Внукове. Три сувенира: крохотная книжица издательства «Посредник» — «Кавказский пленник» Л. Толстого с дарственной надписью автора; древний блокнотный листок с мимолетным, два-три штриха, профилем Шаляпина и чувствительным романсом — автограф великого певца; и его же фотография с напутствием новоявленной гимназистке: «Дети в школу собирайтесь! Петушок пропел давно. Ратухино. 1909 год».

Конечно, такими осколками прошлого нельзя пренебречь — они придают биографии ту же вескость, что и снимки, висящие по соседству, где Орлова рядом с Чарли Чаплином, Фернаном Леже, Пабло Пикассо, Ренато Гуттузо, Шостаковичем, Марселем Карне, Исааком Дунаевским, Эдуардо де Филиппо, Василием Качаловым, Федерико Феллини, Жаном Полем Сартром, Питером Бруком и другими не менее славными корифеями мировой культуры.

...Итак, Любовь Петровна Орлова родилась под Звенигородом в маленькой небогатой усадьбе матери, Евгении Николаевны Сухотиной. Она была второй девочкой — младше сестры на шесть лет. Сестру звали Нонна. Она походила лицом на мать, а характером — на отца. Любочка, пожалуй, наоборот. Мать была, откровенно говоря, не очень красивой — суховатой, невысокой, с нервным худым лицом, напряженным выражением глаз. Зато энергичной, цепкой, устойчивой, что называется — железный характер. Трудолюбие, воля, вся энергетика будущей актрисы — это, бесспорно, от нее.

Отец, Петр Федорович Орлов, был по всем статьям другим. Рослый, чуть грузноватый — мягкие правильные черты. Форменный барин. Таким иногда представляешь Обломова. И нрав у него был немножко обломовский — мягковатый. Как уже говорилось, он любил карты — и не так чтоб «между прочим», а с толком, с чувством, обстоятельно. И увлечение было отнюдь не невинным — в несколько приемов он проиграл довольно солидную сумму (как раз вскоре после рождения второй дочери), пришлось залезать в долги, а после продавать именьице — единственное достояние семьи, некогда скромное женино приданое.

Мать проявила в этой скользкой ситуации много такта и мужества и сумела сберечь семейные узы. Любопытно, что, по идее, «барственность» в семье должна была представлять мать — потомственная дворянка, из хорошей состоятельной фамилии, воспитанница Смольного института. Отец же — из разночинцев, имел среднее коммерческое образование и никаких побочных доходов.

Не знаю, как познакомились родители (к сожалению, потомки семейства этого тоже не знают), но догадываюсь, что это как-то связано с музыкой. В семье был истинный культ музыки, и шел он равно как от матери, так и от отца. Евгения Николаевна получила традиционно хорошее воспитание. Неплохо играл и Петр Федорович, но главным его музыкальным достоинством был голос. Очень возможно, что пел он короткое время в частной опере — если, конечно, данные «Музыкального календаря» за 1900 год (фамилия, инициалы, характер голоса — баритон) не простое совпадение.

Отец с матерью часто музицировали дома, — подрастая, к ним присоединялись девочки. Они играли в четыре руки, но чаще пели — соло или дуэтом с отцом. Особенно хорошо получались несложные романсы на два голоса: «Подснежник», «Острою секирой ранена береза», «Вы так резвы» — обычный репертуар детских комнат, домашних гостиных. В доме, даже в самые бедные времена, не переводилась музыкальная литература — правда, большей частью казенная (из Екатерининского института, где служила мать) или дареная. Обеих девочек загодя готовили в консерваторию.

Московские Сухотины считались хорошим, не захудалым родом. Отец Евгении Николаевны — дед Любочки — был генералом, имел за турецкую войну шейного Георгия третьей степени, запросто общался со Скобелевым. Его жена была фрейлиной одной из императорских сестер. Среди их многочисленного потомства были и статский советник, и полковник, и довольно известный юрист. Они состояли в близком свойстве с тульскими Сухотиными — отсюда ниточка ко Льву Толстому. Михаил Александрович Сухотин, муж Татьяны Львовны, был влиятельным господином, но родней, даже самой бедной, не гнушался. Возможно, именно у него в Кочетах — знаменитом на весь уезд имении — и увидела семи-восьмилетняя Любочка великого старца. Возможно, в последний год его жизни. Это могло быть, конечно, и в Ясной, но я подозреваю Кочеты по той несложной причине, что туда чаще всего наезжали родственники с детьми — к обожаемой внучке старца, так называемой «Татьяне Татьяновне»...

Евгения Николаевна была в те годы уже бедной родственницей. Близкое семейство практически ее отвергло — и все из-за мужа, из-за безрассудного брака. Только сестра, Любовь Николаевна, тоже из неудачниц, поддерживала родственную связь. Усадьбишка под Звенигородом, выделенная матери семейством, была не слишком доходной. Там проводили лето, в прочее время года занедорого сдавали внаем. Жили же в Москве, на Спиридоновке, у Патриарших прудов. Евгения Николаевна служила в Екатерининском институте в должности классной дамы. Должность нелегкая, нервная, — как водится, это и закаляло характер, и немного иссушало его. Муж числился в путейском ведомстве — звезд с неба не хватал, да и не стремился.

Родителям, особенно матери, стоило немалых усилий поддерживать тот уровень жизни, который позволял рассчитывать на хорошие знакомства. Но, конечно же, всех этих знакомств стоило одно — с домом Шаляпиных. Собственно, оно держалось на детях — его начали старшие девочки: Нонна Орлова и Ирина Шаляпина. Они учились в одной гимназии, и хотя Нонна была на два года старше, их сдружили общие интересы. Со временем к подругам присоединились Любочка и младшие Шаляпины.

Дружба была и крепкой, и долгой, хотя и с оттенком неравенства. Сестры бывали у Шаляпиных и никогда не принимали их у себя. Но у Шаляпиных было так замечательно, что об этом не думалось — казалось естественным. К тому же в детском обществе старшинство держала Нонна и часто со строгостью классной дамы напоминала младшим девочкам о своем преимуществе. И конечно, никто из домашних Федора Ивановича ни словом, ни видом не давал почувствовать, что вы в гостях.

Все разрешалось и все прощалось, как, например, в тот раз, когда Любочка, разрезвившись, опрокинула и расколотила вдребезги роскошную китайскую вазу. Все притихли. Вбежавшая Иола Игнатьевна не могла скрыть досады. Появившийся хозяин поднял Любочку, проливающую обильные слезы, стал утешать и потешать, а когда это не удалось, прекратил конфликт чисто по-шаляпински — подошел к другой, точно такой же вазе, украшающей соседний угол, и трахнул ее о паркет.

Именно там, в доме Шаляпиных, Любочка впервые вышла на сцену — в настоящем спектакле, в настоящей роли. То есть сцена как таковая была в другом доме. Просто затевалось все у Шаляпиных. Но всем этим событиям предшествовало знакомство с Шаляпиным в Ярославле, где, как помнит читатель, Петр Федорович Орлов оказался на строительстве железнодорожного моста. Петр Федорович был не прочь переместить в Ярославль на время строительства все семейство, пытался уговорить жену. Заранее сняли в центре города большую квартиру, но переселения не получилось — Евгения Николаевна не хотела бросать свою гимназию, а Нонна свою. Да и отношения между родителями были в то время совсем не безоблачными. Прожив пару месяцев в Ярославле, все, кроме Петра Федоровича, вернулись обратно в столицу, но потом каждое лето, пока шло строительство знаменитого моста, девочки наезжали к отцу. Примерно в это же время и состоялось знакомство с Шаляпиными. И вдруг оказалось, по счастью, что лето они тоже проводят под Ярославлем — в своей усадьбе Ратухино. Естественно, возникло предложение погостить у них, в той же усадьбе — дом большой, места хватит. Так и повелось.

Ратухинский дом (к сожалению, несохранившийся) был не просто большим, а громадным и великолепным. Под стать великолепным местам, его окружавшим. Один из его создателей, Константин Коровин, так вспоминает идею Ратухина: «Как-то в деревенском доме у меня Шаляпин сказал: я куплю имение на Волге, близ Ярославля. Понимаешь ли, гора, а с нее видна раздольная Волга. Заворачивает и пропадает вдали. Ты мне сделай проект дома. Когда я отпою, я буду жить там и завещаю похоронить меня там на холме...»

Дети обожали Ратухино. Целую зиму вспоминали его и мечтали о лете. И было что вспоминать: Ирина Федоровна Шаляпина показывала мне слайды — вставленные в старенький, красного дерева ящичек с «глазком»-окуляром. Они открывают взору поистине чудесные зрелища и, главное — поразительное ощущение перспективы. Сущая стереоскопия. И вправду, все-все живое. Кажется, осязаешь руками эти неровные, длинные, гладкоструганые перила над мостиком, где небольшая компания женщин любуется то ли купанием, то ли катанием на лодках. Воду хочется потрогать. Траву погладить. А люди... люди так близко от глаза — их пальцы, волосы, складки одежды, — что кажется, будто ты среди них. Или неподалеку. Крикни — и обернутся...

А вот и сам хозяин, Федор Иванович. Но, боже ж ты мой, как не похож он на того известного Шаляпина — картинного, царственного, фотопортретного. Он и не он. Какой-то стриженый, белесый, толстомясый мужик, непонятно зачем обривший усы и бороду. Купается, дурачится с ржавым ведром — нацепил его на голову, как кивер. А вот гордо позирует с богатым уловом — старые бриджи заправлены в стоптанные ботинки, нижние разрезы штанин разошлись, оттуда лихо торчат кальсоны.

А рядом с ним, кто же это? Огромный, волосатый, с нерасчесанной бородой, в жеваных затрапезных брюках? Да это же сам Коровин! Сразу и не признать. Известный на всю столицу красавец и модник, любимец кордебалета, всех фигуранток и цыганок... Будто нарочно кто пожелал показать этих людей в неподобающем виде.

Но поразительное дело: вглядываясь в эти снимки, вдруг начинаешь явственно видеть, как великолепны эти люди. И не только своей раскованностью, простотой, заразительной натуральностью. Вдруг начинаешь видеть в их движениях нечто крупное и сильное, слышать их раскатистый смех, голоса — ощущать ауру, которая в любую секунду готова преобразить их в именитых, издалека узнаваемых Коровина и Шаляпина. Будто нарочно это придумано — так показать всю духовную и физическую незаурядность этих людей.

Удивительный все же процесс — разглядывать в «глазок» эти старые сероватые слайды. Беда, что это мало кому доступно, к тому же ветхость эмульсии и самой коробки явно намекает на бренность этого допотопного прибора. Потому-то и тянет, наверное, поделиться своим впечатлением — или уже воспоминанием?

На нескольких снимках — Евгения Николаевна. И опять даешься диву: как схвачена исподтишка каким-то безвестным фотографом вся двусмысленность положения семьи Орловых в этом большом, богатом, гостеприимном доме. Евгения Николаевна — в длинном, приглушенного цвета, явно поношенном пальто поверх такого же скромного, неброского цвета и кроя платья — все время чуть-чуть на отшибе, на заднем плане. Руки спрятаны в карманы, на худом лице — слабая, как бы принужденная улыбка. И выглядит она намного, намного старше своих лет.

И на дочках ее можно уловить, если вглядеться, тень этой сложной житейской ситуации. Дети Шаляпина одеты кто во что горазд — подчас почти затрапезно. Они и любили Ратухино за то, что здесь им дозволялось немножко распускаться, — в Москве Иола Игнатьевна блюла образцовый порядок... Девочки Орловы постоянно (то есть на всех снимках) одеты «с иголочки» — как говорят, «на выход».

Особенно выделяется Любочка в белом платьице с кружевными оборочками, в черных чулочках, с огромным бантом в густых кудряшках. Ни дать ни взять кукла из модного магазина — пухленькая, толстощекая, светлоглазая. Ее и одевали, как куклу, и прозвище дали соответствующее — Куконя. Но характер... О, похоже, характер у нее уже тогда был совсем не кукольный. Сестра выглядит строгой, серьезной, но что-то нетвердое, ненадежное просвечивает в ее взгляде, осанке. У Любочки же лицо почему-то все время чуть-чуть сердитое, возбужденное — брови слегка сдвинуты, и позы чаще всего воинственные, очень какие-то вызывающие...

Понятно, мои впечатления субъективны, но убежден: если правда, что фотография обладает скрытым свойством фиксировать образ, а не только облик человека, здесь мы имеем нагляднейшее тому подтверждение.

Ирина Федоровна была слегка обижена на Любовь Петровну за то, что та отказалась выступить с воспоминаниями на юбилейном шаляпинском вечере. Но Любовь Петровна не любила вспоминать, да еще принародно, **столь давнее** свое прошлое, — только это и ссорило ее с детством. Только это.

Но в узком кругу воспоминания о детстве все же звучали. И самым ярким воспоминанием была своего рода детская опера: даже в афишке, написанной и разрисованной от руки (чуть ли не «от руки» Бакста), были — с шутливой важностью — обозначены не «роли», но «партии». Это был спектакль — детский спектакль, удививший и умиливший всю богатую, знатную и художественно образованную Москву. Назывался он «Грибной переполох». Фабула же примерно такая: девочка отправляется в лес по ягоды и грибы, — последние, в силу грозящей опасности, учиняют в лесу переполох, но скоро сами ссорятся, — затем в игру вступают овощи, потом зверюшки. Однако концы с концами сходятся — девочка никого не хочет брать из леса против желания, и в природе торжествует мир и согласие.

У Любочки, одной из самых маленьких участниц, была одна из самых заметных эпизодических партий —

Редька. Она пела и соло, и дуэтом с Горохом, и в хоре других овощей, и, наконец, в общем хоре.

Декорации нехитрые — задник и несколько характерных примет огорода и леса. Но расписывал задник не кто иной, как Кустодиев, а «характерные приметы» делали в мастерских С. Зимина. И совсем уж великолепны костюмы — «от самой Ламановой». Все было продумано до мелочей: разноцветные курточки, платьица, замшевые шапочки, колпачки, огромные пуговицы, расписные платочки, маленькие плащи с капюшонами, перчатки, воротники, всевозможные висюльки и помпоны.

Все это зрелище готовилось в доме Шаляпиных — инициатором и режиссером была музыкальная наставница старших девочек. А премьера состоялась в доме Пудалова, известного в те годы богача, дети которого тоже принимали участие в постановке. (Возможно, он и оплачивал большую долю расходов в этой затее, совсем не дешевой.) Успех был таким оглушительным, что труппу стали заказывать в другие дома, — и всюду маленьких актеров тискали, поздравляли, зацеловывали, закармливали сладостями и одаривали подарками. И говорили одно: быть вам артистами! Быть вам на сцене!

Такие напутствия, как правило, не сбываются или сбываются как исключение. Однако здесь исключение оказалось групповым — в артисты пошли Ирина Шаляпина, Любовь Орлова и Максим Штраух, сыгравший в спектакле одну из главных ролей — Боровичка.

Занятный все-таки штрих — будто незримая нить связывает людей, приобщенных судьбой к одному «кругу жизни». Штраух еще в двадцатые годы мог познакомить Орлову с Александровым, своим ближайшим товарищем по «железной пятерке» Эйзенштейна. Но, к счастью, Штраух в те годы был не близким, а очень далеким знакомым, — к счастью, поскольку никакого смысла в тогдашней встрече Александрова и Орловой не было. Они нашли друг друга на редкость вовремя.

Когда разъезжались из Ратухина, Шаляпин дал небольшой домашний концерт — каждому спел по заказу. В 1912 году он писал из Монте-Карло в Москву своей любимице: «Милая моя Рири!.. Рад я, что ты повидалась с твоими подружками Орловыми, и приятно знать, что вам было весело...»

Любочка пошла в гимназию в 1909 году. Гимназия — а в точности «женская гимназия Алелековой» — находилась неподалеку от дома, где-то в районе Никитских ворот. Музыку — фортепиано — преподавал Александр Федорович Морозов. Он преподавал вместе с А. Ф. Гедике, А. Б. Гольденвейзером, Г. А. Пахульским еще в одном учебном заведении, весьма престижном по части музыкального образования, — Сиротском институте имени Николая Первого.

С музыкой было все в порядке, чего нельзя сказать о прочих науках. «Точных» Любочка просто боялась и не любила, а «гуманитарные» шли не всерьез. Одно время была у нее привычка заклинать после диктанта или письменного изложения: «Точки, точки, запятые, встаньте на свои места!» Но становились они, как я знаю, не очень охотно. Вдобавок Любочка нередко приносила домой замечания за шалость, за непримерное поведение — вообще среди педагогов у нее была репутация прелестной, но бедовой девчонки.

Война нисколько не изменила привычный семейный уклад. Отец надел офицерскую форму, — она была ему очень к лицу, но дальше формы у него не пошло. Он по-прежнему служил в путейском ведомстве. Сестра окончила гимназию и поступила в консерваторию — на оркестровое отделение по классу скрипки. Евгения Николаевна раз-другой порывалась переменить службу, но выбора не было, и она оставалась на прежней.

Но вот разразилась Февральская революция, за ней Октябрьская — и все разом переменилось. И с переменой этой разом кончилось детство. Оно, впрочем, и без этого было уже на исходе. Любочке исполнилось пятнадцать... гимназия позади... волей-неволей набегали недетские чувства, недетские интересы, заботы... Но революция так резко и мощно разрушила устои, что Любочка сразу же оказалась далеко-далеко от детства.

Консерваторию пришлось отложить, плата за обучение была семье не по карману. Даже сестра подумывала об уходе — тем более что успехи ее были более чем скромные. Служил теперь только отец, но зарабатывал пустяки, а жизнь дорожала с каждым днем. Все становилось проблемой: пища, одежда, дрова, работа. И конечно — происхождение. Дворянская родословная матери звучала непривлекательно в годы классовой ненависти. Решено было переселиться из Москвы в маленький подмосковный город Воскресенск, где одиноко жила сестра Евгении Николаевны Любовь Николаевна. Она арендовала дом — довольно большой, вместительный, почти на окраине городка. Перед домом был сад, крокетная площадка, позади тянулись огородные гряды, свои и соседские, и начинался спуск к реке Истре. Вдалеке виднелись башни и купола Нового Иерусалима...

Сравнительное благополучие дома держалось на подсобном хозяйстве, и прежде всего на хорошей молочной корове. Одно время она и впрямь была всеобщей кормилицей. И Любочке выпала участь возить в Москву на продажу молоко от этой коровы. Путь был нелегким. До станции несколько километров, — рано утром тяжелые бидоны водружались на тележку, зимой на санки, и через час-полтора их доволакивали до подножки вагона (платформы, естественно, не было), втаскивали в тамбур, в Москве выгружали и развозили по домам. А в домах бывало по-разному: в одних люди сами сходили вниз за молоком, в других надо было таскаться самой с бидоном. Иногда под самый верх — на пятый-шестой этаж. Зимой эти поездки превращались в сущую пытку — варежки приходилось то и дело снимать, ворочать тяжелые холодные бидоны голыми руками. Сводило суставы, дубела кожа.

Впоследствии Любовь Петровна очень мучилась руками. Они не болели, нет, но имели больной вид. И с годами это все больше усугублялось. Никакие средства, ни доморощенные, ни патентованные, ни заграничные, не помогали — руки выглядели старше облика, старше возраста. Возможно, беда с руками началась именно с них, с тех тяжеленных, обжигающе-холодных бидонов.

Худо было не только с руками. Хотя обычно на станцию и со станции ходили по трое-четверо, слухи, страхи и сумерки рождали ощущение полной беззащитности. В мозгу стучало, как заклинание: «Только бы не ограбили! Только б не убили! Только б не изнасиловали!»

И несмотря на все это, жизнь не угнетала. Даже напротив, словно бы закаляла волю и жизнестойкость. И была в этой жизни какая-то странная неясность, которая заставляла надеяться, верить и напрягать силы для грядущего. В доме по-прежнему звучал рояль, летом в саду наезжавшая молодежь играла в крокет. Вечерами в палисадниках пели соловьи. В монастыре звонили колокола. И вся эта житейская чересполосица была исполнена какого-то новоявленного смысла — непривычного, горького, тревожного и манящего. Кажется, именно о таком состоянии сказано у Ахматовой:

И так близко подходит чудесное
К развалившимся грязным домам,
Никому, никому не известное,
Но от века желанное нам.

У каждого было свое *чудесное*... Задним числом легко догадаться, что для Любы Орловой оно было тогда еще невнятным, но уже неуемным зовом души, называемым **призвание**. Тайно мечталось выплеснуть на публику свой боевитый, свой артистичный задор, но... Но, безропотно покоряясь традициям семьи и житейским обстоятельствам, в 1919 году Любовь Орлова поступает в консерваторию. Сестра к тому времени была уже замужем — замужество окончательно пресекло ее музыкальное образование. Младшая дочь стала единственной надеждой семьи. Почти два года она оправдывала эту надежду, училась на старшем отделении, у педагога с авторитетным именем — у Карла Августовича Киппа. Как-то при случае Любовь Петровна вспомнила еще Анну Павловну Островскую, но она преподавала на младших курсах — видимо, просто иногда заменяла Киппа. Кипп славился одной характерной особенностью: все, кто у него учился, обретали в конце концов преотличнейшую технику. Это было гарантировано — в отличие от более знаменитых Игумнова, Гольденвейзера. Считалось, что он обладает собственными секретами — к примеру, секретом различать при наборе наиболее старательных и перспективных учеников.

Но вот что любопытно: никто из близких к ней ни разу впоследствии не слышал от Любови Петровны профессиональной игры. Однажды только она попыталась разучить для какого-то спектакля (кажется, для спектакля «Сомов и другие») «Прелюдии» Скрябина, вполне возможно, что и разучила бы — с ее-то упорством, — да нужда в этом вскоре отпала. Редко-редко Любовь Петровна наигрывала для себя, но всегда что-то очень расхожее. Скорее всего объясняется это просто: Любовь Петровна не терпела любительщины, доморощенного форсу — особенно по части музыки. Она некогда отрезала себя от этой стези и всем дальнейшим как бы подтверждала правоту своего решения. Она практически отучилась играть.

Ну, а если б Любовь Петровна продолжила учебу в консерватории? Что бы ее ждало? Диплом на звание «свободного художника»? Аккомпанемент? Преподавание в школе? Частное преподавание? Типовое объявление в газете: «Пианистка Любовь Орлова — свободный художник Московской консерватории, ученица профессора Киппа — дает уроки фортепианной игры и теории музыки. Прием ежедневно. Адрес такой-то»?

А между тем от Киппа как раз и выходили хорошие педагоги. Он умел разглядеть не столько природные козыри, сколько старательность, врожденное соответствие правилу: делай, пока не получится! И здесь он в Орловой не ошибся: взявшись за гуж, она со всей добросовестностью старалась тянуть до победного конца — не щадя ни сил, ни времени.

Нет, все-таки хорошо, что обстоятельства вскоре заставили девушку сойти с консерваторской стези, — жизнь трудно обмануть, жизнь далеко не всегда спешит подарить человеку второй шанс, счастливую возможность выявить свое подлинное призвание. Тут же все получилось по мудрой примете: не было бы счастья, да несчастье помогло...

А несчастье состояло в том, что надо было помогать семье. Надо было работать, а не учиться. Голод, разруха в 1921 году вошли в каждый дом. Спастись одной коровой оказалось уже невозможно. И она пошла работать — зарабатывать на хлеб насущный. А поскольку умела только одно — играть на фортепиано, то и работу подыскала соответствующую — «иллюстратором» кинолент в московских «иллюзионах», «синематографах», «электротеатрах» и прочих тому подобных заведениях, то есть тапером...

Казалось, работа была по специальности и даже в чем-то полезная — постоянная практика, импровизация. На самом деле все было не так. На самом деле это порою бывало пыткой похуже молочных бидонов. Пыткой физической. Пыткой душевной. Грязные, расстроенные пианино с щербатой клавиатурой, нетопленые, прокуренные залы, отвратительные копии и отвратительные фильмы, которым нужна только самая низкопробная, самая разухабистая музыка (это после домашних романсов и кипповских модуляций!), огромный, давящий на глаза экран, неопрятная публика, заглушающая гоготом музыкальное сопровождение, приставание подозрительных субчиков после сеанса...

Все это выводило из равновесия, унижало, утомляло до полного безразличия к учебе, к искусству, к своей судьбе. К тому же просто противоречило тому, что «ставила» консерваторская школа: пальцы теряли чуткость, слух становился хуже, темперамент утрачивал чувство меры. Недаром консерваторцам строго-настрого воспрещались подобные «халтуры».

Вряд ли родителей обрадовала эта перемена, но ситуация была безвыходной. Настолько безвыходной, что оставалось лишь полагаться на стихию да на выносливость дочери. Возможно, все это и подвигло ее на скорое замужество.

Без объяснения причин этого внезапного — как снег на голову — замужества трудно уяснить логику судьбы актрисы. Она вышла замуж не по любви — на этот счет даже муж не обольщался. Предполагаю, что тут взяло верх зыбкое сочетание практических интересов: жажда решительной перемены, надежда на новую, на *другую* жизнь, уважение к человеку — сильному, взрослому, уверенно стоящему на ногах, кровно связанному с новой эпохой, новыми людьми.

Андрей Гаспарович Берзин был старше, кажется, лет на десять. Он был партиец и агроном — служил в Наркомземе, занимал там высокую должность. Женившись, он перевез семью Орловых к себе на квартиру — в двухэтажный дом в Хохловском переулке. Двухкомнатная и отдельная квартира по тем временам считалась большой редкостью. Одна из комнат, где жили молодожены, являла собой громадный, почти сорокаметровый кабинет, в котором впору было устраивать домашний театр. Быт заметно переменился. Разумеется, никакого роскошества не было — единственное хорошее платье, в котором юная женщина щеголяла до замужества, довольно долго оставалось единственным. Однако кусок хлеба перестал быть насущной проблемой — появилась возможность оглядеться и спокойно подумать о чем-то ином.

Супруг любил размеренную домашнюю жизнь, покой и порядок. Он хотел видеть жену хозяйственной, неизменно расположенной к мужу, к семейному очагу. Он недолюбливал артистов, шумную артистическую среду, всю эту неустойчивую богемную атмосферу, которая была по нраву молодой жене. Он не любил нежданных набегов этой неуправляемой шатии, их пересудов, кривотолков, импровизаций. Не любил заставать дома зрелищные экзерсисы, репетиции, а комната их, как назло, была самым что ни на есть притягательным местом для подобных мероприятий. Волей-неволей ему приходилось считаться с увлечениями жены, и, надо отдать ему должное, он проявлял — особенно в первые годы — достаточно терпимости.

А потом... потом незаметно пришло взаимное отчуждение. Поскольку не было громких ссор, скандалов, публичных обид, к отчуждению тоже отнеслись терпимо. Особенно поначалу. Сложилась уже привычка к совместной жизни, к накатанному быту — расторгнуть союз значило сильно осложнить жизнь и без того сложную, — поэтому до разрыва долго не доходило.

А сложностей, действительно, хватало. С некоторых пор в прихожей квартиры поселился чемоданчик со специальным набором вещей на случай ареста. Андрея

Гаспаровича стали вдруг забирать в ОГПУ едва ли не ежемесячно. В Наркомземе Берзин руководил всей системой земельных органов по финансированию сельского хозяйства. Кроме того, он являлся действительным членом Научно-исследовательского института сельского хозяйства, публиковал научные статьи. Его забирали и вскорости отпускали. Но наконец забрали окончательно и надолго.

Существуют различные версии по поводу взаимоотношений Любови Петровны и ее первого мужа. Она не любила вспоминать об этом. Ясно только, что он ушел из ее жизни незадолго до последнего ареста...

Да, вначале семейное благополучие казалось надежным — тем более что не сразу открылись возможности для реализации ее творческих исканий. А искания были примерно одного толка. Была попытка пристроиться в передвижную концертную труппу — одному из актеров требовалась партнерша с голосом. Но предприятие оказалось непрочным. Близкая подруга зазывала в одну из новоявленных театральных студий.

Но выбрала Орлова современную хореографию — возможно, потому, что это было явление самое новомодное и, как все новомодное, особенно заманчивое. «Это искусство теперь оказывается чуть ли не самым характерным для наших дней. Мир как бы устал сидеть на месте», — фиксировал один из тогдашних наблюдательных знатоков. Это было повальное поветрие: «студии», «школы», «мастерские», «фабрики танцев» плодились и размножались, как грибы после дождя. Казалось, что преуспеть на этом поприще — проще, доступней всего. Спрос рождал предложение. Танец почти заполонил эстраду — одну из самых доходных статей частного сектора. Нэпманы — владельцы варьете, скороспелые импресарио, бойкие администраторы миниатюрных театров, мюзик-холлов, шантанов, просто жучки-деляги, нюхом чующие прибыль, как водится, быстро приспособились к моде и ловко приспособили ее к запросам «почтеннейшей публики».

Тончайший, опытнейший музыковед И. И. Соллертинский формулировал это явление так: «За последнее десятилетие рядом с классическим балетом, бытие которого становилось все более проблематичным, возник и оформился Новый Танец — импрессионистический, пластический, эксцентрический, спортивный, акробатический, бытовой и всякий иной...» В переводе на разговорный язык то же самое означало: долой балерин и «балерунов»! Даешь «трансформаторш», «босячек», «испанок», «живые картины», «бэбэ», «дунканисток», «апашей», «американский танец со своим негром» и т.д., как колоритно описал в своей театральной пародии Николай Евреинов. Вот это было в цене — и в прямом, и в переносном смысле. И открывало дорогу к эстрадным площадкам любой репутации.

Г. А. Шаховская, имя которой еще не раз появится на страницах этой книги, так описывала свое впечатление от «пластического свободного танца» Дункан:

«Она была ужасна с первого взгляда. Просто ужасна. Возможно, мы были предубеждены — слишком подозрительной казалась ее громкая слава. К тому же мы были хорошего мнения о себе — о нашей классической школе, о наших собственных новациях. К тому же — Большой театр... Но где-то она действительно была ужасна. Немолодая, некрасивая, грузная, толстые бедра, будто нарочно открытые коротким хитоном, босые ступни, а грудь... Форегтер сказал тогда со своим забавным ломаным русским: «они больтаются, якоби слоновьи уши». И вдруг она стала танцевать. И стала преображаться. Она стала расти и расти и заполнять собою всю необъятную сцену. И музыка — это был Бетховен — точно исторгалась из нее. Из рук, из плеч, из всего тела. И мы увидели нечто грандиозное: мужество, величие, трагическую мощь, которая после уже наводила всех на сравнения с пластикой Родена и Микеланджело. Таким же монументальным выглядит обычно в нашем воображении символ «Мать Родина». Мы говорили потом про нее много всяких слов: дилетантка, авантюристка, лицедейка и прочее. Но какое великое зрелище!»

Известно, что после ее выступлений появилось бессчетное количество имитаторов, учеников, большей частью малоспособных, специалистов по **ее жанру.** Появилось множество студий, где учили свободному танцу, — на скорую руку и доморощенно. По той же евреиновской пародии легко представить учебный процесс — он изображен почти без утрировки:

— Учительница (показывает «красоту»): Первая поза: «устремление к идеалу». Уберите локоть. Мягче колени. Так. Вторая: «Я не приму этой жертвы». Уберите сзади. У вас местное ожирение. Надо делать массаж. Это необходимо. Третья поза: «обожаю тебя, мой возлюбленный». Больше экспрессии. Олицетворяйте красоту. Пятку ниже...

Даже в самых серьезных «школах» было нечто подобное — и позы со смыслом, и все другое. Пародия подметила характерное. Но в серьезных «школах» у серьезных педагогов был вкус, стремление не копировать, а совершенствовать принципы свободного танца.

Именно такой школой считалась (и действительно была) студия Франчески Беата. В этой студии Орлова проучилась около четырех лет — срок немалый! Поначалу студия была самостоятельным, частным заведением — затем, в 1924 году, влилась в Театральный техникум имени Луначарского, стала одним из трех классов хореографического отделения. Другими были: «Драм-балет» (в самом названии заявлен его творческий принцип: игровой, драматизированный танец) и студия Веры Майя, также пластическая, но более разносторонняя в своих исканиях, более разнообразная в репертуаре.

Все это важно оговорить, поскольку «классы» общались, творчески контактировали друг с другом. Конфронтации не было. Сторонним наблюдателям представлялось, что в техникуме действует единая система преподавания. За четыре года существования техникум «образовал» целую плеяду ярких универсалов — теперь уже классиков советской эстрадной хореографии. Они учились вместе: Редель и Хрусталев, Вирский, Холфин, Бурмейстер, Мей, Слуцкер, Исламова, Тамара Ханум, Кретов...

Собственно, здесь и начался творческий путь, беспрерывный и безвозвратный, к отдаленному «звездному часу». Однако Орлова твердо считала начальной датой своей творческой биографии 1926 год. Все ее анкеты, опросы, все устные воспоминания решительно не принимают в расчет ничего, бывшего ранее этой даты.

В студии Франчески Беата, кроме обязательной ритмопластики, вдохновляемой популярным лозунгом «Назад к природе», изучались и другие формы хореографии, возможные сочетания разных форм. Особенно чувствовалось влияние немецкой пластической культуры с ее спортивно-акробатическими акцентами, педантичной системой развития тела — его гибкости, упругости, эластичности. Танцевали в хитонах и босиком, как правило, с распущенными волосами. Очевидцы смутно припоминают сами зрелища — помнят как бы живой ковер из танцовщиц на полу, покрытый сверху голубой кисеей. Ковер внезапно оживал... девушки старались освободиться от покрывала... кисея красиво струилась, перекатывалась, спадала... одна из девушек — она изображала сумасшедшую — никак не могла распутать себя, освободиться... так и погибала под кисеей...

Для концертов снимались комнаты. Находилось довольно много людей, охотно превращавших свои квартиры в подобие художественного салона — иногда бескорыстно, чаще — за приличные деньги. Житейская предприимчивость порой совмещалась с любовью к искусству. Салоны эти регулярно посещала более или менее состоятельная публика — образованные нэпманы, творческая богема, интеллигенция, поладившая с новой властью, газетчики и журналисты, случайные иностранцы. Сюда не был заказан путь и ответственным работникам, выдвиженцам — партийным и беспартийным. Постоянно бывали на подобных показах и представительные советские вельможи вроде Авеля Енукидзе (большого любителя девочек), и видные наркомпросовцы, и сам наркомздрав Николай Семашко, — тогда много писалось и говорилось о положительном эффекте новой хореографии с педагогической, гигиенической и социальной сторон (в противовес старому императорскому балету).

К этой публике, как и положено, примазывалось много откровенного мусора — прихлебатели, мелкие аферисты, просто бездельники. Иные салоны очень быстро вырождались в злачные места наподобие «Зойкиной квартиры». Издержки в таких предприятиях всегда неизбежны, тем паче в «смутное» время — а НЭП, при всех его позитивных качествах, был все-таки смутным временем... Большинству девушек эти студии и показы давали не столько творческий шанс, сколько житейский: познакомиться с интересным и полезным человеком, выйти замуж, завести покровителя... Случалось, кого-то из них увозили за границу иностранные спецы: выдающихся актрис из них, как правило, не получалось, но часто получались хорошие жены... Иногда в этих салонах устраивалось что-то вроде буфета, где подавались (или продавались) пирожные (чаще всего самодельные) и шоколад (тоже самодельный — из дефицитного какао).

Располагалась публика обычно на полу, на подушках. Сцена отделялась от «зала» куском драпировки — за ней необходимое пространство и дверь из другой комнаты. Непременно рояль. Джазовую музыку (тогда говорили «американскую») эти школы не признавали — только серьезное: Метнер, Скрябин, Шопен...

В числе аккомпаниаторов студии был совсем молоденький мальчик Шура Цфасман (будущий Александр Цфасман). Он часто приходил домой к Орловой и там, как и всюду, поражал слушателей своим импровизаторским даром. Бывала в гостях и сама Франческа Беата — пожилая статная женщина с черными, без единой сединки, волосами. Случалось зимой, что помещение школы — три комнаты в трехэтажном доме на Тверской — не отапливалось и промерзало так, что стенки покрывались изморозью. Тогда репетиции приходилось куда-нибудь переносить — чаще всего, конечно, в соседний дом, в ту комнату, где топилась печка и был хороший рояль.

В техникуме, естественно, можно было изучить все многообразие эстрадно-танцевальной практики, в частности бытовой, жанровый танец. В номерах, которые Орлова готовила для отдельных выступлений, все более и более замечалась откровенная тяга к театрализации. Здесь, видимо, начинает сказываться склонность к игре, осмысленной сюжетом, характером, реальной атмосферой.

Сохранилось несколько фотографий, запечатлевших один из таких номеров. Это этюд явно акробатического стиля, однако не лишенный «содержательных» моментов. Наверное, он имел конкретное название — как все этюды подобного толка, выражавшие собою злободневную политическую идею. Это своего рода хореографический плакат в духе тогдашних шаблонов. Партнер олицетворяет пролетариат, партнерша — гидру контрреволюции и даже еще точнее — фашизма. На шапочке свастика. (В 1925 году фашизм, победивший в Италии и набирающий силу в Германии, становится достаточно характерной приметой времени.)

«Пролетариат» борется с извивающейся «гидрой»... Она старается задушить его... он бросает ее на пол... в руках у него появляется винтовка со штыком... он закалывает «гидру» и поднимает ее на штык... Даже на фотографии заключительная поза партнеров выглядит очень эффектно. Штык и винтовка, разумеется, бутафорские — дерево, обтянутое тканью. Конец штыка срезан. Срез упирается партнерше в поясницу, и она свободно висит в «мертвой» позе на одной этой точке.

Всесторонне оценить этот номер (так же как и другие) у нас возможности нет. Да и стоит ли? Н. И. Форегер иронизировал тогда же: «Рецепт необычайно прост: партнеры отрепетируют несколько акробатических трюков с поддержками, бросками, выжимками и т.д... Затем, взяв музыку, соединяют все самыми нелепыми и незатейливыми па для передышки. Наконец, костюм в стиле «разлагающейся Европы», и танец готов...»

Но нам важна не оценка ее первых, еще неопытных шагов в искусстве. Важно увидеть их в свете грядущей судьбы. И здесь трудно переоценить значение трех с половиной лет, целиком отданных подобной хореографии...

Студия должным образом усовершенствовала тело — выявила его пластические возможности, приучила к самым тяжким нагрузкам, приохотила к ежедневному тренажу в виде станка и гимнастики (до конца жизни Любовь Петровна не изменяла этим навыкам), пробудила особую чуткость к ритму, естественной позе, естественной красоте. Отныне ни одна задача, связанная с хореографией, не покажется ей невыполнимой: будь то эксцентрический танец («Веселые ребята»), или чечетка («Цирк»), или каскад национальных узоров («Волга-Волга»), или опереточный дивертисмент («Весна»)...

От этих лет останется и сохранится на долгие годы узенький кожаный поясок, подтверждающий должный объем талии, — чтоб и в тридцать, как в двадцать, и в сорок, как в двадцать, и в пятьдесят... Не более сорока трех сантиметров.

Студия вывела Любовь Орлову на эстраду и развила (быть может, еще не вполне, еще приблизительно) чувство эстрады. Она не любила этого слова — «эстрада», а еще больше — «эстрадник», «эстрадница». В них слышалось что-то низкопробное — какое-то презрительное обозначение второсортного искусства. Но эстрадную сцену Любовь Петровна полюбила, и она заняла в ее жизни не меньшее место, чем театр и кинематограф, то есть потребовала не меньшей самоотдачи и не меньшего времени. Правда, эстрада Орловой в грядущем — не танцевальная, а песенная, но это частность. Сейчас речь идет об «эстрадности», которая изначально была свойственна и близка актрисе, как и сценичность, и киногеничность. Хотя есть очевидная разница между этими понятиями, они поладили, взяв общей основой все ту же яркую, самоценно-игровую индивидуальность.

И наконец, студия втянула в круговорот интересов, который неизбежно должен был увлечь такую неуемную, такую честолюбивую натуру все выше и выше — в новые сферы хореографии, в театр, в кинематограф.

ПРИЗВАНИЕ

> Кто не любит театра, кто не видит в нем одного из живейших наслаждений жизни, чье сердце не волнуется сладостным, трепетным предчувствием предстоящего удовольствия?..
>
> *Виссарион Белинский*

«Я начала свою творческую жизнь в Театре имени Владимира Ивановича Немировича-Данченко».

Так открывала свои встречи со зрителями Любовь Петровна Орлова. Далее шел рассказ о творческой жизни, прерываемый в нужный момент показом кинофрагментов и песнями из тех же фильмов. (Собственно, было две формы: с рассказом и без рассказа — чисто концертная.) Текст заранее записан, заучен, практически не изменялся — Любовь Петровна не любила импровизаций и отсебятины и к тексту роли (а для нее любое выступление на сцене было ролью) относилась свято, — поэтому мы можем привести ее рассказ абсолютно дословно. Беда в том, что мы не можем привести улыбку, которая словно открывала ее лицо (как занавес открывает сцену), ее голос — вроде бы не сильный, но отчетливый и музыкальный, весь ее праздничный, редкостно гармоничный облик. Без этого слова останутся словами. Но сейчас и они нам нужны — как самая непосредственная информация. После первой фразы она говорила:

«Много лет тому назад театр объявил конкурс. По правилам приема от актеров и актрис требовалось: умение петь, владеть сценической речью, хорошо двигаться на сцене, танцевать. Я держала конкурс и была принята в хор театра: тогда я уже пробовала петь. Я также училась в балетной школе и выступала на сцене как танцовщица, поэтому первое время мне поручали некоторые танцевальные номера в операх и опереттах, которые шли в репертуаре театра...»

Пожалуй, стоит для полноты картины добавить к этой цитате несколько частностей. Хормейстером в театре был молодой А. В. Александров — будущий создатель Краснознаменного ансамбля. С руководством его отношения были натянутые, да и с подопечными своими он ладил, прямо сказать, не очень. Они обижались на его окрики, на его повелительное обращение к ним: «Н-ну, хор!» Они-то все считали себя артистами — артистами ансамбля.

А петь Любовь Петровна училась буквально второпях. Поначалу, как многие хористки, у своих подруг, чуть более опытных и умелых. Первым таким педагогом у нее оказалась Катя (Екатерина Сергеевна) Сергеева. Видимо, уроки эти состояли в самых несложных советах, проверяемых самой несложной практикой: «здесь бери повыше», «здесь звук надо ставить на голову, а ты его на диафрагму» и тому подобное.

Потом она стала искать более компетентных учителей. Но, торопясь научиться, очень много занималась, а может быть, попала к плохому педагогу и в результате сорвала голос, причем не только певческий. И настолько серьезно, что пришлось делать операцию, потом долго залечивать связки. Но голос возродился, и уроки возобновились — только без прежней горячки.

Ради чего она так старалась? Ради хора? Или ей с ходу привиделась возможность сценической карьеры? Вряд ли. Просто ей сызмальства было присуще отвращение ко всяческой неумелости — своей и чужой. Своей прежде всего. Что же до хора, то, по мнению современников, хоровое пение в этом театре было прямо-таки на выдающемся уровне (Александров!). Каждая музыкальная и речевая фраза — особое свидетельство класса — доходили до слушателей с безукоризненной отчетливостью.

Здесь подходящий момент посвятить читателя в ряд подробностей, без которых невозможно представить значение этого театра в жизни актрисы.

Когда Орлова вступила в труппу, театр имел за спиной всего шесть лет истории. Но какой истории! В 1920 году отсутствие большой группы мхатовцев («качаловской группы», отрезанной от Москвы Гражданской войной) расстроило планы Художественного театра. Немирович воспользовался случаем, дабы осуществить свою давнишнюю мечту: создать в театре музыкально-драматическую школу, способную выдать образчик нового синтетического зрелища, превратиться в будущем в самостоятельную студию, в новый театр. В основу школы Немирович положил идею синтетического актера, который органически сочетает в себе, в своем исполнении все основные элементы театральной выразительности: хореографию, пение, драматическое мастерство. Поскольку начинать приходилось с малоопытной молодежью, мастер пошел от «простейшего» — от старой доброй французской оперетты с ее веселым незатейливым сюжетом, общедоступной музыкой, несложными партиями. 16 мая 1920 года студия открылась премьерой «Дочь Анго» Лекока. Впоследствии этот спектакль стал постоянным в репертуаре театра, — с него же и началась театральная карьера Любови Орловой. Она рассказывала об этом так:

«Владимир Иванович Немирович-Данченко говорил, что самое большое событие для молодых актеров и актрис — это первые сказанные на сцене слова. Поэтому, когда мне дали роль Герсильи в оперетте «Дочь Анго», вся моя роль заключалась в словах: «Да, гражданка! Нет, гражданка! Слушаюсь, гражданка» — это было первым большим событием в моей творческой жизни, потому что я получила право говорить на сцене. И вторым событием было, когда мне дали партию Бабетты в той же оперетте. Вся моя партия заключалась во фразе: «Она еще у туалета». Но я была бесконечно горда, ведь я получила право петь на сцене с оркестром».

Раз уж «это было событием», я чуть-чуть дополню актрису и чуть-чуть поправлю. Крохотная роль Бабетты (горничной) свалилась на нее внезапно, — прямо перед спектаклем заболела актриса, и режиссер, как часто в подобных случаях, стал суетливо искать замену. И вот тогда на авансцену (в прямом смысле) храбро шагнула маленькая статистка в костюме Герсильи: «Я могу». Ее наскоро проверили — она могла. А фраза Бабетты звучала немножечко иначе: «Задержался туалет — не готов еще букет».

Второй постановкой студии стала знаменитая «Перикола» Оффенбаха — ей тоже была уготована долгая счастливая жизнь на сцене театра. И важное место в жизни нашей героини.

«Я пела и играла еще целый ряд небольших ролей. Затем я приготовила большую партию «Периколы» в оперетте Оффенбаха. Это очень серьезная партия, где надо петь, и говорить, и танцевать. После этого я почувствовала себя по-настоящему актрисой. И смелее стала присматриваться к другим ролям».

Но это случилось уже в иное время — не будем его торопить. Сейчас интереснее последить, как приближалась к ее судьбе судьба начинающего театра — судьба витиеватая, изобилующая резкими поворотами, сокрушительными встрясками. На первых порах ничто их как будто не предвещало — напротив, после знаменитой «Лизистраты» (наиболее явной победы студии), после «Карменситы» и других постановок перед молодой труппой открывались самые радужные перспективы. Понятно, что творческие проблемы не исчерпывались двумя-тремя удачными работами, — Немирович продолжал искать (в духе мхатовских принципов) наиболее выразительные приемы сочетания психологизма и условного музыкального действа, но всем было ясно, что театр состоялся, что он существует.

Единственной — правда, серьезной — занозой было отношение к студии Константина Сергеевича. Станиславский органически не мог переварить на сцене Художественного, столпа психологического театра, какой-то оперетки, какой-то музкомедии. Его заранее коробило. Эта натянутость могла бы сохраняться довольно долго — при той *воспитанной* форме отношений, которые бытовали в руководстве МХАТа. Однако жизнь ускорила развязку. Студия получила возможность показать себя за границей. В 1925 году она отправилась в длительное турне: Чехословакия — Германия — США. Отправилась под новым названием, бесконечно длинным, но весомым: **«Государственный театр — бывшая музыкальная студия МХАТ под руководством директора и режиссера народного артиста республики Вл. И. Немировича-Данченко»**.

Грандиозный успех театра, особенно в США (где публика издавна приохочена к подобному зрелищу — мюзиклу), победная, ликующая обстановка, в которой постоянно жила труппа, в конце концов сбили с толку, заморочили головы многим актерам, актрисам и музыкантам — в большинстве молодым, только-только начинающим. Четырнадцать человек — почти половина состава труппы, среди них два основных тенора и два дирижера — остались в США. Особенно ощутимой была потеря Ольги Баклановой — истинной звезды студии. Влюбленный (в который раз!) Немирович фактически настраивал на нее всю партитуру «Лизистраты». Спектакль фактически держался на ней. Но она же оказалась единственной из оставшихся, кто сумел преуспеть за границей: через год-другой она стала довольно заметной звездой Голливуда. Все остальные актеры затерялись в сумятице американского быта.

В Москве стало известно о развале труппы, и руководство МХАТа отказало Немировичу в предоставлении его театру постоянной сцены. Обиженный худрук воспользовался этим поводом и ответил на это... закрытием своего театра. А сам изъявил желание остаться в Америке еще на полгода. (Без сердечного влечения тут, разумеется, не обошлось.) Потом он дважды или даже трижды продлевал свое пребывание в Штатах — как официально объявлялось, для детального знакомства с Голливудом и с театральной практикой в США, для педагогической работы, для участия в кинопостановке, для пропаганды метода МХАТа, для творческих консультаций американских актеров. Конечно, это было дежурной отпиской, хотя педагогикой и консультациями он не слишком активно все же занимался.

Эти события стали на короткое время притчей во языцех в театральной Москве. Наверное, и в техникуме имени Луначарского, где пребывала Любовь Петровна. Жарко обсуждали *падение* «музыкальной студии», которую любили и почитали, на которую кое-кто несомненно рассчитывал.

Но студия уцелела — на счастье многим учащимся техникума, в том числе и нашей героине. Основная часть труппы, обсудив ситуацию, решила «не закрываться», а продолжать дело самостоятельно — без Немировича, без МХАТа. Выбрали комитет — руководящую десятку (секретарем назначили самого юного — тенора Сергея Образцова). Руководителем студии предложили стать

Льву Баратову. Это было естественно — Баратов считался вторым после Немировича авторитетом студии. Он был, бесспорно, способной личностью — способный режиссер и способный актер (в амплуа мужественных героев). Несмотря на невысокий рост, производил внушительное впечатление: спортивно крепкий, с массивной трубкой во рту, с немного высокомерным взглядом, любитель безапелляционных и подчас резковатых тирад. Его недолюбливали, но уважали.

Он и организовал новое помещение для театра на Большой Дмитровке пополам с оперной студией Станиславского. Это выглядело явной усмешкой судьбы. Сцена была одна — играли в очередь. Занятно, что помещение раньше именовалось кафешантаном «Максим», — в такой преемственности по части легкого музыкального жанра можно также усмотреть нечто судьбоносное.

Потеряв ряд актеров за рубежом да еще нескольких уже дома, студия объявила конкурс для желающих пополнить ее состав.

Вспоминая этот период, Любовь Петровна никогда не говорила «студия» — всегда «театр». В принципе здесь уместно и то и другое — слово «театр» звучит солиднее, хотя название «студия» более отвечает существу дела, ибо здесь не только играли спектакли, здесь еще и обучали. Любовь Петровна тоже училась. И рассказывала про это с неизменным удовольствием:

«В театр были приглашены лучшие педагоги. Моим педагогом была Ксения Ивановна Котлубай. Правая рука Вахтангова. Постановщик-режиссер и прекрасный педагог. Всем, что я умею делать на сцене, я обязана Ксении Ивановне Котлубай. Началась очень серьезная работа. Нам читали систему Станиславского, занимались дикцией, сценической речью. Самым трудным для меня было — говорить на сцене. Я не училась в драматической школе и совсем не умела говорить на сцене».

Кто ни рассказывал мне про К. И. Котлубай (а рассказывали многие), я не слыхал о ней ни одного худого слова. Возможно, Баратов имел особое мнение — они явно не дружили. Зато все ученики ее, все товарищи по «мансуровской студии» поминают ее добром. Нельзя сказать, что она была ближайшим соратником Вахтангова, его «правой рукой», но одной из самых близких помощниц его — это верно. Вместе с Завадским Ксения Ивановна помогала ему в постановке «Турандот». Судя по фотографиям, по рассказам, была она невысокой, всегда скромной, без малейшей претензии на всезнайство и менторство. Дело свое любила самозабвенно. Она учила Любовь Петровну азам сценического искусства, начиная с «выхода» и «ухода» — тех элементов, которые станут потом коронными, практически ритуальными приемами актрисы на сцене театра, на эстраде.

Мне довелось видеть памятные «прощания» Орловой после финала, когда она много раз с видимым наслаждением выходила на аплодисменты и, благодарнейше улыбаясь, низко и легко (по-балетному) приседала, точно слегка бравируя своей неутомимостью.

Ксения Ивановна хорошо относилась ко всем своим ученицам, но чуть-чуть выделяла даже не самых способных, а тех, кто хотел учиться, любил учиться. Любовь Петровна обожала учиться — разумеется, только тому, чему сама хотела. Понятно, что все это шло бок о бок с практическим интересом — разучить партию, получить роль, понравиться режиссеру, подготовить концертный номер и т.д. Даже если особо не нужно, а просто... желательно — значит, разбейся, но сделай! Повторю, она любила все, что классно, профессионально, в высшей степени грамотно.

Любовь Петровна завершала обычно рассказ о своем театральном прошлом таким лестным для себя воспоминанием:

лирического лукавства, невинного, полудетского задора. И даже ее неумелость в каких-то сложных сценических ситуациях казалась по-своему артистичной и привлекательной.

Этот успех много значил для нее в ту пору, ибо жилось ей тогда и трудно, и тревожно. Ее личная жизнь резко осложнилась: был арестован муж. На этот раз Берзина не привезли на извозчике из тюрьмы, как бывало, ни через три дня, ни через месяц. После нашумевшего в конце 1930 года «процесса промпартии» начал готовиться «процесс Трудовой крестьянской партии (ТКП)». Следствие длилось по май 1931 года. В группу Кондратьева—Чаянова включили Берзина. Он был приговорен к трем годам ссылки и отправлен отбывать ее в Семипалатинск.

Теперь работа стала для Любови Орловой средоточием всех интересов. Работа, но не театр, поскольку театр мог лишь частично удовлетворить ее запросы.

...О многом трудно судить, не будучи современником, и все же мне представляется, что студия Немировича при тесном общении с ней рождала в конце двадцатых далеко не цельное впечатление. Двойственное. С одной стороны, молодой, энергичный, вполне самостоятельный коллектив, склонный к новым веяниям, новым трактовкам, новым авторам («Корневильские колокола» убедительно доказали это). С другой — скованный материальной бедностью, заштатностью и в силу этого принужденный все время думать о «кассе», потрафлять вкусам не очень взыскательной публики.

Зал маленький и неудобный. Фойе — совсем непрезентабельное. Рабочие помещения скучены. Все приходится делить пополам с оперной студией. Вечные дрязги и споры на тему «кто сломал?», «кто вывел из строя?», «кто разбил... прожег... разорвал?». Разъехаться невозможно — некуда. Играть приходится, только чередуясь, двенадцать спектаклей в месяц. Актеры еще как-то терпят, а музыканты то и дело бунтуют, срывают репетиции, даже спектакли — требуют прибавки... Хотя к молодежи приставлено сколько-то педагогов, серьезного авторитета в театре они не имеют, в том числе и К. И. Котлубай. Никакой продуманной, планомерной подготовки «смены» не ведется. Даже намека на «школу» не существует.

И вся эта двойственность по-своему сказывается на судьбе нашей актрисы. С одной стороны, ее положение в театре было и прочным, и перспективным. У нее был хороший педагог — опытный и заботливый. У нее были подруги — Катя Сергеева, Катя Калашникова, Аня Тулубьева. Своя компания. Они жили вместе на гастролях, помогали друг другу. Притом все трое были способными актрисами — особенно Тулубьева. Уже после ухода Орловой из театра она блестяще сыграла и спела Катерину Измайлову, прогремела на всю Москву, но, увы, очень скоро потеряла голос, и знатоки полагают, что все по той же причине — не было настоящей «школы»...

Не обойдем стороной еще один — деликатный — момент: Владимир Иванович Немирович-Данченко проявил к Орловой в ту пору как бы отеческую заботливость. Деликатность же состояла в том, что сын Владимира Ивановича, Михаил Владимирович (за кулисами просто Миша), страстно и безнадежно был влюблен в Орлову. Он был актером того же театра, но фактически только считался им, поскольку не играл ни серьезных, ни маленьких ролей, лишь изредка работал на «выходах». Тихий и скромный человек добродушно позволял злым языкам посмеиваться над своей страстью. Иные доброхоты без шуток советовали актрисе «пожалеть» его — выйти замуж хотя бы ради грядущих привилегий. В минуты грусти она отвечала: «Да ведь придется с ним жить!» В хорошем же настроении задорно говорила: «Я и так своего добьюсь!»

Навряд ли она вкладывала в последнюю фразу какой-то скрытый смысл. Самый реальный шанс давал пока лишь театр. Стало быть, добиться «своего» значило добиться еще одной выигрышной роли. И вот она добилась ее — в «Корневильских колоколах».

...Этот спектакль стал гвоздем репертуара театра. Его готовили очень серьезно. Пустенькую, малоэффектную оперетту Планкетта театр перекроил, переписал самым решительным образом. Было придумано новое либретто, написан новый стихотворный текст (в основном Верой Инбер), музыку «переоформил» один из наиболее известных тогда композиторов А. Мосолов (имя его тогда упоминалось в одном ряду с именами Шостаковича, Прокофьева, Попова — первейшими прогрессистами). Он включил в партитуру музыкальные фрагменты из других вещей Планкетта, кое-что отредактировал на свой лад и, наконец, совершенно переозвучил многие эпизоды, переложив прежнюю оркестровку на более современную, почти джазовую.

В новой трактовке действием целиком распоряжается группа странствующих комедиантов во главе с директором и первым актером Вильером. Она вступает в борьбу с владельцем замка — аббатом, лицемерным святошей, держащим в страхе весь Корневиль, и побеждает его. А заодно побеждает свои внутренние раздоры... И вдохновитель этих славных побед — маленькая Серполетта. Актеры Вильера поют про нее в финале:

Вот нахальная девчонка –
Всех она пробрала тонко.
Расчесала, как гребенка,
Целый город сверху вниз.
Что для нашей Серполетты
Ваши все авторитеты!
Хоть надень ей эполеты,
Смелость — вот ее девиз.

Я очень надеюсь, что зрители, видевшие Орлову на экране в кинокомедиях тридцатых годов, сумеют хоть капельку вообразить ее в роли очаровательной и жизнерадостной комедиантки. И это не будет натяжкой: ведь Александров увидел ее впервые именно в «Корневильских колоколах». И увидел в ней именно то, что ему (уже приступившему к «Веселым ребятам») нужно было для образа Анюты — и, может быть, смутно грезилось в будущих героинях своих картин.

В лучших своих комедиях Орлова выступала как героиня эстрады, цирка, оперетты, самодеятельности. Ей особенно шло играть актрису, причем актрису такого зрелища, которое более всего схоже с балаганом, уличным театром, народной комедией. И случайно ли, что в театре Немировича она ярче всего блеснула именно в ролях Серполетты и Периколы.

Она пела в этом спектакле как будто про себя, про свои сомнения, про свое ненадежное, скудное, неуютное и все-таки прекрасное бытие:

Как жаль, что беспокойный случай
Меня толкнул на путь иной.
Наверно, было бы мне лучше
Быть просто чьей-нибудь женой.
Я сею мак, сажаю дыни,
Готовлю жбаны для вина.
А впрочем, нет! Пусть я — графиня!
И руки портить не должна.

Наоборот, в шелках и бантах
И косы забраны под сеть,
На труппу нищих комедьянтов
Я приезжаю поглядеть.
Я вижу двор — такой, как этот,
Где труппа та же, что и тут,
Расположилась пообедать
Одними запахами блюд.

Следующий куплет говорился под музыку:

Пускай актеры и бедны,
И жизнь их очень тяжела,
Но я срываю, черт возьми,
С себя и бархат, и шелка!
И вот опять в актерский список
Я, Серполетта, внесена.
Как хорошо, что я — актриса,
Хотя и очень голодна!

Кроме двух коронных ролей, да еще роли Жоржетты, больше в ее репертуаре ничего серьезного не было. Эти роли, особенно коронные, ей приходилось играть в очередь с другой актрисой — и даже не в очередь, а время от времени, потому что Анна Сергеевна Кемарская была основной, главной исполнительницей. И, будучи таковой, очень ревниво относилась к успеху недавней хористки. Извечный конфликт — самолюбивая премьерша и способная дебютантка.

Кемарская, безусловно, была талантливой премьершей, но в ревности своей порой заходила за край. То, что она по мере сил перекрывала доступ «нахальной девчонке» к новым ролям, еще в пределах здравой закулисной психологии. Но, когда она стала практиковать поистине утонченные подножки — особенно узнав, что Орлова начала сниматься в кино, — даже видавшие виды актеры несколько смутились. Как только Орловой выпадала ночная съемка, можно было не сомневаться: наутро Кемарская позвонит в театр и откажется петь в дневном спектакле по причине внезапной болезни. Она рассчитывала, что театр, будучи в безвыходном положении, заменит ее Орловой, а та, утомленная ночной работой, возможно, простуженная, или завалит спектакль, или сама окончательно свалится...

К несчастью, нашлось еще несколько человек, давних приятелей Кемарской, активно поддержавших ее склочную политику. Начались мелкие, «остроумные» пакости — вдвойне обидные, когда они творились прямо на сцене, во время представления.

Все это не вылилось в регулярную травлю — большинство труппы, повторю, относились к Орловой с неизменным дружелюбием, однако жизнь в театре это заметно отравляло. Так же, как отравляло ее постоянное безденежье, — зарплата была ничтожной, а выглядеть нужно было элегантной, уверенной, благополучной.

И Любовь Орлова таки выглядела элегантной, хотя стоило это подчас изрядного напряжения сил. По счастью, у нее сызмальства было пристрастие, пожалуй, даже талант к рукоделию. В течение многих лет она ухитрялась сохранить одно-единственное дорогое платье — черное, и, подставляя к нему то манжеты, то бант, то воротничок, сочиненные из каких-то кусочков, варьируя, преображала его каждый раз.

Приходилось порой принимать гостей — многие из них были творчески и житейски необходимы, но каждый такой прием оставлял после себя непоправимые разрушения в бюджете. А сколько стоили педагоги по вокалу...

Но вот что здорово: трудности не только не угнетали актрису, а, напротив, где-то раззадоривали, прибавляли рвения и азарта. Редкий характер: терпение, прилежание, трезвый расчет и — жаркий творческий, до упора, до изнеможения азарт. В том напряженном сочетании, которое создает и отлаживает, в конце концов, безотказный «движитель» преуспевания.

...Никто не может сказать, что Орлова достигла высочайших вершин хотя бы в одной из тех дисциплин, с которыми имела дело: в пении, хореографии, драматическом искусстве. По этой части с ней многие могли посоперничать. Ей нужен был только счастливый случай, способный вывести ее из накатанной колеи в неизведанное. Дать ей шанс испытать себя на *чертовом колесе* самого отвязного, самого полоумного, самого феерического действа — и отнюдь не в тесных рамках театральных кулис. Дабы там, во всем разноплановом блеске своего обаяния, своего неотразимого эксцентричного кокетства, а вдобавок умелой и чуткой режиссерской шлифовки, броско укрупняющей каждый момент ее игры — она казалась воистину беспредельной. Такой, о которой Горький когда-то сказал : «Она — ведьма. Она может все».

До самого последнего момента — уже снимаясь у Александрова — Любовь Орлова колебалась, бросать ли театр. Сцену она бесконечно уважала и каждым новым успехом на ней, пусть даже не слишком громким, очень гордилась. И конечно, опытные люди остерегали ее от излишнего доверия к кинематографу, да и она сама знала, сколь ненадежны кинематографические взлеты и сколь сокрушительны падения. Ей давно хотелось сниматься — возможно, еще с тех пор, когда она озвучивала в «синематографах» пережившие революцию ленты.

Какая девочка не мечтает о сказочной жизни кинозвезды... Но вслух она заговорила о своем желании сниматься, уже будучи в театре, когда познакомилась с Натальей Александровной Глан. Знакомство оказалось очень полезным, поскольку Глан и ее сестра Галина Шаховская, два начинающих хореографа, существенно помогли Орловой в ее тогдашних внетеатральных начинаниях. Но об этом речь впереди — пока же лишь о кино.

Наталья Глан была во второй половине двадцатых годов в необычайном фаворе среди творческих людей. Кроме большого хореографического дарования, кроме личного обаяния и красоты, ее поднимала ввысь слава киноактрисы. Она была знаменитой на всю страну «Мисс Менд» — героиней трехсерийного боевика, имевшего сногсшибательный и долго непреходящий успех. Кроме того, она была женой популярного актера и режиссера Бориса Барнета, плечистого, спортивного склада красавца — одного из создателей той же «Мисс Менд».

С ней первой и поделилась Любовь Петровна своими сокровенными видами на кино. Наталья Александровна и в шутку и всерьез принялась отговаривать ее: «Ради бога, Любочка, не стремитесь туда — там вовсе не нужна ваша грация, а тем более ваши способности. В лучшем случае сгодится, и то ненадолго, ваше непорочное личико. Все это ужасно не творчески, ужасно халтурно...» Но Любочка не сдавалась — опять и опять приносила свои фотографии, убеждала: «Ну, посмотрите, какая я здесь... а здесь... Нет, честное слово, я фотогенична...»

На мой взгляд, желание сниматься в кино было вызвано еще и внешними обстоятельствами — она искала что-то вдобавок к театру, что-то в противовес ему. И в этом сказалась некая противоречивость ее творческих убеждений. Она подчеркнуто уважала серьезное, основательное, едва ли не академическое искусство — серьезное пение, серьезный театр, ее коробил термин «легкий жанр», но... преуспела более всего она как раз в нем.

Очень трудно представить Орлову в немом кинематографе (к сожалению, единственная картина немого периода, где она сыграла эпизодическую роль — «Любовь Алены», — не сохранилась). А еще труднее представить ее в немых кинокомедиях Протазанова или того же Барнета. Формально (хронологически) эти комедии прямо предшествуют комедиям Александрова, по сути же, и по форме, и по смыслу, они — прямая противоположность. «Дон Диего и Пелагея», «Девушка с коробкой», «Дом на Трубной» — веселые фильмы (как и положено комедиям). И чуть-чуть грустные. Они, разумеется, разные — прежде всего по жанру: Протазанов заметно сильнее в сатире, Барнет — в лирике. Но они схожи своей предельной заземленностью, сугубым «бытовизмом». В них и намека нет на героическипобедную, маршевую поступь, которую принесли на экран комедии Александрова.

Первые советские комедии выступают от имени иной эпохи — сложной, неустоявшейся. НЭП еще дает о себе знать — так же как последствия войны, разрухи, безработицы. Герои этих комедий — обычные люди, люди трамваев, улиц, очередей, коммуналок, домишек с палисадами и огородами, по-своему привлекательные, но никак не претендующие на особое место в истории. Они еще не успели осознать идеалы нового времени, почувствовать его романтический пафос. Они живут на окраинах, в пригородах, в тесноте коммунального быта — их не ждет в финале Большой театр, или пышные павильоны Сельскохозяйственной выставки, или физкультурный парад на Красной площади.

Заметим к слову: хотя комедии Александрова сделаны в том же аскетичном черно-белом колорите, в сопоставлении со своими «предтечами» они ощущаются как цветные — столь красочна в них реальность. Представить Любовь Орлову на месте Анны Стэн — «девушки с коробкой» или Веры Марецкой из «Дома на Трубной» можно только с большой натяжкой.

...Но разговоры про кино как начинались, так и кончались — ничем. Наталья Александровна не желала способствовать приобщению новой подруги к волшебному миру экрана. Зато она стала по мере сил помогать ей в подготовке концертной программы. Это была сфера, куда более доступная и надежная, чем кинематограф. И более соответствующая тому, что делала актриса на сцене. Скорее всего о «своей программе» Любовь Петровна всерьез задумалась после прихода в театр: когда пришлось озаботиться голосом и другими «азами» сценического искусства.

Голосом ее занимались несколько педагогов. Недолгое время, но очень энергично ее вела Е. Г. Терьян — многоопытный преподаватель с петербургским «акцентом» во всех наставлениях и советах. Затем был кто-то еще — тоже недолго. Потом появился М. Л. Львов — в прошлом неплохой баритон, солист частной оперы Зимина. Его репутацию педагога впоследствии очень подняла успешная карьера одного из учеников — Георгия Виноградова, популярного тенора тридцатых-сороковых годов. Однако с Орловой у него не заладилось: сведущие люди считали, что он повредил ей голос — «посадил» его.

Во всяком случае, она опять сменила педагога — перешла к К. А. Кандауровой, бывшей певице, женщине в высшей мере старательной, дотошного нрава, чтоб не сказать въедливой или просто придире. Но при всех ее непростых личных свойствах она давала своим ученицам ощутимую пользу — и в первую очередь тем, что хорошо, просторно «распевала» их и учила, как «распеваться». Голос после таких разгонов держался уверенно — не хрипел даже после изрядного утомления.

Любовь Петровна на деле познала высокую цену «кандауровской школы» — и в театре, когда порой приходилось петь после ночной съемки, и в будущей своей концертной работе, когда приходилось давать по три-четыре выступления без передышки. Ибо Любовь Петровна была актрисой стопроцентной, то есть такой, которой всегда легче согласиться выступить, чем отказаться... А если уж выступать, то по полной программе, не щадя себя. И на улыбки не скупиться (что бы там ни говорили насчет морщин), и петь полным голосом.

В чисто вокальном отношении Орлова находилась далеко от вершин мастерства. У нее было грамотное меццо-сопрано — не более. Она прекрасно сознавала это и проявляла предельную скромность, порой даже робость по части репертуара. Побаивалась многих вещей — «это не для меня...». Изобилие учителей не заменило подлинной учебы — учеба была меж делом. Зная все это, она впоследствии избегала грамзаписи (ни одной пластинки!) — и боялась, и стеснялась. А главное, понимала трезво и здраво, что голос ее, сам по себе, без нее, воочию зримой, не прозвучит.

Она пела классику — Глинку, Даргомыжского, Мусоргского, Рахманинова, и, по мнению многих очевидцев, так необычно, так по-своему, что выходило интереснее, чем у иных певиц высочайшего класса. За счет чувства формы, настроения, ощущения «себя» в данном романсе. В целом подобное называется умением *сделать* образ, а по-эстрадному (хоть и чуралась этого слова Любовь Петровна) «искусством номера». Искусство это, как правило, несколько расходится с каноническим понятием о классе, о мастерстве, о природном даровании. Оно вдохновляется больше характером исполнителя, его чутьем, склонностью к самовыражению... Для Орловой голос был только подспорьем успеха — далеко не решающим.

Кстати, многие полагают (и я, признаюсь, разделяю это мнение), что успех актрисы в концертном репертуаре был обусловлен ее кинематографической славой. Что на сцену она выходила заранее «принятой», признанной — ей не надо было завоевывать публику, а только лишний раз подтвердить себя. Кино укрупнило и размножило ее своеобычность. Ее феноменальность. И тем самым как бы заведомо размножило (и раздразнило) ее зрителя. Но суть отношений не изменилась. Иное дело, что укрупненная и возвеличенная экраном, она невольно чувствовала необходимость и на эстраде «представляться» таковой. Поэтому, в частности, второе отделение ее концертов — с появлением новых фильмов — становилось все более обособленным, все более «звездным» выступлением: в нем звучали песни, романсы, марши из этих фильмов. В первом же неизменно шла классика.

Вообще концертный репертуар Орловой был выдержан строго и скромно. Далеко не все, с чем она когда-то начинала, сохранилось впоследствии. В ранних программах довольно много народных (или стилизованных) песен: негритянская колыбельная, испанская «Ай-ай-ай», бразильская «Самба», интересный цикл трагических романсов композитора В. Белого «Война». Разумеется, арии из «Периколы» и «Корневильских колоколов». Потом она усилила «классический» оттенок: особенно хорошо получались у нее популярные романсы Даргомыжского, «Мазурка» Глинки, знаменитый цикл «Детская комната» Мусоргского.

Как же все-таки Орлова исполняла? Очень просто. Очень легко. Без той решительности и монументальности, которая отличает исполнение классных певиц, но с той музыкальной теплотой и гибкостью, которая не менее импонирует залу и которая присуща лучшим камерным исполнителям. Со всем доверием и почтением к музыке как таковой и не в последнюю очередь к сопровождению, аккомпанементу. Не подавить его, упаси бог, не отодвинуть ненароком в сторону — держаться поблизости, все время чувствовать и давать чувствовать его присутствие...

Она не заигрывала с публикой — ее улыбка, поза, шаг были всегда исполнены сценического достоинства. И притом была в ней некая интимность — особого, домашнего свойства... точно вы у нее в гостях. Этот зал, эта сцена, этот рояль — ее дом. И это прекрасное платье на ней — ее домашнее выходное (но не концертное) платье. Вы пришли — вы уйдете, а она останется здесь — все такой же радушной, полной очарования хозяйкой. Она поет вам, потому что вы ее очень об этом попросили — как поют в своем доме, перед желанными гостями. Особо старательно и в то же время по-свойски. И вы невольно ощущаете, что лучшего пения здесь, в этих стенах, не бывает и быть не может — только такое. И слово «успех», пожалуй, неточно обозначает реакцию зрителей на ее концертах — «благодарность» гораздо вернее.

И так было с самого начала — задолго до кино. Когда еще часть номеров она подавала в театрализованной форме. (Театрализацию и сочиняла Наталья Глан.) Память очевидцев донесла до нас подробности этих выступлений.

В 1927 (или 28-м) году в Доме писателя на Тверском бульваре (помните булгаковский МАССОЛИТ?) был концерт, а скорее, творческий показ — такие показы с непременным обсуждением в конце часто устраивались в подобных «Домах». Любовь Орлова пела Мусоргского, сатиры Даргомыжского на стихи Беранже, несколько романсов из цикла «Война». Пела, используя целый ряд театральных аксессуаров: перчатки, веер, цилиндр, плащ, цветы, тросточка и т.д. Пластическое решение цикла «Война» было явно навеяно знаменитыми офортами Мазереля. Аккомпанировал ей тогда еще не Миронов — неизменный спутник в грядущем, хотя именно *этот* «показ» и свел их пути.

Итак, она пела, а в зале среди внимательной, отнюдь не случайной публики сидела Евгения Ивановна Збруева, знаменитейшее контральто, некогда певшая в Мариинском, потом в Большом. Была она известна строгостью и подчас резковатостью суждений, да и фактурой была под стать (сущий гренадер — видно даже на ранних ее фотографиях)... И вот когда кто-то заявил, что у певицы нет настоящего голоса, Евгения Ивановна встала и, властно перебив оратора, сказала: «Я всю свою жизнь пою, преподаю и слушаю певцов. Меня только голосом и можно пронять. Но я прослушала весь концерт и даже не подумала ни разу: есть ли у Орловой голос или нет? Так мне было интересно. Так меня захватило».

В двух как минимум фильмах («Веселых ребятах» и «Цирке») Орлова выступает как умелая симфоджазовая певица, вполне владеющая голосом, по крайней мере достаточно, чтоб свободно, уверенно «качаться» вокруг ритмического стержня, или, как говорят, синкопировать, отменно «фразировать» в пределах одной мелодии, легко выключаться из пения, не теряя при этом контакта с песней. Пусть она не слишком жаловала джазовое сопровождение, исполнительский уровень ее выглядел здесь наиболее выигрышно...

И еще одно наблюдение... Голос ее — житейский, повседневный — отличался музыкальностью, напевностью. А речь — ритмичностью. Неважно, сколько здесь от природы, сколько от искусства, — важно, что зритель и слушатель благодаря этому чувствовал естественность переходов от пения к разговору (и наоборот), пребывал в постоянной внутренней готовности к таким переходам. Нечего и говорить, сколь ценно такое достоинство при создании музыкально-драматического строя — того, что стремится к максимальной слитности своих разнородных начал.

Этот строй создавался Любовью Петровной не только голосом. От природы была ей свойственна чуткая пластика, такая непринужденность и красота движений, что все хореографы с первой встречи заражались желанием работать с нею. Наталью Глан пригласил в театр лично Немирович — она была тогда самым «нарасхватным» хореографом, — пригласил ставить танцевальные эпизоды в новых спектаклях. Тогда же, придя домой после первого знакомства с труппой, Наталья Александровна сказала сестре: «Материал сыроватый, но можно работать. Там есть одна очаровательная девочка, — я, пожалуй, ансамблевые сцены поведу на ней». Последнее — про Орлову.

Вскоре сестра (в недалеком будущем известный балетмейстер Галина Шаховская) также включилась в дело и увидела ту самую очаровательную девочку. Она явилась к ней на урок... в одной черной комбинации.

И была в ней ангельски хороша. Скакала, прыгала, разминалась... Розовое тело, оттененное черным, казалось еще более свежим. Прекрасные темно-русые волосы и ярко-голубые глаза довершали картину. Напрыгавшись, она попросила: «Галонька, придите ко мне — помогите. Я вам напою, а вы присоветуйте. Я хочу сделать цикл театрализованного романса. С Наташей и с вами».

Они начали работать. Идея театрализации воплощалась в некоем сюжетосложении — на тему того или иного романса. И в розыгрыше сюжета средствами хореографии — точнее, хореографической эксцентрики. В отличие от уроков пения Любовь Петровна здесь была более раскованна — сама любила подбрасывать идеи, любила подхватывать, дополнять, любила быть самостоятельной и только в таком варианте признавала плодотворность совместной работы. А работать приходилось денно и нощно. Утром — репетиции в театре. Вечером — спектакль. После спектакля — репетиции у Глан. Даже сестры, привыкшие в поте лица добывать результат, поражались временами ее выносливости. Тройная жила, да и только!

Однажды, репетируя, Орлова упала в обморок, — потом оказалось, что она целый день ничего не ела. Весь дом в ужасе кинулся к ней, засуетился, но Любочка очнулась, присела на уголок дивана, открыла глаза и сказала: «Нет, нет, все в порядке. Сейчас буду продолжать».

И в повседневной жизни Орлова красиво двигалась — на людях всегда немного «несла себя», хохоча, выразительно закидывала голову, картинно двигала руками — само собой, не без игривой нарочитости, но очень идущей ее естеству, очень ему отвечающей. В известном смысле она творила свою органику — шлифовала, отделывала то, что было отпущено ей природой. В то же время сама природа (так бывает) требовала ежедневной, непрестанной, как привычка, физической подзаводки. Одно к другому. И нигде так наглядно не проявлялась отделанность, мастерская обработанность ее натуры, как на концертах, где она представала в своем жанре сценически *обнаженной* — вне роли, вне зрелищного антуража, вне режиссуры и партнеров. С глазу на глаз со зрителем. Потому-то она в полутайне очень ценила эстраду.

Да, в обыденном смысле это слово значило для нее что-то легковесное, мимолетное. Этого она не хотела. А хотела, чтоб все было на высшем уровне — на уровне благородного искусства. И она сама. И аккомпаниатор. И ведущий концерта. Она любила таких, как А. В. Про, — немножко старомодных, подающих каждый номер весомо, академично: не «фантазия-экспромт», но «фантази́...», не «вокальное соло», но «вокализ». И очень не любила конферансье — разбитных, веселящих зал остряков, пусть даже корифеев в своем жанре.

Любовь Петровна отлично сознавала, что ее концерты — это и есть эстрада. Настоящая. И поэтому, не лицемеря, говорила в одном из редких своих интервью:

«Я очень люблю эстраду... Начинается она обычно с выхода — с походки, легкой, на полупальцах. С первого шага на сцену надо любить зрителя. Всех и каждого, а не только партер. Эстрада — очень суровая школа для актера. Как часто актеры срывают себе голос оттого, что не умеют владеть дыханием. Мне помогает, вероятно, то, что я певица. Я, например, перед тем как выйти на сцену в спектакле, минут сорок распеваюсь по всем правилам. И мне после этого играть намного легче. Голос становится легким, летучим. Мне не надо следить за ним. И микрофоны мне нужны только тогда, когда я выступаю перед очень большой аудиторией...»

Так оно и было — и походка, и голос. Когда ее органика совпадала с органикой жанра, она была неизменно прекрасной. Не многие знают (хотя можно догадаться по фильмам), что у Орловой был, ко всему прочему, еще и фарсовый талант. Не музыкально-комедийный, а самый настоящий фарсовый, «фиглярский» — грубо-гротескный. Она любила изредка изобразить нечто идиотическое, из ряда вон пошлое, низкопробное. Скорчить рожу. Повалять дурака. Любила иногда выдать в своем кругу (по преимуществу женском) какую-нибудь живую карикатуру — вроде одесской торговки, пытавшейся всучить ей в гостинице самое мусорное барахло. Любовь Петровна упоенно, не стесняясь жестами и словами, изображала огромное усатое существо — потливое, суетливое, истошно-голосистое. А сама при этом по-прежнему смотрелась... Орловой.

Хореографы говорят в таких случаях грубовато, но точно: она могла бы потерять на сцене белье, и все равно было бы красиво.

На концерте в Доме писателя, в дальнем уголке зала, сидел молодой пианист Лев Миронов. Маленький, субтильный, уже тогда лысоватый, неприметный (и таким остававшийся до конца дней), он имел в музыкальных кругах довольно высокую репутацию. Объединившись с двумя другими серьезными музыкантами — скрипачом Каревичем и виолончелистом Ардаматским, он сделался участником камерного ансамбля под названием «Музыкальное трио имени Станиславского». (Почему предпочтение было отдано Станиславскому — понять трудно, возможно, потому, что другие «достойные» были уже разобраны.)

Это трио довольно успешно выступало в конце двадцатых годов со своим репертуаром чисто академического стиля. Коллектив был побочной формой профессионального существования — каждый из членов его имел свое постоянное место работы. Каревич, к примеру, был какое-то время концертмейстером Художественного театра, играл в оркестре, которым дирижировал Израилевский и который «сопровождал» первые спектакли студии Немировича. Как всякий хороший музыкант, он помнил наизусть музыку «Периколы», а как раз к моменту знакомства с Орловой (они познакомились в Гаспре, в доме отдыха ЦЕКУБУ) та готовила сольную партию в этой оперетте. Видимо, он консультировал ее.

Той же осенью он познакомил с нею Миронова. Любовь Петровна, на редкость чуткая до полезных знакомств, увлеклась идеей выступить вместе с трио — спеть шотландские песни Бетховена. Однако уровень и стиль ансамбля требовали иного вокального класса, — так что идея воплощения не получила. Но знакомство сохранилось.

«Академическое» имя Миронова импонировало актрисе. Она понимала, как много значил бы в ее концертах такой солидный, такой безупречный аккомпанемент. В числе знакомых она пригласила и пианиста на выступление в Доме писателя. Миронову все виденное и слышанное понравилось, но актриса не сразу рискнула заговорить с ним о деле. Она позвала его на репетицию с Натальей Глан, сперва на одну, потом на другую, — стремясь, как видно, более разнообразно и ярко продемонстрировать свои поиски. И лишь потом как бы ненароком спросила, не возьмется ли он сделать с нею концерт, который она собирается дать в помещении театра. Миронов согласился, не представляя даже ближайшей перспективы их сотрудничества, не то что грядущей. Разговор был конкретный, деловой — она спросила, сколько он возьмет за работу. Сумма в принципе ее устроила. Однако надеяться на афишу Любовь Петровна не могла — имени еще не было. Поэтому договорились, что он возьмется распространить определенное количество билетов — как раз на данную сумму. Остальные билеты полагалось распространить самой актрисе — среди друзей, знакомых, знакомых знакомых и т.д. Такова была практика.

Концерт прошел удачно. Они стали понемногу выступать вместе. Съездили на Волгу — в Нижний Новгород, Ярославль. Но спрос поначалу был невелик, поэтому каждый продолжал делать свое дело. Она — в театре, он... тоже в театре — по соседству — музыкальным руководителем и дирижером оперной студии Станиславского. Звучало громко, на деле же должность была не слишком значительной, но хлопотной. Репертуар студии стабильно держался на двух постановках: «Евгений Онегин» и «Тайный брак» Чимарозы. Зато трио на рубеже двадцатых-тридцатых годов имело успех — про него писали в газетах, его передавали по радио (редкая честь), его приглашали на выступления.

Любовь Петровна продолжала искать новые формы «своего театра» — металась между классикой и эксцентрикой, порой готова была попробовать ультрамодные музыкальные достижения. Так, однажды ее захватила мысль освоить остроумные и, несомненно, талантливые опыты А. В. Мосолова (соавтора музыки к спектаклю «Корневильские колокола»).

Не все читатели знают сейчас это имя — тогда же оно не на шутку будоражило музыкальные круги. Его самое популярное произведение — симфоническая поэма «Завод» — нашумело, можно сказать, на всю планету. Большой симфонический оркестр исполнил его в Большом зале консерватории, стараясь вызвать у публики — в полном согласии с авторским замыслом — впечатление заводского хаоса и вместе с тем созидательного энтузиазма. Инструменты оркестра имитировали шум цехов, скрипы, лязги, гудки, удары, громыхание железа и т.д. «Поэму» играли в Германии, Франции, Бельгии, США.

Не менее оригинально звучал у него цикл романсов на подлинные тексты объявлений в вечерней газете. Именно эти романсы и увлекли на время Любовь Петровну. Их музыкальный строй был сложен до чрезвычайности. Только Миронов и мог с ним сладить — тем более что он уже исполнял одну из сонат Мосолова, хорошо знал его музыкальные секреты. И кстати, хорошо знал его самого.

Любовь Петровна попросила познакомить ее с композитором. Миронов привел его в гости. Но толку от этого знакомства не получилось. Мосолов был фигурой интересной — умный, порой очень обаятельный (несмотря на невидную внешность). Но порой точно дурел, точно выворачивался наизнанку, начинал творить безобразия, корчить клоуна и хулигана, особенно крепко выпив. К несчастью, в тот вечер он впал именно в такое состояние. Рискнул даже по-мужски приставать к хозяйке.

Любови Петровне все это сильно не понравилось — настолько, что даже романсы показались не такими уж привлекательными. Во всяком случае, их она исполнять не стала. Однако в репертуаре ее появилась — явным отголоском этого краткого увлечения — новая миниатюра, где она изображала мальчишку-газетчика, в помятой кепке, с пачкой «Вечерней Москвы», распевавшего свежие объявления.

Вскоре она начала понемногу отходить от театрализованной формы. Сама игра какое-то время еще сохранялась — хотя с годами становилась все более приглушенной, — уходили бутафория, вещественные подробности. Отчасти сказались ее собственные наклонности, отчасти влияние того же Миронова. Они фактически стали тогда постоянной концертной парой. Да и гротеск выходил из моды.

После «Веселых ребят», когда Орлова сделалась знаменитостью и спрос на концерты резко возрос, творческая судьба Миронова все больше и больше стала утрачивать самостоятельность, все больше подчинялась интересам ее судьбы. Правда, он еще несколько лет работал концертмейстером в Радиокомитете и даже иногда, в редких случаях, вынужден был отказываться от поездок, заменяя себя кем-нибудь из знакомых пианистов. Однако его жизнь в искусстве стала уже раз и навсегда фрагментом жизни Орловой. Он объездил с ней полстраны — был в Минске, Вильнюсе, Ялте, Сочи, Сухуми, Тбилиси, Свердловске, Челябинске, Харькове, Ростове, Риге, Одессе, Сталине, Ленинграде, Горьком, Таллине, Магнитогорске, Львове, Кишиневе, Черновцах, Калининграде, Кисловодске, Днепропетровске, Запорожье, Петрозаводске, Алма-Ате, Пятигорске, Севастополе, Баку, Ереване, Ташкенте, Иваново-Вознесенске, Симферополе, Сталинграде, Ярославле, Курске, Куйбышеве, Воронеже, Киеве... Во многих по нескольку раз.

Он был рядом с нею практически всю войну — в эвакуации, на фронте, в госпиталях, среди руин только что освобожденного Сталинграда, даже в Иране... Невзрачный, худенький, донельзя скромный, он пользовался ее безграничным доверием, — зачастую Любовь Петровна делилась с ним таким глубоко сокровенным, каким не всегда делилась с домашними. В меру сил он всечасно оберегал ее здоровье, время, хорошее настроение. В трудных гастрольных переплетах его вместе с нею разрывали на части — заставляли порой концертировать с утра до ночи. Вместе с нею его протаскивали черными ходами, задними и проходными дворами, чтоб избежать скопищ неуемных поклонников. Вместе с нею его мотало в поездах, самолетах, автомобилях, палило солнцем, полосовало дождем, морозило.

Он был один из немногих, кому когда-либо удалось увидеть слезы на ее глазах. Не раз, бывало, в минутном отчаянии она хватала себя за голову и причитала: «Господи! Как же надоела эта работа! Как же надоело ездить!» Он мягко улыбался: «Ну, а деньги тебе получать не надоело?» Не раз случалось, когда уж очень донимало обожание публики, она жаловалась: «Надоели эти восторги — сил нет!» Он мягко возражал: «А ты представь, что публика сегодня вечером примет тебя прохладно, понравится тебе это?» Она шутливо отмахивалась: «Ой, нет, нет!»

Миронов обладал той спокойной податливостью характера, за которой часто скрывается железное терпение и трезвое чувство реальности.

Он бывал с ней на банкетах, на празднествах, на важных приемах. Не раз им доводилось выступать в Кремле перед Сталиным и его окружением. Однажды после окончания «номера» некто в полувоенной форме поднес ей букет красных и белых роз. Увидев это, Сталин полуобернулся и сердито сказал: «Почему пианисту цветов не дали? Он что, не выступал?» Букет моментально был поднесен... Он только не был с нею за границей, не считая Ирана.

Миронов пережил много ее «расцветов» и, увы, много «закатов». Закат ее киноэкранной карьеры. Закат ее концертных и театральных выступлений. Закат ее жизни...

Отдадим ему должное — тем более что публика вряд ли его оценивала в должной мере. Все забирала себе необъятная, жадная слава актрисы. Но сама актриса прекрасно знала цену своему тихому спутнику — и творческую цену, и человеческую. И не кривила душой, когда писала ему из других городов — «очень Вас не хватало».

...Шла весна 1932 года. И конечно, ни он, ни она не предвидели того крутого поворота, который вот-вот ожидал их. Да они и не заметили его поначалу. Заметили уже потом — оглянувшись.

Они готовились к очередному концерту — он должен был состояться в синематографе «Арс» на Тверской (там, где сейчас Театр имени Станиславского). Тогда в кинотеатрах практиковались такие смешанные программы: одно отделение — артисты, другое — фильм. Этому концерту предшествовало множество треволнений — одно из них сразу истолковали как примету грядущей удачи (известно, что в приметы верят только потому, что они сбываются). На концертном платье (том самом — единственном), находившемся по случаю репетиций в доме у Глан, щедро окотилась трехцветная любимица семейства. Хозяйка платья от горя и ужаса пустилась в плач, но мудрая мама талантливых сестер иначе оценила ситуацию: «Вам повезло, Любочка!.. К вам придет небывалое счастье. Не надо трогать кошку. Мы поищем другое платье».

Нашли другое, и в нем Любовь Петровна вышла на маленькую сцену синематографа. Она исполнила свои миниатюры, — кажется, была в ударе, имела успех, а в антракте за кулисы пришел администратор, ведя за собой двух неизвестных людей. Один, что постарше, бойко подошел и протянул руку: «Моя фамилия Даревский. Мы с киностудии. С «Мосфильма». Позавчера видели вас в «Корневильских». Очень мило. Со мной режиссер. Он хочет с вами познакомиться».

Высокий молодой человек в заграничном костюме ослепительно улыбнулся и слегка наклонил голову: «Александров»...

РЕЖИССЕР

И сколько ни был хладно-сжатым
Привычный склад его речей.
Казался чувствами богатым
Он в глубине души своей.

Евг. Баратынский

Уже потом Любовь Петровна признавалась близким: «Я увидела Бога».

Она была далеко не единственной женщиной, готовой с первого взгляда обожествить Александрова. Его популярность среди прекрасной половины была почти легендарной. Кто-то стрелялся из-за него, кто-то стрелял в него. В пролеткультовской стенгазете по этому поводу нередко появлялись карикатуры, фельетоны, стихотворные эпиграммы и эпитафии. Не щадили и самых именитых особ. Неудавшееся самоубийство Ирины Мейерхольд, безумно влюбленной в Александрова, вызвало в дружеском кругу лишь ядовитую насмешку:

Если дал осечку кольт,
Лучший вид нагана,
Эх, Ирина Мейерхольд,
Жизнь твоя погана.

Автору этой эпиграммы Сергею Третьякову, как и его друзьям, нельзя было отказать в остроумии, так же как в известном цинизме. Фривольное волокитство в молодом и веселом кругу отнюдь не считалось постыдным. Когда во время репетиций поблизости раздавался стук каблучков, Эйзенштейн шутливо командовал мужчинам: «Приободрись!» И все приободрялись, то есть расправляли плечи и втягивали животы..

Но славен был Александров не одной красотой. Когда Любовь Петровна стала разузнавать о нем — дипломатично, будто бы невзначай (нашлись, как водится, и общие знакомые), выяснились и другие достоинства. Не пьет. Не курит. Скромен. Остроумен. Музыкален — играет на гитаре, чудесно поет. И вообще, с любого краю — талант. Рисует, пишет, отличный актер, спортсмен, знает языки, любимец и ближайший сподвижник Эйзенштейна. А вдобавок недавно из-за границы. Из Берлина, Женевы, Парижа, Мексики, США. Из самого Голливуда, где он общался с Чарли Чаплином, Диснеем, Колин Мур, с Мэри и Дугласом...

Богом он, конечно, не был — только человеком, притом не лишенным многих человеческих слабостей, но Бог действительно одарил его щедро. И не только талантами, но и удачей, а проще сказать, везучестью. Его помыслы осуществлялись и легко, и скоро, и весело. Не то чтоб никогда не было ошибок, конфузий, трудностей, но он переносил их опять же легко и скоро, стараясь всегда (и умея всегда) оценивать их утешительно для себя, для своего дела и своего престижа.

Александров (его настоящая фамилия Мормоненко) был на два года моложе Орловой, но его творческая биография выглядела куда эффектнее. За короткий срок — с лета 1919 по весну 1921 года — он успел прославиться в родном Екатеринбурге: работал в клубе ЧК, был режиссером фронтового театра (а заодно драматургом, художником и актером), по возвращении с фронта стал инструктором губнаробраза, а заодно активистом общества ХЛАМ (Художники — Литераторы — Актеры — Музыканты), в задачу которого вменялось освистывать и охаивать пережитки старой культуры и насаждать новую.

Заодно являлся энтузиастом детского театра — опять-таки во всех возможных ипостасях. И заодно же — вот это особенно занятный штрих — главным перелицовщиком кинолент, которым повсеместно пытались придавать иное, революционное звучание. Последнее легко сотворялось с помощью ножниц и клея, но главным образом с помощью новых титров. Получалось примерно так. Эпизод карточной игры в «Пиковой даме» Протазанова предварялся надписью: «В то время, как рабочие изнемогают от непосильного труда, хозяева жизни проводят время в безделье и развратных кутежах». Церковную исповедь героини в «Песне торжествующей любви» Бауэра перелицовщики, не сговариваясь, снабжали, как правило, одним и тем же комментарием: «В плену религиозного дурмана».

Три года спустя, уже в Москве, Александров вновь обратился к этому делу — уже совместно с Эйзенштейном. Под руководством опытной Э. Шуб они будут «совершенствовать» таким образом заграничные ленты — заострять их социально, политически. Случится, что под горячую руку попадут и корифеи западного кино — Гриффит, Любич, Ланг. *Заострят* и их... Опыты, конечно, не безупречные — больше фокусы и притом не без политической пошлости, но кто на подобные мелочи тогда обращал внимание! Азартно и весело строился «новый мир»...

Не уверен, что стоит слишком серьезно оценивать все эти деяния. В 1921 году духовные побуждения юноши проявлялись по преимуществу в «хламской» форме: писал агитки, ставил агитки, играл в агитках, превращал в агитки старые фильмы. И вид имел соответствующий — с головы до пят антибуржуазный: длинные волосы, косоворотка навыпуск и в теплую погоду полное отсутствие обуви (тоже «хламская» мода).

Многие в то время начинали похоже. Интересно, что начало деятельности Александрова довольно долго совпадало с началом творчества его земляка Пырьева. Они вместе подвизались в клубе ЧК, в ХЛАМе, в губнаробразе, вместе приехали в Москву, вместе играли в Пролеткульте и ПЕРЕТРУ. В 1923 году Пырьев ушел к Мейерхольду. Но далеко не все «хламовцы» смогли продолжить столь же энергично. А Александров и Пырьев смогли.

Итак, была Москва. Был театр Пролеткульта в Каретном ряду. Была независимая «Передвижная труппа» во главе с Эйзенштейном — ПЕРЕТРУ. Была в меру скандальная театральная сенсация «На всякого мудреца довольно простоты», где Александров играл роль международного авантюриста Голутвина, «летал на трапециях, исчезал, как цирковой иллюзионист, играл на концертино, стоял на голове, ходил по проволоке со сцены на балкон через весь зрительный зал и проделывал еще множество похожих номеров».

Кто хочет знать подробности об этом периоде жизни, пусть прочтет книгу воспоминаний Александрова «Эпоха и кино» (откуда и взята последняя цитата). А кто захочет еще больших подробностей, пусть прочтет статьи Эйзенштейна, вдохновителя и организатора всех этих и последующих эксцентрических затей. Теперь, задним числом мы отчетливо различаем в этих аттракционных агитках великий смысл: стихийное, во многом бессознательное постижение того метода, который породит «Стачку», «Броненосец «Потемкин» (вершину среди вершин), «Октябрь», «Старое и новое», «Да здравствует Мексика».

Александров был рядом с Эйзенштейном десять лет. Ровно десять. Все названные фильмы созданы при участии Александрова. Участии самом близком, порой почти равноправном. Он бывал в этих фильмах актером, соавтором сценария, сорежиссером. Он был первым подручным великого мастера и мог оставаться им еще долго. И конечно же, достойно уважения, что он не захотел им оставаться — не захотел поступиться своим творческим и человеческим самолюбием, захотел проявить себя своевольно.

В его «уходе» не было ни малейшего вызова. Александров не стал соперничать с Эйзенштейном на той стезе, по которой шагал вместе с ним много лет, на стезе поэтического кино, исполненного эпического размаха, державной монументальности, упрощенного историко-социального пафоса. Путь был тернистый. Каждый триумф на этом пути Эйзенштейну давался с бою. И самым сильным, самым коварным и беспощадным противником Эйзенштейна чаще всего бывал... сам Эйзенштейн. Мысль уносилась вперед, не соотносясь с реальным положением вещей, а положение это, едва доходило до дела, до практики, как бы осаживало мысль, притягивало, приноравливало к себе. Подчас умеренно и тактично. Подчас грубо и неуклюже. Оттого, наверно, так ощутим зазор между желаемым и действительным во многих его картинах.

Эйзенштейн чувствовал этот зазор острее других — даже там, где другие вовсе его не чувствовали. И это, бесспорно, еще сильнее раскаляло в нем дух самоотрицания. «Стачка» мыслилась как отрицание (лучше сказать, преодоление) голого «монтажа аттракционов», «Потемкин» — как отрицание «Стачки», «Октябрь» — «Потемкина». А впереди грезилось опровержение и этой работы.

Не забудем, однако, что и эти тернии были в духе времени. Позднее, как известно, потребовались бóльшая конкретность и стабильность творческого мировоззрения. Отрицание содеянного перестало быть личной потребностью, личным делом художника — целиком перешло в компетенцию «ответственных лиц». Вхолостую сработало «Старое и новое», не состоялась грандиозная мексиканская эпопея (остатки рассеянной «Бури» могут дать лишь самое отдаленное и неточное представление о ней), неслучайная случайность — результат всеобщего страха и произвола — уничтожила «Бежин луг». Длительные простои еще явственней подчеркивали отчужденность Эйзенштейна от генеральной линии советского кинематографа. Возможно, поэтому он с таким облегчением, с такой безоговорочной радостью отреагировал на признание «Александра Невского». В этом фильме режиссер не сомневался — впервые после «Потемкина» Эйзенштейн осуществил задуманное и был до конца понят. Понят народом и Властью.

Разумеется, при всей «нервности» его биографии, при всех сомнениях и поражениях Эйзенштейн оставался верен своим изначальным духовным побуждениям, которыми и создавалась эпическая мощь и красота, пафос небывалого, эпохального, исторического.

Судьба Александрова не знала таких зигзагов и встрясок. Разве что под занавес жизни. Он выбрал путь светлый, веселый, весенний... Признание «Веселых ребят» (добытое, правда, также с бою) в значительной мере укатало его дальнейшую стезю. Понятно, она была временами трудной. И рискованной. Развить успех, как известно, порою сложнее, чем его добиться. Но сама позиция, завоеванная им однажды, была и прочной, и перспективной — важно было не упустить, использовать со всей добросовестностью ее стратегические возможности.

Александров не упустил. Говоря иначе, он открыл и освоил определенный метод — метод оценки, трактовки нового (еще не прирученного искусством) мироощущения. Метод, который заранее подсказывал ему и стиль, и форму, и сам рабочий процесс постановки. И которого он держался, сколь хватило сил — у него и у Любови Петровны. Потому что актриса была неотъемлемой частью этого метода — и притом самой ответственной частью. Она была средоточием всего — сюжета, музыки, изображения. И в тех эпизодах, где ее не было, все равно было предвкушение ее голоса, ее улыбки, жеста.

Однако метод и впрямь коварная штука. Он и облегчает творчество, и затрудняет — легко способен его убаюкать, вовлечь в повторы, стереотип. (А исчерпав себя, он оставляет художника в тупике, в кризисе — часто безнадежном. Не это ли случилось в конце концов с Александровым?) И эта опасность, реальная в любой сфере искусства, вдвойне реальна в кинематографе. Втройне реальна в кинематографе зрелищном, общедоступном. Актер кино (в силу специфики данного искусства, и прежде всего восприятия зрителей) невольно тяготеет к повтору, к «маске». Думается, что к тому же тяготеет в известной мере и режиссура. И более всего это, конечно, заметно как раз в тех жанрах, что представляют развлекательный кинематограф, воистину самый массовый вид зрелища — в мелодрамах, вестернах, детективах, «черных» фильмах, расхоже-фантастических, комедийных. И конечно же, в мюзиклах и музыкальных комедиях.

Само понятие «массовый» таит в себе негативный смысл. Ширпотреб. Стандарт. Сама природа зрелища, развлечения (и природа его успеха) приваживает мастера к одному-единому методу. Верному и безотказному. Круг сам собой замыкается... Чтоб доказать по новой свою правоту, у художника в данном случае нет более действенных средств, чем фантазия, изобретательность и профессиональное совершенство. В какой-то мере одно подразумевает другое. И вот этими средствами Александров владел, как немногие. Такое ощущение было, кстати, у всех очевидцев его первых опытов, первых успехов. Даже у тех, кто настороженно, а то и враждебно встретил его «методические принципы».

«Немногие из нас рискнут пойти по тому пути, по которому пошел Александров, — скажет в 1934 году

Фридрих Эрмлер. — Не потому, что здесь речь идет о неуважении к низшим жанрам. Я утверждаю, что у многих из нас не хватит ни умения, ни столько воли, чтобы сделать такие вещи...»

Поворот Александрова на путь музыкальной комедии был в немалой степени предуготовлен его предыдущим опытом. Хотя некая случайность тоже сыграла свою роль в выборе режиссера.

В 1932 году руководство Кинокомитета, выполняя пожелания Сталина, изложило творческим работникам очередной социальный заказ — создание звуковых кинокомедий, злободневных по сути и мажорных по настрою, отвечающих популярному тезису тех лет: жить стало лучше, жить стало веселее...

Исход, однако, решила не эта случайность, а внутренняя готовность режиссера к подобному начинанию. «С юношеских лет мечтал я о кинокомедии», — писал он в своих воспоминаниях. В это, в общем, верится, особенно когда узнаешь некоторые факты его биографии, однако не похоже, чтобы он был одержим этой мечтой и стремился к ее скорейшему осуществлению. Похоже, что дело обстояло так, как он излагал в одной из своих вгиковских бесед:

«В начале своего режиссерского пути я не мог предвидеть, что буду специалистом в комедийном жанре. Я работал с Эйзенштейном над сложными историческими постановками. Но когда стране понадобились веселые ленты, я взялся за это дело».

Тем не менее готовность была. Был ХЛАМ, ПЕРЕТРУ, был «Мудрец» (с подлинным монтажом подлинных аттракционов), да и в «сложных исторических постановках» временами, словно исподтишка, сыплет искрами ток самой подлинной трюковой эксцентриады.

Берите с полки любую ленту, начиная с первых. Смотрите:

...Толпа сминает кучку хозяйских приспешников. Одного из них бросают вниз головой в мусорный чан — торчат, дрыгаясь, ноги. У верховода в драке изорвали рубаху, на голом торсе — одни клочки. Не замечая того, он машинально застегивает остатки на все пуговицы... («Стачка»).

...Бьет по городу броненосец. Каменные львы, спокойно дремавшие на воротах дворцов, вскакивают и агрессивно оскаливают пасти... («Броненосец «Потемкин»).

...А вот и меньшевики, «озвученные» треньканьем балалаек. И «бабий батальон» — последняя опора Зимнего: в папахах и кружевном бельеце... («Октябрь»).

...А вон «товарищ поп» с барометром под полой. А вон триумфальные коровьи свадьбы... («Старое и новое»).

Александров был страстно охоч до всяческих озорных идей — своих ли, чужих, болел за них, отстаивал и очень огорчался, когда приходилось ими жертвовать. И, видимо, Эйзенштейн ценил в нем не в последнюю очередь подвижность воображения, остроумие, моментальность реакции, способность подхватить идею, уточнить, продолжить, развить и выявить ее эксцентрические возможности.

Таков же он был и в жизни — хотя в это с трудом верилось при виде седовласого хозяина внуковской дачи, медлительного, вальяжного, с улыбкой и манерами дипломата. Впрочем, пообщавшись с ним поближе, вы могли подловить и в речах его, и в повадках отголоски юного Александрова. Спортсмена, клоуна, канатоходца, соучастника скандальных проделок, лукавца и мистификатора, гитариста и танцора, импровизатора песенок и пародий.

Надо сказать, что человек иного склада вряд ли вписался бы в коллектив Эйзенштейна, где изначально царила атмосфера озорства, взаимных подначек и надувательства. И даже если бы вписался в него, то не преуспел бы и не уцелел в нем.

О, здесь нужна была величайшая бдительность. Излишняя доверчивость могла привести к такому конфузу, после которого долгое время приходилось бы избегать друзей и знакомых. Здесь не щадили никого, и верхом чести считалось ответить обидчику той же монетой. Это было неписаным правилом дружбы и совместного творчества. В общем, тот же «монтаж аттракционов», порожденный молодым и радостным ощущением жизни — когда можно все, когда стыдно быть жалким, бездарным, неумелым, глупым, робким, одиноким, неторопливым, скучным.

...Ленинград. Лето. Жара. Тиссэ ходит по номеру голый. Эйзенштейн подмигивает Александрову: «Давай подманим его к двери и выпихнем в коридор». Сказано — сделано...

...Одесса. Сонливец Штраух в очередной раз опоздал на съемку — надо его покарать. А что, если взять манекен (из тех, которые будут бросать с броненосца), да разукрасить под разложившийся труп, да подложить к нему в номер, в постель. Сказано — сделано. И вот он — вожделенный миг: истошный на всю гостиницу вопль перепуганного Макса...

И Гоморов, и Левшин — двое из «железной пятерки» Эйзенштейна — вспоминают, как долго не покидало их и других молодых сподвижников Сергея Михайловича ощущение, что все они состоят в комедийной мастерской, что их доподлинное призвание — комедия. Темповая, озорная, аттракционная.

На съемках это ощущение не только не пропадало, но даже временами усиливалось — так весело, азартно, остроумно искались решения сцен, эпизодов. Но в целом получалось иное. Верх брал историко-поэтический пафос.

Эйзенштейн хотел сделать комедию, думал о ней. Думал серьезно. Даже слишком серьезно. Слишком сложно. Слишком научно. И сам признавал это за помеху живой творческой практике.

«Я работаю очень академично. Подымая валы сопутствующей эрудиции. Дебатируя с самим собой программность и принципиальность. Делая расчеты, выкладки и выводы... Сценарий останавливается — вместо него набухают страницы киноисследовательской работы... Часто, решив принцип, теряешь интерес к его приложению. Так случилось с комедией. То, что разобрано и осознано по ней, пойдет в книгу, а не на экран. Может быть, мне и не дано было сделать советскую комедию».

Иное дело — Александров. Помехой единовластной практике для него была только... чужая практика. И стало быть, дело было только за первой.

«Увидев воплощенным на экране свой замысел («Девушка с далекой реки». — *М. К.*), — признавался Александров, — я обратил внимание на то, что в нем вовсе отсутствуют присущие мне озорство и насмешливость, сатиричность взгляда на явления жизни. Тогда я принялся обдумывать свой следующий сценарий «Спящая красавица»... В этом сценарии я насмехался над искусством, которое проспало революцию, — классический балет тогда мне казался пережитком, ядовитым плодом дворянской культуры. Что было, то было...»

Правда, и этот сценарий, поставленный молодыми братьями Васильевыми, не стал основой подлинной кинокомедии. И вряд ли мог на такое рассчитывать вообще — даже в постановке самого Александрова. Тот Александров еще не дорос до себя. Его призвание до поры до времени словно таилось под сенью Эйзенштейна. И так как сень была на редкость привольной и плодоносной, за пределы ее, в самостоятельную жизнь, никто убегать не спешил. Впрочем, «таилось» — неточное слово. Все знали Гришину силу: «озорство, и насмешливость, и сатиричность взгляда на явления жизни».

Знал свою силу и он сам. Писал в дневнике: «Я и раньше замечал за собой это свойство: глаз мой просто не может проглядеть смешное. Что бы кругом ни делалось, я неминуемо в страшной сутолоке и неразберихе угляжу смешное и помещу его в копилку режиссерской памяти».

А все же «озорство и насмешливость» были только частью его силы. Его отличительными особенностями являлись также поразительное чутье на любую творческую находку и моментальная восприимчивость — умение губкой впитать все, что способно когда-нибудь дать результат. И природная способность подловить, угадать кратчайший путь к успеху. Ну, и терпение.

Да, порой изменяли вкус, чувство меры. Сказывалась неуемная тяга к небывальщине. Но время и тут работало на него — близились годы, когда именно небывалому будут подчинены все устремления огромной страны: небывалым темпам, небывалым рекордам, небывалому расцвету талантов. Небывалой мощи, бодрости и уверенности в грядущем.

Он, как и его учитель, не признавал отступлений. Воля и честолюбие также составляли часть его силы — воля, питаемая честолюбием. Он не был рожден бесшабашным ухарем или смельчаком (хотя нередко сходил за такого), но давил, зажимал в себе страх и неуверенность. Давил беспощадно, физически, с ходу.

Школа Эйзенштейна, естественно, поощряла и это. По молодости случалось и перебарщивать — вместе со страхом терялся инстинкт самосохранения. Как-то ему предстояло совершить смелый прыжок с трапеции на трапецию. Он совершил даже не смелый — отчаянный прыжок, промахнулся, врезался в шаткую декорацию и чудом остался цел.

В другой раз, желая на спор повторить трюк Мациста, популярного итальянского киноактера, — продержаться на стенках колодца, уперевшись в них ладонями, — он ухнул вниз и только по счастью отделался купанием. Позаботиться о страховке казалось ему унизительным...

Наличие публики являлось для него изначально самым сильным возбудителем вдохновения — и в жизни, и в искусстве. «На глазах» Александров чувствовал себя куда увереннее, смелее, совершеннее. В конце концов, это, наверно, и породило у него нечто вроде постоянного «чувства публики».

Он любил чувствовать себя победителем. И выглядеть победителем — сдержанным, скромным, мягкоулыбчивым, негромогласным и оттого еще более привлекательным. Но трудностей действительно разучился бояться, был уверен в себе и к тому же са́мому мягко, но настойчиво, упрямо призывал своих сподвижников.

Наилучшим способом добиться его расположения было выказать полную, беззаветную готовность на все, что потребует дело. В этом смысле Любовь Петровна явила себя на редкость благодатной натурой. Она храбро, без сомнений и колебаний бралась за все и вся — танцы, рисковые трюки, акробатику... А если опаска все же возникала (не шутка — проехаться верхом на быке или, едва умея плавать, махнуть с палубы в воду), никогда не подавала виду — разве что еще больше храбрилась. Она не жалела ни сил, ни здоровья — только чтоб сама... только чтоб у Гриши все получилось, как надо. Помимо прочего, это очень верный и праведный путь к любви и согласию.

И вот что еще любопытно и знаменательно. Первая жена Григория Васильевича, судя по многим воспоминаниям, отличалась тоже решительностью и упорством, и даже внешне обе женщины походили друг на друга. Она тоже была актрисой — притом актрисой того же жанра. Играла в «Синей блузе» в Московском мюзик-холле, публика любила ее, пресса не раз отзывалась о ней доброжелательно. Современники, хорошо знавшие театральную жизнь, в том числе и закулисную, не сговариваясь, утверждали: «Красивая женщина... самолюбивая... самостоятельная... надежный партнер: надо — значит, сделаю...» Правда, ходил по Москве в артистическом кругу нехороший слушок, что брак был полуфиктивный (без интима) и что сына она родила от другого человека, но... так или иначе, Александров признал его своим, и сын считал его своим. (Хотя к воспитанию сына отец практически рук не прилагал.)

Александров почитал решительность и упорство и культивировал их вокруг себя. Возможно, именно потому, что ему самому от природы этого недоставало. Волю в себе он воспитывал волей. Его тяга к совершенству, к суперменству была одно время очень откровенной — почти мальчишеской. Впрочем, ему и было-то двадцать с лишком. И в тяге этой слышался, как у многих тогдашних молодых людей «городского типа», сильный американский акцент. Эта особенность стала со временем явной, хотя и далеко не самой существенной приметой его кинематографа.

В принципе ничего зазорного в данной особенности нет. Американский стиль был модой, поветрием времени. Страна высочайших зданий, несокрушимых боксеров, электрического изобилия, автомобильных потоков внушала уважение и деловую зависть. На этот счет имелся и лозунг: «Соединим русский революционный размах с американской деловитостью!»

В кино эта мода имела своих почитателей. Лев Кулешов, один из первых «возмутителей спокойствия», объявил американский монтаж, американский трюк, стандартную американскую фабулу основой подлинного кинозрелища. Это было, конечно же, через край (тоже дух времени), но по сути очень логично.

На первый взгляд кажется удивительным наивное восхищение молодых советских кинематографистов американским фильмом почти на всем протяжении двадцатых годов — уже после мировых побед «Потемкина», «Матери», «Земли», «Потомка Чингис-хана»...

Но была, была в этом доза горьковатой справедливости. Мировые победы давались молодому советскому кино не бескровно. Отсутствие опыта, отлаженного производства, деловых навыков, добротной техники — и в то же время «гегемонию советской неорганизованности, волокиты и бюрократизма» (Мих. Кольцов. — *М.К.*) — приходилось одолевать личным энтузиазмом. И более ничем.

Зависть в американских лентах — детективах, вестернах, «комических» — больше всего возбуждала их профессиональная непринужденность, «чувство кино» (выражение Л. Деллюка), утверждаемое не кустарно, не от случая к случаю, но стабильной производственно-индустриальной мощью. Даже в посредственных или просто плохих фильмах ощущалась школа, которая и бездарности давала верный шанс на успех.

А успех был. Подчас дешевый, «шлягерный», обывательский, но массовый. «Женщина с миллиардами», «Знак Зорро», «Тайны Нью-Йорка», «Нищая из Стамбула»... Вспоминая эти названия, старые кинофикаторы до сих пор молитвенно закатывают глаза. Руфь Роллан, Пирль Уайт, Коринна Гриффит, Томас Мейган, Чарльз Хетчисон, Рамон Новарро... — какими шикарными веерами разворачивались они на стенных ковриках своих столичных и провинциальных поклонниц. (Популярность других иностранных картин была пониже.)

Первые советские теоретики — авторы брошюр, издаваемых «Теакинопечатью», в меру возможного пытались охладить зрительский пыл. Разоблачали классовое лицо заокеанских кумиров, вскрывали их вредность, чужеродность отечественной среде, их упадочность и обреченность. Атаковали бойко, задиристо, цепко — с высот передовой идеологии. И все равно в каждой брошюре вольно или невольно мелькали признания очевидных достоинств американской кинопродукции. Ни одно обозрение, ни один творческий портрет не обходился без оговорок: с этим надо считаться... этому надо учиться... этого нам не хватает...

И когда летом 1926 года на платформу Брестского (Белорусского) вокзала сошли Дуглас Фербенкс и Мэри Пикфорд, они были встречены как триумфаторы. Наличие поблизости Триумфальной арки не преминули обыграть газетчики. Фербенкс вел себя на публике (неважно, была ли это толпа или небольшая приватная компания) точно так же, как на экране. Задорно и ослепительно улыбался, время от времени пружинисто покачивался, словно готовясь к прыжку или рывку, показывал приемы бокса, джиу-джитсу и акробатики. Словом, выглядел образцовым мужчиной, суперменом.

Юный Александров, сам имевший нешуточную претензию на подобное звание, был от него без ума. И сына своего — только недавно родившегося — без колебаний переименовал из Василия в Дугласа.

...Что было — то было. У многих, не только у начинающих режиссеров, американские ленты рождали своего рода профессиональный комплекс — когда благотворный, когда не очень. Однако при всех издержках, подчас несколько косноязычных, опыт американцев усваивался советским кинематографом достаточно трезво и здраво, отнюдь не безоглядно. Примером тому: «Мисс Менд» Оцепа и Барнета, «Процесс о трех миллионах» и «Праздник святого Иоргена» Протазанова, «Голубой экспресс» И. Трауберга, «По закону» и «Великий утешитель» Кулешова, «Земля жаждет» Райзмана, «Привидение, которое не возвращается» Роома, «Потомок Чингис-хана» Пудовкина, чуть позже «Тринадцать» Ромма... Примером тому — комедии Александрова...

Эйзенштейн частенько посмеивался над его «заграничностью», «американизмом», и наверняка будущий родоначальник советской музыкальной кинокомедии давал тому повод. Но был в этом влечении, кроме детского форса, и дальновидный расчет — стихийный скорее всего, но безошибочный. Чувство или даже предчувствие грядущей пользы от уроков американского кино. Срабатывало чутье хитроватого, хваткого хозяина: своего не упускай, чужого тоже — когда-нибудь да пригодится.

И, тяготея к успешливой американской киностихии, он был особенно приглядчив — и переимчив! — ко всему смешному, карнавально смешному. При том что имелись у него и сугубые пристрастия — это касалось великих персон. Если «Дуг» — воплощение жизненной силы, жизненного триумфа — вызывал у юного Александрова чисто физическую зависть, то Чарли Чаплин стоял в ряду недосягаемых духовных кумиров. Преклонение перед ним Александров пронес через всю свою жизнь. И Любовь Петровна тоже. Разделив однажды это преклонение, она уже не поступалась им никогда. Домашние псевдонимы — Чарли (Орлова) и Спенсер (Александров), изобличающие это преклонение, придуманные в шутку в самом начале их отношений, так и остались в их обиходе до самых последних дней. До самых последних свиданий. Из всех бесчисленных знаменитостей, близко и отдаленно знакомых нашей чете, Чарли Чаплин всегда оставался самым почитаемым, несравненным.

...Осенью 1929 года Эйзенштейн с ближайшими соратниками — Тиссэ и Александровым — прибыл в Америку. «Русская тройка» была приглашена «Парамаунтом», одной из самых преуспевающих голливудских компаний, в расчете на постановку ими очередной престижной ленты — исторического или фантастического суперфильма. Расчеты фирмы не оправдались — так же как не оправдались расчеты Эйзенштейна создать американский фильм, сохранив максимум идейной независимости. Замыслы глохли, не доходя до съемочной площадки.

Наибольшую практическую пользу эта поездка дала Александрову. В Голливуде он вторично увидел Фербенкса (теперь уже тот с помпой встречал создателей «Потемкина») и впервые Чаплина. Знакомство состоялось на вилле «Пикфер» (Пикфорд—Фербенкс), и Александров запомнил легкую, чуть-чуть досадливую гримаску на лице хозяйки, когда она объявила о появлении Чаплина: «А вот и наш гений!»

Григорий Васильевич никогда не скрывал, что самым сильным и плодотворным впечатлением от Голливуда стал для него именно Чаплин. Тот пребывал тогда на гребне удачи — в самом расцвете своего обаяния, и все невольно тянулись к нему. Со своей стороны Чарли Чаплин проявил к «русским гостям» максимальное дружелюбие и любопытство. Они коротко сошлись — вместе гуляли, играли в теннис, купались на знаменитом калифорнийском пляже, катались на шлюпке, смотрели фильмы. Часами просиживали в его «деловом особняке» — иногда с вечера до рассвета. Он пригласил их к себе в студию. Несколько дней они наблюдали его в «деле» — на площадке, в просмотровом зале. Он снимал тогда одну из величайших своих картин — «Огни большого города».

Конечно, такое можно было предвидеть заранее (Чаплин же!), но в жизни случается всякое. Случается, что «очная ставка» с кумиром изрядно отрезвляет поклонника от радужных домашних фантазий. Но чаплинские уроки впитались в духовный мир Александрова серьезно и надежно. Более серьезно, чем это видится на первый взгляд.

Александров не подражал Чаплину — никогда и не пытался этого делать. Как всякому разумному художнику, ему было ясно, что искусство, подобное чаплинскому, не оставляет возможности для имитаций и подражаний. Отдельные трюковые эффекты подчас напоминают чаплинские, но в той же степени и «ллойдовские», и «китоновские», и вообще традиционные комические приемы — они, как известно, переходили из рук в руки и всегда срабатывали в умелых руках безотказно.

Более того, заметно и очень часто стремление Александрова придумать нечто обратное уже испытанному комедийному приему. Традиционный комический «ход» — герой в клетке со львом. Чарли, как и другой великий умелец Бестер Китон, в подобной ситуации, естественно, не помышляют о борьбе. Отчаянно труся, герой старается расположить к себе хищника подхалимской улыбкой, мелкими услугами и предельной покорностью. Герой Александрова в «Цирке» — не менее отчаянный трус — истерически бросается в единоборство с хищниками и наводит на них панический ужас. Чаще всего такие «наоборотные решения» касались существа дела, то есть были сознательной установкой.

«Почему в «Волге-Волге» много срывов, неудач, неточностей? Потому что я поставил перед собой сложнейшую задачу: по-новому трактовать каноны комедии — показать отрицательного героя (Бывалова) и положительную среду. Мне хотелось найти образ массового положительного героя (коллектив художественной самодеятельности) и отрыжки щедринских бюрократов (Бывалов)».

Александров здесь не совсем точен. Его трактовка соответствует весьма классическому канону комедии. Освященному именами Аристофана, Мольера...

Больше всего это «обратно» именно Чаплину, поскольку никто, как он, не ощущал, не прокламировал положительность комического героя — его одинокость и подавленность враждебной средой.

Эйзенштейн писал об этом так: «Если там мы имеем человеколюбие, участие в горестях меньшего брата, слезу об униженных и оскорбленных, обойденных судьбой, то здесь на место этого станет эмоция социальная, социалистическое человеколюбие. А социалистическое человеколюбие не в сожалениях, а в пересозданиях, где сцена из комической становится не индивидуально-лирической, а социально-лирической. Социально же лирическое есть пафос. Лирика массы в момент слияния воедино — это гимн. И этот сдвиг комического не в лирическую слезу, а в слезу пафоса — вот где мне видится направление того вклада, что имеет врастить наше кино в кинокомедию».

Как удобно — не правда ли? Взять и спроецировать эти строки на зрелые фильмы Александрова, на «Цирк», «Волгу-Волгу» и «Светлый путь», где все это реально осуществилось. Где сдвиг комического в социально-лирический пафос неизбежно венчается гимном, всеобщей хвалой то ли «широкой родной стране», то ли «народной красавице Волге», то ли нашему необоримому трудовому энтузиазму... Все сходится. Увы, эта проекция не то, что виделось Эйзенштейну, но об этом чуть впереди.

По части «объекта нашего смеха» между учителем (Эйзенштейном) и учеником (Александровым) тоже не видится разноречий. И откуда бы им взяться? Эйзенштейн полагал таким объектом «социалистическую инфантильность, застрявшую в век социальной взрослости, взрослости социалистической». Александров, по сути, вторил ему, призывая (в статье 1939 года) направить «острие киносатиры против тех элементов буржуазной психологии и морали, которые еще сохранились у представителей нашего общества».

Конечно, Чаплин здесь ни при чем. Чаплинская школа проявляет себя в комедиях Александрова со стороны чувственной интерпретации жизни. В умелом и большей частью органичном сочетании быта и эксцентрики. В характерности, продуманной одушевленности гротеска. Александровские аттракционы, трюки, феноменальные нелепости так или иначе впаяны в реалии повседневной жизни, в бытовизм среды, обстановки, времени, в бытовизм характера.

Однажды он записал в своем дневнике: «В механизме эксцентриком называется колесо, у которого ось смещена из центра круга в сторону. Если у колеса телеги ось смещена, то телега начнет хромать, а хромающую телегу всякому видеть смешно. У комедии тот же принцип». Эта запись сделана по поводу еще одного американского впечатления — почти такого же сильного, как Чаплин. Имя ему — Дисней. Приводя пример чистой эксцентрики у Диснея — «Танец скелетов», Александров замечает, что это не самое ценное у великого мультипликатора. А самое ценное и бесконечно любимое им, Александровым, — Микки Маус.

Тут сходятся концы с концами. Микки Маус — как раз тот образ, который принято называть «типом эпохи». И Чаплин из всех своих комических современников, наверное, самый точный и узнаваемый тип эпохи. И наилучшие персонажи александровских комедий — те, что сыграны Ильинским, Володиным, Комиссаровым, Пляттом, Раневской, — тоже в немалой степени типы эпохи. Но более всех, конечно, она — героиня Орловой. Настолько более, что хочется опустить «героиню» — написать просто: Любовь Орлова.

Александров старался по мере сил и таланта строить эту типичность именно по-чаплински. Средствами самой лихой эксцентрики, но обязательно «в присутствии» конкретной, вещественной житейской атмосферы. И непременно в сочетании с лирической стихией —

простодушной, трогательной, временами назидательно-сентиментальной, чтоб не сказать мелодраматичной.

Косвенным доводом в пользу всех этих рассуждений можно считать признание Орловой в небольшой газетной заметке 1934 года — о том, как давалась ей первая роль в кинематографе Александрова.

«Оказалось, что искренность и простота игры на экране различна с театральной игрой. Понять и оценить это различие мне помог режиссер картины Александров и Чарли Чаплин теми отрывками, которые мне удалось видеть». А видеть тогда ей по большей части доводилось то, что считал для нее интересным и поучительным тот же Александров.

К сожалению, Эйзенштейн не воспринял всерьез комедий Александрова — ни с чувственной их стороны, ни с идеологической. Решающей для него была проблема формы. *Формы, умеющей стать идеологией.* И Чаплин вызывал его восхищение как создатель именно такой формы. Создать подобную форму для советской комедии и было его желанием. Только в такой форме видел он «сдвиг комического не в лирическую слезу, а в слезу социального пафоса». И такую форму он обнаружил в 1935 году — в замечательной комедии А. Медведкина «Счастье».

Александров никогда не отрицал, что многое в своей практике почерпнул из достижений зарубежного, и в первую очередь американского, мюзикла. Отрицать это было бы нелепо. Иногда он публично поругивал себя. «Цирк», например, считал «своим отступлением от намеченных принципов построения советской кинокомедии, снижением требований к самому себе, сворачиванием на путь наименьшего сопротивления». Однако в книге воспоминаний написал: «Дружба с Чарли Чаплином и знакомство с музыкальными ревю, заполнившими экраны и подмостки Европы и Америки, дополнили, если так можно выразиться, мое комедийное образование».

Сногсшибательный успех первых киномюзиклов — «Певец джаза», «Ревю Голливуда», «Песни пустыни» — породил подлинный бум в этой области. Началась охота на актеров, обладающих голосом и комедийным темпераментом. «Облавы», как правило, устраивались в мюзик-холлах, ночных кабаре, в опереточных труппах. Это было логично.

И Александров в поисках своих звезд шел по тому же пути — присматривался к советскому мюзик-холлу (благодаря жене он был хорошо осведомлен о его достижениях и возможностях), использовал для начала театрализованный джаз Утесова и самого Утесова, у оперетты впоследствии «одолжил» Володина и, наконец, главную свою героиню «извлек» из популярного музыкального театра.

Он успел повидать в Америке множество музыкальных звезд — пока не столь популярных, как звезды тридцатых годов. Режиссер видел, конечно, и Ола Джонсона в сенсационном «Певце джаза», и Бесси Лав с Чарльзом Кингом в бесхитростном, но забавном мюзикле «Мелодии Бродвея», имевшем феноменальный успех у публики и признанном критикой лучшим фильмом 1924 года, и прелестную Норму Ширер, и эксцентричную Мэри Дресслер в нашумевшем «Ревю Голливуда».

Видел, но четких воспоминаний о каждом из них не сохранил: ему изначально важнее были характерные частности, элементы общего стиля. Примерно тогда и завел он свои знаменитые записные книжки, куда заносил все мало-мальски интересное и поучительное по части комедийного опыта. То был воистину скрупулезный, фундаментальный учет всевозможных проявлений комического — и в жизни, и в искусстве. Иных сотрудников Александрова приводило в недоумение это странное сочетание избыточной, безмерно витиеватой фантазии и деловитой скрупулезности, предельной упорядоченности кругозора.

Впрочем, кое-кого он запомнил все же отчетливо. Запомнил Мориса Шевалье и юную Джанет Макдональд в «Любовном параде» Эрнста Любича. Этот фильм был козырной картой «Парамаунта» в противоборстве с другими студиями. Недаром его показали русским гостям в числе первых. Он не привел гостей (Эйзенштейна, по крайней мере) в большой восторг, но все же произвел впечатление. И вполне закономерное. Морис Шевалье сумел, хотя и с потерями, удержать на экране свой эстрадный шарм. Джанет Макдональд, едва начавшая триумфальную карьеру, была достойной партнершей... Александров видел ее потом и в других картинах, встречался с нею и сохранил в памяти ощущение «идеальной музыкальной киноактрисы» (так он говорил).

Джанет Макдональд и отдаленно не похожа на Орлову — разве что идеальным чувством жанра. Хотя ничего зазорного не было б и в отдаленном сходстве. В пределах такого жанра — склонного к перепевам, к устоявшимся формам, в достаточной мере консервативного — подобия вполне вероятны.

Кстати, подобия Орловой — напоминающие ее и внешностью, и качеством темперамента — были и тогда, и потом. Особенно похожа временами Бетти Хаттон, не слишком лучезарная и долговечная звезда сороковых годов. Однако проблема сходства имеет в нашем случае более серьезную подоплеку.

О том, что Орлова «где-то в чем-то» напоминает звезд зарубежного экрана, говорилось, да и писалось немало. Буквально с первой же комедии — с «Веселых ребят». Действительно, была в ее облике некая «международность» — проще говоря, близость идеальному, по тем временам, типу женщины. На страницах популярных журналов, причем не только модных, часто попадались разнообразные версии этого типа — ясноглазой, изящной, улыбчивой, очень женственной — женщины. И как правило, белокурой.

(Орлова была исконно темно-русой — такой же была и в первых своих, не очень больших ролях: в фильмах «Петербургская ночь» и «Любовь Алены». Первое, что сделал Александров, — перекрасил ее в блондинку).

...Как бы стихийно ни складывался альянс Александров—Орлова, поиск своей генеральной актрисы будущий комедиограф вел не вслепую, но ощущая, интуитивно учитывая уже известные нормативы зрительских вкусов — и по части жанра, и по части моды. (И моды тоже!) Тут не было корыстного расчета на отсталую массу, на ее традиционное поклонение иностранному ширпотребу. Разве что в минимальной мере.

Было здравое, неханжеское понимание реальности. Живой жизни. Живых человеческих устремлений, которым необходимы образцовые соответствия — в искусстве ли, в жизни.

Дина Дурбин, Франческа Гааль, Джанет Макдональд, Милица Корьюс оказались в фаворе у нашего зрителя не в силу их иностранности — хотя, конечно же, чужестранность придавала им добавочное сияние, как искони придавали его звездам русского цирка или русским мастеровым звучные иностранные имена. Если влечение к этим новоявленным звездам и было в немалой степени бегством от будничного однообразия жизни, то все же не столь безрассудным и безнадежным, в какое сманивали иные сверхзвезды типа Греты Гарбо, Глории Свенсон, Коринны Гриффит, Лиа де Путти и Руфь Роллан. Это было так или иначе бегством в праздник, в мир душевной и физической непринужденности, в мир стихийного и радостного сотворчества.

Незадолго до войны, после одной из больших кремлевских встреч, Сталин пригласил нескольких видных участников в кинозал, сказав при этом с обычным своим устрашающе-добродушным лукавством: «В награду за ваше терпение вы посмотрите мою любимую картину. «Большой вальс». Я жалею, что уже не могу посмотреть ее в первый раз. Я смотрел ее шесть раз, но надеюсь, что вы не отлучите меня на этом основании от своего благочестивого коллектива и разрешите мне посмотреть ее в седьмой раз».

И заграничную моду, разумеется, в рамках быта, никто в руководстве не трактовал как нечто враждебное советской жизни. В 1938 году на XVIII съезде партии А. Микоян под сочувственные аплодисменты зала стыдил работников Легпрома за то, что хорошие женские чулки или хороший галстук не бывают иначе как заграничными, и взывал к тому, чтобы «все товары ширпотреба были на уровне или лучше заграничных образцов».

Так вот. Орлова даже в тех ролях, где не вполне, скажем прямо, реализовано ее национальное и социальное своеобразие (в «Веселых ребятах», в «Цирке»), никогда не казалась чужой. Она казалась совершенной. И легкая непринужденная чужестранность была деталью этого совершенства. Такое привычно в оперетте, мюзик-холле, джазе, опять же в цирке...

Не забудем и главного: советская музыкальная кинокомедия (в наибольшей мере кинокомедия Александрова) выявила себя как постепенная трансформация западной модели. Это был процесс довольно явного переиначивания — процесс, который, само собою, подразумевает совпадение каких-то приемов, каких-то элементов формы. Будучи за границей, Александров очень внимательно вглядывался в «узоры» наиболее характерных образцов американского мюзикла. В ритмику, изобразительный стиль, эксцентрический почерк, в хореографию. Особенно в хореографию, где уже задавал тон выдающийся бродвейский хореограф Басби Беркли. Отдельные приметы его стиля — бравурного, помпезного, калейдоскопичного — обнаружат себя в комедиях Александрова и, что самое любопытное, превосходно впишутся в общий строй этих комедий. То есть сработают в новом смысловом контексте.

И было еще одно открытие в том знаменательном вояже, оказавшее на Александрова весьма серьезное воздействие. Техническая организация американского кинопроизводства. Тут явно было чем попользоваться (хотя бы теоретически), и Александров подробно заносил в путевой дневник все, что касалось сложного и технически совершенного оснащения голливудских студий.

...Громадный запас оборудования и аппаратуры. Если на съемке нужно десять прожекторов, то фабрика дает тридцать, ибо, если на съемке испортится один прожектор, остановки, задержки съемки быть не должно. Если нужен один микрофон, то ставят три, потому что испорченный микрофон может задержать съемку.

...Подготовка к съемке в шесть раз дольше, чем сама съемка.

...Оборудование, организация экспедиции весьма капитальны. По всему периметру огромного кинолагеря столбы воздушной линии электропередачи, трансформаторы. К каждой палатке, ко всем павильонам подведен водопровод. Вся территория съемки телефонизирована... В киногородке работает ресторан для обслуживания восьмисот человек. Громкоговорители по всей территории...

И так далее. Конечно, все это не развеивало скептицизма и настороженности по отношению к буржуйской кинопродукции — тут «собственная гордость» срабатывала исправно. Когда Б. З. Шумяцкий, тогдашний начальник Главного управления советской кинематографии, запросил «великую троицу» письмом, как выглядит средний добротный голливудский фильм, веселая троица удумала ответ в духе своих былых проказ — выкрала из реквизитной бутафорскую кучку г...

на и аккуратной бандеролью отослала в Москву. Шумяцкий оценил юмор.

Но тот же Шумяцкий по возвращении группы на родину дотошно, с пристрастием расспрашивал каждого — и особенно Александрова — об оснащении студий, о системе организации труда, о технических новинках. Отчасти под влиянием этих бесед (понятно, были у него и другие источники информации) он вознамерился даже создать что-то вроде «советского Голливуда» на территории асканийского заповедника, переместив туда и студии, и творческих работников. Волевой замысел не смог тогда осуществиться из-за недостаточных материальных возможностей страны — приравнять же его к Магнитке, Сталинградскому тракторному или Беломору сталинское руководство не сочло целесообразным.

Шумяцкий, впрочем, знал, что делал, когда пытался пробить идею «советского Голливуда». Знал, с каким интересом, а нередко и восхищением относились Сталин и его ближайшее окружение к «среднему добротному голливудскому фильму».

Зато Александров, приступив к делу, стал подлинно одним из пионеров «технического новаторства и высокой производственной культуры». Термины эти в начале тридцатых годов, как правило, и означали «передовой заграничный опыт».

Однако не упустим из виду и мелочи. Все работавшие с Александровым вспоминают его сугубую аккуратность, предельную пунктуальность и обязательность, стремление все продумать и взвесить заранее, все обставить наилучшим, наиудобнейшим образом. Ему тоже приходилось на каждом шагу преодолевать «советскую неорганизованность, волокиту и бюрократизм», но в отличие от Эйзенштейна он делал это спокойно, мягко, без мата, без нервического напряжения. Исходя, что называется, из реального положения вещей.

Но был не менее и даже более других настойчив в своих притязаниях, умел сообщать своим доводам чрезвычайную солидность и добивался подчас гораздо большего, чем другие. Вот характерный пример — из той же книги воспоминаний: «Чтобы делать действительно музыкальные фильмы, мы вели съемку под готовую фонограмму. Когда я предложил это еще при подготовке «Веселых ребят», на меня зашикали: «Видимое ли это дело!» Пришлось пустить в ход главный аргумент: «В Америке все так снимают!» Поверили на слово, согласились с моим предложением, хотя в Америке в ту пору под фонограмму снимал один Уолт Дисней...»

Пожалуй, мы все-таки забежали вперед — съемка под фонограмму, конечно, не мелочь. Но и сущие мелочи — мелкие подспорья в работе — Александров никогда не считал пустяками. По этой части он открыл для себя в Америке множество не особо приметных, но поучительных «америк».

Не пустяк — складное режиссерское креслице с надписью на холщовой спинке: «Режиссер».

Не пустяк — приличный буфет для участников ночной съемки. Если такового не было, Александров съемку отменял.

Не пустяк — поздороваться и попрощаться чуть ли не с каждым участником съемки, находящимся не слишком далеко от тебя. То же обыкновение имела и Любовь Петровна, даже была, пожалуй, еще более предупредительной, прекрасно понимая, что лишний приветливый жест, лишняя улыбка, лишнее дружеское участие никогда не забываются. И никогда не останутся безответными.

Последнее, само собой, необязательно связано с американским кинопроизводством — и тем не менее. Многие европейские мастера, завербованные Голливудом, с уважением отзывались об американской психологии производственного процесса. Психологии, легко сводимой к простой формуле: общее деловое согласие. Великий германец Фриц Ланг, будучи уже в Америке, как-то сказал, что на УФА (казалось бы, прекрасно оснащенной и организованной) ему приходилось выполнять столько побочных и попросту чужих обязанностей, что многие сотрудники большей частью раздражали его своим присутствием, — отчего и шла про него слава горлодера и грубияна.

Советская производственная система была в то время еще менее удовлетворительной. Вот как писалось о ней в 1935 году в обращении «Боевые задачи советского кино»: «Наши режиссеры находятся до сих пор в таких условиях, когда больше половины их рабочего времени и творческих сил уходит на преодоление технических и организационных неполадок».

Понятно, что в таких условиях многие режиссеры легко зарабатывали славу «истериков», «крикунов», «бузотеров», а то и вовсе хулиганов. Многие, но только не Александров — хотя ему было не легче других. Всегда подтянутый, свежий, приветливый, всегда спокойный, он словно игнорировал неполадки и неразбериху. Не позволял испортить себе настроение, вывести из равновесия. Всерьез изменить положение вещей не представлялось возможным, следовательно, нужно принять, что есть, и держать себя соответственно. С достоинством и улыбкой — как в лучших домах. Не без расчета, не без игры — впрочем, не слишком тонкой и не слишком грубой. Ему удобней, естественней было выглядеть всегда и всюду совершенством. Тем более что манера эта, не лишенная обольстительного артистизма, и впрямь приносила хорошие результаты — импонировала людям, располагала и обеспечивала в известной мере то самое общее деловое согласие.

Климат жизни, повседневного состояния Александрова был на редкость покоен, не изнурителен. Здесь не витали ни ледяные, ни жаркие ветры, не бушевали грозы и бури. Не извергались вулканы. Не колебалась почва. Здесь царили оптимизм, уют и благочиние. И Любовь Петровна, пережившая не одно лихолетье, не только охотно приноровилась к этому климату, но ощутила в нем желанное счастье. Это был своего рода микроклимат, обособленность которого оберегалась тщательно и строго. Это стоило, безусловно, душевных и физических усилий — бывали ведь и болезни, и несчастные случаи, и житейские напасти, и тяжкие обиды, и более глобальные потрясения. Но твердое убеждение — все хорошо! — помогало. Все будет хорошо! Если бы у Александрова был личный герб, то не придумать лучшего для него девиза, чем эти слова: «Все хорошо».

Даже когда Любовь Петровна серьезно недомогала, даже когда была при смерти, он стойко держался своего принципа — успокаивал родных, близких, себя все тем же неизменным: все хорошо! Все в порядке!

Доброжелатели воспринимали это как мужество, недруги подозревали в этом эгоистический расчет, рекламный глянец, ставший привычным самообман. А была тут прежде всего железная, непреклонная верность самому себе, своему *самодельному* радужному мирозданию.

И самое прекрасное, а вместе с тем и драматичное, что Любовь Петровна изо всех сил и даже уже из последних, поддерживала этот мажорный тонус: лишь бы не уронить в глазах окружающих свой образ, свой престиж, лишь бы не волновать, не нервировать дорогого, любимого Гришеньку. И делала воистину невозможное, дабы все выглядело действительно хорошо.

Пусть говорят — не бывает везучих людей. Бывают. Вопрос или загадка в том, из чего, из каких счастливых атрибутов слагается и отстаивается это самое везение. Александров обладал — особенно в годы творческого расцвета — исключительной способностью и умелостью производить на людей приятное и памятное впечатление. Столь приятное и памятное, что хотелось «в ответ» отплатить ему чем-то равным или, по крайней мере, достойным этого впечатления. То был редкий дар — и опять же умение — вызывать везение на себя. В большом и малом. Доходило порой до нелепого, до смешного, до комичного.

Как-то в одну из послевоенных зим, гуляя по внуковскому перелеску, он заметил на тропке нечто похожее на пятак. При более близком рассмотрении пятак оказался изрядной давности золотым империалом. В тот же вечер, сидя в гостях у соседей, Григорий Васильевич обстоятельно рассказывал, как обнаружил недавно в лесу богатейший, бесценнейший клад — не без помощи собаки, конечно. «Вот эта монета — как раз оттуда». Рассказывал он так солидно, так художественно, что хозяин дачи, старый нумизмат и владелец потерянной монеты, мысленно махнул рукой и не стал домогаться возвращения собственности.

В первые военные дни, уезжая с Орловой из Риги, он оставил администратору гостиницы часть багажа — на месяц-другой, от силы третий... словом, до скорого окончания войны. Через четыре долгих военных года, принудивших забыть более важные вещи, чем оставленный где-то когда-то багаж, в Москву с Урала пришло письмо от того самого администратора — оба чемодана были целы и готовы к отправке.

(А еще почему-то вспоминается — не без зависти, — что ни на одном дачном участке, ни у кого не водилось таких изумительных, таких отборных, безупречных белых грибов, как у него. И в таком количестве.)

Подобные случайности теснились круг него, сами собою делались привычной, обыденной частью его бытия.

Я думаю, он никогда не полагался на свою счастливую звезду, не размышлял о ней — просто носил ее в себе. И все, что ни делал, что ни говорил, было изнутри озарено ее светом. Но инстинктивно, полубессознательно он очень считался с ней, оберегал ее, не изнурял «работой», не подвергал испытаниям. Любое коварное и непредвиденное осложнение дел вызывало в нем резкое и гибкое в то же время сопротивление, принимавшее по обстоятельствам самые разнообразные очертания и оттенки: то беспечность, то равнодушие, то покладистость, то осторожность, то сугубую обходительность... В его отчетливой приветливости — со всеми, даже малознакомыми людьми — сквозила некая профилактическая сдержанность. Корректное приглашение на осмотрительную дистанцию.

Близкие сподвижники Эйзенштейна вспоминают, что никто и никогда (за исключением двух-трех ближайших) не позволял себе с ним ни малейшего панибратства. И хоть держал он себя нередко самым свойским образом — дразнился, дурачился, хулиганил, его авторитет был настолько высок и всесторонен, что иного обращения к нему, как Сергей Михайлович (иногда — маэстро), в голову не приходило... Александров, конечно же, не обладал равновеликим авторитетом у киношной братии (долгое время он и был авторитетен-то прежде всего Эйзенштейном), но каждый встречный при первом же с ним общении проникался должным чувством почтения. Холодноватый взгляд, любезная полуулыбка на тонких красивых губах, породистая осанка, плавный, капельку вкрадчивый голос — все органично лепилось одно к другому, создавая некое царственное, державное, но притом не лишенное лукавства обличье.

...Америка (собственно заграница) сослужила Александрову еще одну полезную, хотя и горькую, службу. Развела, раздружила его с Эйзенштейном. То есть ссоры как таковой не случилось, но отношения охладились резко и навсегда. Если слово «развод» применимо в подобной ситуации, то оно здесь уместней всего.

Трения начались еще в Европе. Александрова и Тиссэ поначалу слегка, а потом все больше и больше раздражало, что Эйзенштейн выступает повсюду — и в прессе, и на приемах, и перед зрителями — как единоличный создатель «Потемкина». Говорит о себе, забывает упомянуть имена спутников. Их молодое самолюбие страдало. И в первую очередь самолюбие Александрова, который считал себя равноправным соавтором многих замыслов Эйзенштейна и многих свершений. Он завидовал мировой славе учителя, его свободному, остроумному общению с любой аудиторией, его моментальной реакции в самой жаркой словесной перепалке, его уверенности в себе, знанию языков и, вероятно, еще многому. Близкое соседство с гениальной личностью нередко бывает тяжелым душевным испытанием — особенно для тех, кто имеет претензию (и реальное основание) на творческую самостоятельность.

Возможно, их содружество продлилось бы дольше и Александров повременил бы с «отрывом», если бы за границей им удалось осуществить хоть одно из серьезных начинаний и они вернулись бы «со щитом», если бы не витали над головой Эйзенштейна вздорные, политически небезопасные сплетни и слухи, если бы не было временного застоя в их творчестве.

Но раньше или позже «развод» был неминуем. И это осознавал сам Эйзенштейн. Даже в его подсмеиваниях над Гришиной неотразимостью присутствовала немалая доза восхищения его духовными и физическими достоинствами. Он признавал его право на «самоопределение вплоть до отделения» и временами даже декларировал это. «Я сделаю из Гриши режиссера...» «Гриша должен работать сам...» «Мейерхольд сделал меня — я сделаю Гришу...» Но в глубине души боялся этого, не хотел. Оттягивал всячески. Испытанных своих сподвижников Эйзенштейн ценил чрезвычайно. Трепетно. Ревниво.

«Бывают такие чудны́е точки зрения, — писал он молоденькому Володе Нильсену, способному ассистенту Тиссэ (и будущему оператору Александрова), в 1928 году на снимках санатория в Гаграх, — с которых кажется, что человек спускается вниз именно в тот момент, когда он забирается на самые верхние ступеньки (например — «Октябрь»). К сожалению, слишком многие видят с подобных точек зрения и делают свои выводы... Между тем чем выше залезаешь, тем более чувствуешь свою одинокость и холод и тем более нуждаешься в спутниках по глетчерам».

Надо думать, после заграницы Эйзенштейн еще более нуждался в спутниках и надеялся на их помощь. Но многотрудный и долгий путь домой, затянувшаяся творческая пауза внесли смятение в железный некогда коллектив и подтолкнули его к расколу. Есть закономерность в том, что они ушли вместе: Александров (первый подручный Эйзенштейна) и Нильсен (первый подручный Тиссэ). Хотя правильней будет сказать, что Александров увел с собой Нильсена, — и этого Эйзенштейн тоже не мог долго забыть.

В александровских комедиях Сергей Михайлович увидел не более чем слепок с американских мюзиклов. Развлекательной, забавной, пустоватой разновидности *эскапизма* (бегства от действительности). И неприязнь свою к этой форме перенес и на Александрова, и на Орлову, в которой усмотрел слепое подобие зарубежной музыкальной кинозвезды.

Неприязнь эта была усугублена личным мотивом — ревностью и обидой. Получалось так, что Александров оставил его ради Орловой. И Любовь Петровна платила Сергею Михайловичу равной неприязнью — такой, на которую редко решалась с кем-нибудь.

Однажды режиссер Лев Арнштам оказался свидетелем мимолетной сценки в коридоре студии. Эйзенштейн настойчиво стучался в дверь одного из просмотровых залов, где, как выяснилось позднее, Любовь Орлова смотрела материал очередной картины. Видимо, Эйзенштейну надо было срочно что-то посмотреть. Он нервничал, поглядывая на часы, и громко — так, чтоб его слышали в зальчике, — чертыхался. Дверь распахнулась, да так резко, что, если б Эйзенштейн случайно не отодвинулся, его бы отбросило ударом. Из зала выскочила Любовь Петровна и, ни на кого не глядя, рванулась по коридору, громко бормоча на ходу: «Наш гений от вежливости не умрет!»

Они избегали встреч, разговоров друг с другом, и даже короткий период соседства в Алма-Ате в начале войны не сблизил их.

Отношения Эйзенштейна и Александрова до сих пор предмет сплетен и домыслов. Однако ничто, как мне кажется, не дает конкретного повода трактовать эти отношения более сложно (или более просто), чем это выглядело в реальности... Да, вероятно, некая сексуальная мотивация их приязни и последующей неприязни имела место. Соблюдая известную осторожность в анализе очевидных фактов, мы вряд ли рискуем ошибиться. Эйзенштейн был некрасив, угловат, низкоросл, рано облысел, отяжелел. Слегка косолапил. Достоверно известно, что с детства был у него неприятный недуг — паховая грыжа. Возможно, это сыграло определенную роль в зарождении у него комплекса сексуальной неполноценности. Этот комплекс беспокоил его и в ранней юности — он не стеснялся признаваться в том матери. Комплекс сохранился до конца жизни. Были женщины — из тех, с кем он пытался сблизиться, — которые слышали от него весьма откровенные признания в своих сексуальных поползновениях.

Однажды я спросил у Григория Васильевича: «Каковы были отношения Эйзенштейна с женщинами?»

Вопрос был не случаен. Александров как раз рассказывал мне тогда, что в коллективе Эйзенштейна (в «мастерской») нравы были весьма веселые и свободные. Донжуанство не просто поощрялось — поощрялось активно, даже страстно. Помню выражение Александрова — возможно, не его, а самого Мастера: «Донжуанство свирепствовало».

Сподвижники будущего классика, многие из которых и сами сделались со временем столпами отечественного искусства, были горазды на эротические шутки. Особенно мне понравилось, как, будучи в Ленинграде, они учинили в ресторане гостиницы «Европейская» большой сексуальный скандал. Нарядили Александрова женщиной — юной и привлекательной (при его редкостной красоте это было нетрудно). Он одиноко сел за один из столиков как бы в образе блоковской Незнакомки, с полчаса элегантно цедил кофе с ликером, с достоинством отвергая все попытки ресторанных бонвиванов пригласить его потанцевать, как вдруг в зал вошел пьяной походкой Антонов (главный актер и силач «мастерской», Вакулинчук в «Броненосце «Потемкин») и без долгих предисловий приступил к решительным действиям. В общем, на глазах у изумленной респектабельной публики (и самих затейников, сидящих, естественно, тут же) произошла сцена изнасилования — со всеми малопристойными атрибутами. Когда же дело дошло до опасности вовлечения в ситуацию органов правопорядка, последовало веселое разоблачение. Эйзенштейн, как легко догадаться, частенько и подкидывал подобные придумки.

Здесь было принято одерживать победы, демонстрировать победы, хвастать победами, порой в самой откровенной их форме.

Ну а сам-то, сам-то Он... каков был по этой части? Ответ Александрова меня ошарашил, и вовсе не матерным словом (в конце концов, одно слово можно было заменить на другое), а странной неожиданностью:

«За все время, что мы были с ним вместе (а были они, напомню, наиближайшими друзьями десять лет. — *М. К.)*, я ни разу не видел его х(...)...»

Я невольно переспросил: «То есть как? Вы же бывали вместе в бане? Купались в море? И вообще...» Он повторил: «Были. Купались. Устраивали пикники, где часто раздевались догола, но я ни разу за все это время не видел его х(...)». Заметив мою растерянность и недоумение, он слегка улыбнулся и добавил: «Нет-нет, он был, конечно, но я его не видел».

Это произнес Александров. Тот самый, про которого многие знакомые мне режиссеры, критики, сценаристы (его ровесники) с уверенностью говорили, что он, Александров, был любовником Эйзенштейна и что этот факт всемирно известен.

Насчет всемирности спорить не приходилось. Мэри Ситон, английская журналистка и киновед, близко знавшая Эйзенштейна, весьма определенно написала в своей книге о нежных, интимных отношениях Эйзенштейна и «Гриши» (Александрова). Об этом же говорила она и в своих публичных выступлениях — что, кстати, очень коробило многих зарубежных «эйзенштейноведов».

Однако является ли этот «всемирно известный факт» доподлинным фактом — вопрос. Лично я сильно сомневаюсь. Верю Александрову (хотя трудно найти более сомнительный источник информации), — сам не могу доказательно объяснить почему, но верю. Верю не потому, что отрицаю за Эйзенштейном возможность такой склонности — при одном его страстном любопытстве ко всему сущему, желании попробовать, как говорится, на ощупь любое проявление человеческого естества, он мог не постесняться и такого влечения. И не только потому, что более или менее осведомлен о личной жизни Александрова в двадцатые годы — она была, и впрямь, не слишком перенасыщенной любовными страстями, но все же с виду вполне здоровой. У него была очаровательная жена, сын. Слухи не в счет. Его боготворили женщины и не всегда безответно — это мне известно из первых уст. Правда, они же считали его холодноватым — что называется, *стылым* мужчиной — он не отличался активностью в поисках приключений. Предпочитал, чтобы его искали, его хотели, за ним ухаживали... (Докапываться до рискованных откровений о его сексуальных возможностях я не стал.)

Мое недоверие к этому слуху (Эйзенштейн плюс Александров = ?) исходит из иных впечатлений. Их отношения были достаточно на виду. Если бы между ними имел место какой-то стабильный, относительно постоянный интимный контакт, это, бесспорно, заметило бы ближайшее окружение (в конце концов, все все узнают) и наверняка превратило бы в объект досужих разнотолков. Стеснительность в их кругу была не в ходу, особенно в то время, — сам Эйзенштейн, как мы уже заметили, довольно открыто поощрял веселое злословие, остроумные инсинуации, заспинные мистификации. Что стоит одна его коллекция непристойной графики и рисунков, которую он демонстрировал друзьям и знакомым! Или его собственные рисунки...

...Александров долгое время был как бы частью Эйзенштейна — его дополнением. Эффектным воплощением того начала, которое у Эйзенштейна отсутствовало — отчасти от природы, отчасти по стечению обстоятельств... Эйзенштейн, не имевший ни детей, ни младших братьев, гордился его мужской неотразимостью, как гордится отец мужским совершенством сына.

Они смотрелись «парой» и в известном смысле даже афишировали свою «парность». «Измена» Александрова была воспринята Эйзенштейном именно как измена. И не случайно, наверное, тема измены, предательства становится с этого времени навязчивым лейтмотивом творчества Эйзенштейна. Ничего подобного в его кинематографе ранее не было. Конечно, не следует сбрасывать со счетов того немаловажного исторического обстоятельства, что эта тема стала исключительно популярной, «спросовой» в искусстве тоталитарного сталинского периода, и Эйзенштейн, искренне желая соответствовать велениям времени, не мог избежать этого мотива. Но он, судя по всему, и не желал избегать — со страстью и темпераментом, почти любовно обыгрывал этот мотив и в несостоявшемся фильме «Бежин луг», и в «Александре Невском», и особенно в последней своей, не доведенной до завершения трехсерийной эпопее «Иван Грозный».

Думаю, что эпопея эта, вкупе с иными предыдущими лентами, кое-что говорит о сексуальных предпочтениях Эйзенштейна — даже без фрейдистских ассоциаций. Вот где подлинный парад, триумфальное празднество мужских статей. Здесь практически нет мужчины — от немощного старца до юного отрока, — который не впечатлял бы своей физической незаурядностью, броской — когда трагической, когда трагикомической — характерностью, житейской значимостью. И практически все они — либо предатели, либо злоумышленники. И главные предатели именно те, кто бывал в фаворитах, начиная с князя Андрея Курбского.

У меня нет никаких — ни устных, ни письменных — свидетельств, что Эйзенштейн ассоциировал этот образ с Александровым. Но многолетнее общение с последним невольно провоцирует меня на такое предположение. Когда я мысленно соединяю облики Александрова и Михаила Названова в роли Курбского, сходство кажется мне безусловным. Подозреваю, что возникло оно не подсознательно, не случайно, — точно знаю, что «тема Александрова» присутствовала в работе над «Иваном Грозным». Когда еще не был окончательно выбран актер на главную роль, Эйзенштейн часто делился с ближайшими сотрудниками своим видением будущего исполнителя. Это видение постоянно варьировалось. Однажды он сказал, что хотел бы видеть царя красивым, вкрадчивым, с холодным, водянистым взором, медоточивым голосом, вальяжно-пластичным. Н. Телешева, одна из ближайших помощниц Эйзенштейна, тут же воскликнула: «Да это же Александров! Давайте пригласим его!» Эйзенштейн на секунду остолбенел, потом расхохотался и показал Телешевой вздернутый вверх большой палец — оценил точность попадания.

...Расставание произошло не сразу. Будучи за границей, Эйзенштейн и его друзья пропустили ряд важнейших домашних событий, имевших большое значение для их дальнейших судеб, для их будущих отношений. События эти были связаны меж собой.

В 1931 году появились первые звуковые ленты: «Одна», «Златые горы», «Путевка в жизнь». Все три были просмотрены Сталиным, который высказал новому руководству союзной кинематографии ряд серьезных пожеланий, — разумеется, не оставшихся без практических последствий. Особенно сетовал он на то, что маловато у нас еще фильмов с волнующим занимательным сюжетом и крепкой актерской игрой, а комедий, хороших, по-настоящему веселых, и вовсе нет, что не грех в этом деле кое-чему поучиться у американцев.

Вскоре руководством Союзкино был выдвинут лозунг о занимательности произведений киноискусства, а осенью 1932 года в ГУКФе состоялось ответственное совещание, на котором сценаристам и режиссерам предложили — от имени широкой зрительской массы и партийного руководства — самым серьезным образом заняться звуковой кинокомедией. Предпочтительно музыкальной.

За дело взялись многие. Взялся и Эйзенштейн, благо под рукой был давний замысел, уже отчасти разработанный, — антинэпманская комедия с характерным названием «Хапман торгует». Поначалу, в 1928 году, этот замысел предполагал не более чем трюковую карикатуру. Теперь же, воскреснув и попав под пресс академического вдохновения Эйзенштейна, он стал превращаться в сложное, социально-метафорическое произведение с другим, но опять же заковыристым названием «М. М. М.» (то есть Максим Максимович Максимов). Александров включился было в работу, но саму идею не поддержал. Во-первых, потому, что не нравилась и успеха явно не предвещала. Во-вторых, потому, что уже брезжили в его голове другие планы и другие виды на себя, о чем Эйзенштейн до поры до времени не знал. Только смутно догадывался.

А было так. Александров вернулся из Америки на пару месяцев позже, чем Эйзенштейн и Тиссэ, и сразу оказался в круговороте жадных расспросов, деловых и праздных, и, надо сказать, передавал свои впечатления куда охотней, красочней и образней, чем его спутники. Борис Захарович Шумяцкий был очень им доволен и в один прекрасный день повез его на дачу к Горькому. Перед самой дорогой Шумяцкий предупредил, что на даче может оказаться Сталин, — хорошо бы его посмешить какими-нибудь комическими эпизодами из заморских впечатлений. По дороге он снова завел разговор о Голливуде, снова советовал Александрову «не спать», не оглядываться на Эйзенштейна, а вооружившись передовым зарубежным опытом, взяться за свое дело. Он и до этого несколько раз подбивал Александрова на собственную постановку, шутил на людях: «Когда же проснется, наконец, наша «спящая красавица»?» (Намек на фильм братьев Васильевых по сценарию Александрова, только что вышедший на экраны.)

На даче у Горького действительно оказался Сталин. Он с видимым интересом слушал про заграницу, изредка задавал вопросы, одобрительно кивал, смеялся. Горький попросил спеть какие-нибудь мексиканские песни. Александров настроил гитару, по счастью оказавшуюся в доме, спел «Аделиту», «Сандунгу», что-то еще, спел мастерски, чем вызвал одобрение высоких слушателей. Перед тем как попрощаться, Сталин сказал: «Вы, насколько я могу судить, очень остроумный и веселый человек. Такие люди очень нужны нашему искусству. Особенно сейчас. К сожалению, наше искусство почему-то стесняется быть веселым, смешным. Отстает от жизни. Это непорядок».

Уже потом, спустя несколько дней, Шумяцкий сказал Александрову, что он «понравился», и решительно потребовал не упускать своего шанса — делать музыкальную кинокомедию. И тут же предложил взять за основу «Теа-джаз» Леонида Утесова, последняя программа которого «Музыкальный магазин» имела поистине оглушительный успех у публики. С ходу подсказалось и название — «джаз-комедия». Тут и содержание, и жанр.

Александров, не любивший скорых решений, обещал подумать, но жизнь сама ускоренным темпом подталкивала его к решительному шагу. Эйзенштейну никак не удавалось загореться старым замыслом, а тем более зажечь им других, — время проходило в бесполезных словопрениях. Наконец Александров объявил, что хочет попробовать сам — и свое.

Поначалу Эйзенштейн вовсе не воспринял этот шаг как полный разрыв. Более того, счел должным поддержать ученика — помочь ему словом и делом. Он разработал на бумаге «тему джаза» — нарисовал фигурки джазистов, придумал разные варианты вкрапления джаза в драматургию фильма (над сценарием уже работал замечательный комедиограф Николай Эрдман). Но помощь его не понадобилась.

Александров не смог бы сделать ничего цельного и самостоятельного в присутствии могучего и своенравного интеллекта Эйзенштейна и прекрасно это сознавал. «Эйзен», как и прежде, искал социально-обличительные ходы, искал комедийный образ-понятие (опять же социальное), противился всеми своими клетками беззлобному, беззаботному комикованию. Александров же был озабочен в первую очередь сочинением смешного, хотя понимал, что без объекта осмеяния совсем не обойтись. Не получится советской содержательной комедии.

...Когда Сергей Михайлович шел на студийный просмотр «Веселых ребят», его уже снедало предвзятое отношение к фильму — резко непримиримое. Он уже знал, что увидит, и не ошибся. Поднимаясь после просмотра с кресла, произнес достаточно внятно: «Да! Не наши ребята!»

Сознавал свою «вину» перед ним и Александров. Подарил после премьеры листок с текстом и нотами песенки из кинофильма («Черная стрелка проходит циферблат»), сделав на нем покаянную надпись: «Дорогому учителю — то, чему он не учил. Александров. Орлова».

Александров, конечно, капельку кривил душою — он верил в свое детище, надеялся на успех и принял успех как должное. Он только не знал тогда, что сделал самую смешную и самую долговечную из своих комедий.

ПРИЗНАНИЕ

И страстно стучит рок
В запретную дверь к нам
Осип Мандельшам

Существует несколько версий относительно знакомства или, если хотите, предначертанного момента, когда пересеклись судьбы Орловой и Александрова.

Напомню, что впервые он увидел ее на сцене Театра имени Немировича-Данченко, где Орлова играла тогда две коронные опереточные роли: Периколы и Серполетты. Он мог бы встретить ее и на студии. Орлова снималась в двух кинофильмах: «Петербургская ночь» Григория Рошаля и «Баба Алена» Бориса Юрцева. Ее портрет раз-другой уже мелькнул на журнальных страницах.

Вообще 1933 год был для нее счастливым — кинематограф словно приглядывался к ней, приценивался к ее возможностям. Приценивался, по правде сказать, грубовато, что, увы, часто свойственно кинематографу, но все же доброжелательно и, уж во всяком случае, не грубо — как было два года назад, когда Любовь Орлова впервые появилась на киностудии. Тогда режиссер (не стоит называть его имя — оно достаточно знаменито), ткнув пальцем в ее нос, где сбоку притаилась крохотная родинка, объявил, что с такой отметиной нечего и думать о кино. «На экране она будет ростом с автобус».

Родинка не смутила, однако, Григория Львовича Рошаля, который тоже видел Орлову на сцене и без колебаний (даже без проб) доверил ей довольно заметную роль в фильме «Петербургская ночь».

Грушенька — актерка бродячей труппы, недолгая дорожная любовь Егора Ефимова, крепостного музыканта, «за талант» отпущенного на волю. Роль небольшая, но из тех, что именуются в актерском лексиконе выигрышными. Есть Грушенька и Грушенька. Есть кроткая, тихая, матерински ласковая девушка, душой и телом прильнувшая к беспутному скрипачу-самородку. И есть бродячая актерка, услаждающая захолустную публику пошлыми куплетцами, многозначительными телодвижениями, резвым галопом с поддергиванием платья и приоткрыванием «кое-чего»... В конце концов оба любовника трагически расходятся в финале.

...«Что же вы толкаетесь и вырываетесь?» — петухом поет комик во время очередного представления.

«Что же вы забываетесь и прижимаетесь?» — вторит ему Грушенька, видя меж тем, как любимый ее, родной Егорушка бросает играть, укладывает скрипку в футляр и, оттолкнув антрепренера, покидает театр. Покидает и ее.

Любовь Орлова делает все хорошо, правильно. Уверенно держит в голосе ноту нежности и страдания. И даже гадкая водевильная сценка не выглядит благодаря ей так уж гадко, а смотрится скорее занятно, не роняет ни актерского, ни человеческого достоинства ее героини.

В этой роли Орлова мало похожа на ту, которая всенародно известна. Многое мешает узнать ее. И волосы — длинные, темно-русые, на пробор. И темное тяжеловесное платье, заметно укрупняющее фигуру. При сильном желании можно углядеть и родинку — но она-то как раз и не мешает. А вот лицо, как ни странно, кажется менее молодым, чем в будущих фильмах. Возможно, действует, помимо всего прочего, общий стилевой колорит — мрачноватый, тягостный.

Все же стоит отметить, что роль эта, пусть очень отдаленно, предвосхищает главные роли Орловой. Во-первых, тем, что пребывает актриса в своей исконной, можно сказать, природной стихии — музыкально-драматической. Во-вторых, тем, что играет актрису. Вспомним, что главная, наиболее частая стезя ее комедийных героинь именно артистическая.

Отснявшись весною у Рошаля, Любовь Орлова почти сразу, то есть летом того же года, начинает сниматься у Юрцева. Юрцев был признанный комедиограф, к тому же затейник, весельчак, жизнелюб — душа компаний, кладезь остроумия. Между прочим, начинал он в том же театре Пролеткульта — как актер — вкупе с Александровым и прочими «эйзенштейновцами». Участвовал в историческом капустнике «На всякого мудреца довольно простоты» и так потешно, так страстно выпевал «Эх, яблочко», что публика плакала от хохота.

Фильмы его, к несчастью, не сохранились. Судя по отзывам прессы, воспоминаниям очевидцев, это были бытовые комедийки, не особо окрыленные «душой и настроением» (выражение Эйзенштейна), но не лишенные живой выдумки. За недостатком лучшего их не очень третировали.

В комедии, которую Юрцев снимал в 1933 году (первоначальное название «Баба Алена», прокатное — «Любовь Алены»), была небольшая роль жены американского специалиста — естественно, американки. На эту роль и пригласили Любовь Петровну.

Говоря начистоту, ставка делалась на ее типажность — роль была несложная, да еще и немая, как и весь фильм. От нее много не требовалось — только то, что было присуще ей в жизни: сдержанность, нечеткая национальная внешность, обаяние, хорошие манеры. И гардероб. Да, да! Смешно и грустно, но наличие у нее красивых, модных нарядов сработало «за нее» не меньше других доводов. Студия была бедна, и одеть актрису, как состоятельную иностранку, представлялось почти неразрешимой проблемой.

Происхождение этих туалетов отнюдь не загадочно, а очень даже прозаично. Любовь Петровна была в ту пору... замужем — не формально, правда, но и не фиктивно. Замужем за крупным австрийским инженером, работавшим у нас в качестве «спеца», — непроизвольная перекличка с ролью.

Вероятно, именно он вспомнился позднее Немировичу-Данченко как некий «немецкий импресарио», который вознамерился увезти Любовь Петровну за границу и сделать из нее звезду мюзик-холла. Память его несколько исказила ситуацию, но это не суть важно. Брак был неформальный и не ставил актрису перед необходимостью уехать из России, что представлялось ей (во всяком случае, покамест) совершенно невозможным. Конечно, была в таком «семейном положении» известная зыбкость, даже двусмысленность, но Любовь Петровна держалась с большим хладнокровием и тактом, не давая ни малейших поводов к сплетням.

Когда Александров познакомился с Орловой, она была, так сказать, несвободна — и он это знал. Когда актриса отправилась в Гагры на съемку «Веселых ребят», муж (ибо в глазах окружающих он был реальным мужем) приехал туда же, держал себя более чем корректно, устраивал небольшие вечеринки для актеров, искренне восхищался Александровым и, как только почувствовал свою неуместность, удалился. Скромно и тихо. Возможно, не обошлось без «невидимых миру слез» — кто знает? Нормальная сложная жизнь.

...Кинофильм «Баба Алена» не сохранился. Зато сохранились забавные воспоминания, как он снимался — к счастью, и про Любовь Петровну.

...Снималась сцена в уютной квартире американца. Любовь Петровна должна была жарить на электрической плитке яичницу. Вся упомянутая и подразумеваемая в этих двух фразах недвижимость являлась по тем временам сущей роскошью. И квартира, и электрическая плитка (вообще невидаль), и даже яичница — в начале тридцатых было поголоднее, чем при НЭПе. Видимо, исходя из последнего, Юрцев потребовал выписать для съемки ровно сотню яиц. Никто поначалу не понял, зачем так много. Но когда Орлова приготовила первый дубль из двух яиц, а Юрцев, скривив недовольную мину («желтки легли некрасиво!»), приказал отдать забракованное блюдо осветителям, все сразу раскусили режиссерский замысел. Любовь Петровна, смеясь, жарила дубль за дублем, а Юрцев, не меняясь в лице, скармливал их ассистентам, помощникам, реквизиторам, актерам, пожарникам. Пока не накормил всех.

А вот еще одно воспоминание — забавное и грустное одновременно. Как-то ночная съемка затянулась до самого утра. Машины для разъезда не оказалось: директор не позаботился, помреж прошляпил, прочие не спохватились. Потылиха и сейчас не близко от центра — тогда же она была поистине у черта на рогах. Да и выглядела, кстати, настоящей «лысой горой» — крутой, каменистой, малопригодной для пеших прогулок. (Потом ее частично срыли.) Только от окружной дороги ходил городской автобус.

Бедная Любовь Петровна! Ей и вправду пришлось хуже всех. Ее чудесные туфельки из крокодиловой кожи на высоких и тонких каблучках выглядели просто трагично на грубой булыге, среди колдобин и наслоений засохшей грязи. Было зябко, пасмурно. Юрцев, чувствуя вину, буквально лез из кожи — плясал, травил анекдоты, предлагал понести. А она, разбитая, умаянная бессонной ночью, шла и улыбалась и только тихо ойкала, когда подворачивалась ступня. И ни разу — ни тогда, ни после — ни единым словом, ни единой гримасой не выказала своего неудовольствия. Любые жертвы, связанные с делом, любимым делом, не казались ей непосильными.

Первое впечатление от встречи с Александровым было для Орловой мало сказать необычайным. Оно было ошеломительным. «Я увидела Бога!» Так впопыхах (и прямо скажем, святотатственно) выпалила сестрам Глан их молодая подруга. Простим ей! Потом, чуток успокоившись, решительно прошептала: «Он мне нужен!»

...Когда «свалилось» на нее предложение сниматься у Александрова, она впала в такое радостное возбуждение, что напрочь упустила из виду деловую часть события. Актриса поделилась новостью с Фаней Левинской, ассистенткой Юрцева, и та, искушенная в производственных секретах, сразу спросила о гонораре. Узнав же договорную сумму, поняла, что молодую актрису хотят, мягко выражаясь, обдурить, и стала жарко советовать не соглашаться на унизительные условия, проявить непреклонность. Любовь Петровна проявила непреклонность, но по-своему:

— Такая роль! Да я бесплатно готова — пусть! Лишь бы взяли.

— Ну, хоть Александрову скажите — может, он урезонит директора...

— Ну, вот еще — жаловаться! Он может подумать, что я жадная, склочная. Еще сниматься не начала, а уже цену себе набиваю...

— Да вы спокойно скажите, между прочим, чтоб он просто знал, а то он, может, и не знает...

— Не знает — и хорошо. Такая роль...

— Ох, Любочка, не будет вам счастья! Это — кино. Здесь никто ваши жесты не оценит. Еще и посмеются над вами. Здесь уважают характер, а вы — цирлих-манирлих...

— А вот я снимусь — увидим, какая я...

Любовь Петровна не знала, не могла знать, что удача уже на пороге ее судьбы. Но предчувствие поворота, близкой и благотворной перемены она ощутила. Она впервые задумалась, что для нее притягательнее как для актрисы: кино или театр. Потому что совместить одно с другим было в тот момент невозможно просто даже физически.

Осенью в театре начинался очередной сезон, и осенью же в Гаграх — в самый разгар «бархатного сезона» — предстояли натурные съемки «Веселых ребят». Конечно, актриса могла бы договориться с театром — было кому подменить ее и в «Периколе», и в «Корневильских». Но это значило сильно поколебать, а может быть, и утратить положение в театре, с таким трудом завоеванное и еще не вполне устоявшееся.

Еще опасней казалось вовсе оставить театр (в 31 год!) ради неверного кинематографического счастья. Но еще страшнее было упустить это неверное, но такое желанное счастье. Она прекрасно понимала, что свет клином на ней еще не сошелся. Что режиссер при желании может найти и другие «варианты». (Чуть позже она узнала, что до нее Александров перебрал немало имен, известных и безвестных. Даже ездил с Шумяцким в подмосковный колхоз, где жила, по слухам, замечательно способная деваха, певунья и плясунья, блиставшая в местной самодеятельности. Всерьез обсуждалась и кандидатура Кемарской.) Усомнись Орлова, прояви хоть мало-мальскую нерешительность, промедли, он, вполне вероятно, продолжил бы поиски, и бог знает, что из этого получилось бы. Любовь Петровна не усомнилась ни на секунду, но в душе побаивалась возможных последствий решительного шага и потому искала совета и сочувствия у всех, кто хоть немного внушал ей доверие и уважение.

Однажды она познакомилась в Потылихе в костюмерной с немолодой уже, довольно известной в театральных кругах актрисой, тоже только начинающей работать в кинематографе. Ей предстояло играть госпожу Луазо в экранизации Михаила Ромма «Пышка». Ее низковатый, с неторопливой, слегка напевной растяжкой голос, острый прищур, весь ее внушительный, тяжеловесный и, как говорят «за глаза», мужеподобный облик был исполнен такой житейской умудренности, такого душевного равновесия, что Любовь Петровна сразу потянулась к ней. Разговорилась, как девчонка, и, конечно, спросила про главное: уходить ли из театра, чтобы сниматься в кино? Актриса — а была это знаменитая в будущем Фаина Григорьевна Раневская, успевшая рассмотреть и оценить собеседницу — не колеблясь, изрекла: «Идите в кино! Это ваше призвание и ваш рок». И добавила с характерной, чуточку старомодной высокопарностью: «Я предсказываю вам большое будущее!»

Такой вот был разговор, и теперь можно только гадать: осенил ли Раневскую пророческий дар или она случайно попала в точку. Правда, сама Фаина Григорьевна объяснила мне свое удачное прорицание гораздо проще:

— Вы бы видели ее. От нее исходило такое... такая дивная прелесть, какую мне, уж верьте моему слову, просто не приходилось встречать у других актрис. Ни тогда, ни после. А я их много перевидала. Ни у кого не было такой грации, такого легкого, веселого шика — своего, природного. Нет, нет, такое не могло пропасть...

Я видел Орлову (хоть и много позже) и потому легко поверил насчет дивной прелести. Вот насчет «не могло пропасть» убежден не был. Тут Случай, по-моему, как раз доказал свою далеко не последнюю роль в судьбе актера.

Как бы там ни было, но прозвучало напутствие Раневской столь весомо, что Любовь Петровна почти всерьез попросила:

— Будьте моей доброй феей!

И так — немножко весело, немножко сентиментально — звала ее с тех пор всю жизнь: «Моя добрая фея».

Более тесно они сблизились позже, после войны, когда вместе снимались у Александрова. Тогда же Любовь Петровна вступила в труппу Театра имени Моссовета, где играла и Раневская... Круг близких, душевно родных людей у Орловой был всегда невелик — на полную, щедрую откровенность шла она крайне редко. А с годами все реже и реже. Раневская была в числе очень немногих, кто мог сказать, что хорошо знал Любовь Петровну, кому не стеснялась она поведать про сокровенное.

В начале семидесятых Раневской довелось еще разок побывать в «добрых феях». Любовь Петровна часто жаловалась ей тогда, что прозябает в театре, что старые свои роли практически отыграла, а новой нет и нет. Она не в шутку мучилась своим бездействием, угасанием. Иной раз просто стонала по телефону: «Ну, придумайте для меня что-нибудь, придумайте!..» И Раневская придумала: предложила ей «разделить на пару» «миссис Сэвидж» — свою коронную в ту пору и действительно превосходную роль. Эта роль, сыгранная Орловой уже незадолго до смерти, и стала ее последней творческой радостью. Так волей Случая обозначились границы «звездного периода» ее карьеры — участием одной из самых замечательных, а может, и великих современных актрис.

Но вернемся к первому успеху. Он был бесспорным — ни в одной, даже самой колючей, самой непримиримой рецензии на «Веселых ребят» нет упрека в адрес Орловой. И все же будем рассуждать здраво: вклад Орловой в успех картины был немалый, но в отличие от будущих комедий далеко не решающий. Тут, кстати, можно отметить небольшое, но характерное сходство между советской и западной музыкальными кинокомедиями. Были фильмы «с Диной Дурбин», «с Франческой Гааль», «с Марикой Рёкк» — их имена повсеместно предпочитали именам режиссеров. Советские зрители в массе своей — за исключением разве что особо ревностных ценителей — также не очень знали и помнили, кто делал комедии «с Орловой», «с Ладыниной», «с Целиковской».

Правда, «Веселые ребята» — статья особая. И я не взялся бы точно определить, кому мы обязаны в первую очередь успехом этой картины. Иногда сдается, всем понемногу.

И Шумяцкому, главному «кинопродюсеру», изрекшему идею будущей фильмы (джаз-комедия), угадавшему в Александрове ее создателя, грудью отразившему все наскоки, все покушения на ее жизнь и славу. Недаром же говорят: «Мастеру гривенник, затейнику рубль...»

И Утесову с его джаз-оркестром — изначальный расчет был именно на него, на спектакль «Музыкальный магазин», небывалый успех которого в Ленинградском мюзик-холле и раздразнил воображение главного продюсера. Казалось, все уже есть для будущей ленты: и сюжет, и герой Костя Потехин в исполнении знаменитого Леонида Утесова, и музыка Исаака Дунаевского, и веселый, несколько необычный джаз, где исполнители играли не только мелодии, но и роли — недаром его крестное имя «Теаджаз», то есть театрализованный джаз.

И разве не в первую очередь мы должны помянуть имена сценаристов Владимира Масса и Николая Эрдмана, без долгих мук и размышлений, буквально в два счета, родивших вместе с Александровым первый вариант сценария — «двенадцать музыкальных аттракционов», связанных условным сюжетом и довольно экстравагантным названием «Пастух из Абрау-Дюрсо»...

А Дунаевский, которому выпало не только писать новую музыку, но и делать вместе с Александровым всю режиссерскую разработку сценария! И было это не досужей придумкой, ибо «только тот фильм можно назвать подлинно музыкальным, где наравне с драматургией сюжета существует музыкальная драматургия» (слова самого композитора). На практике же это означает взаимную и почти равноправную зависимость постановочных решений и всех музыкальных тем, мелодий, модуляций.

И наверно, иной получилась бы лента, если б не стоял за камерой такой оператор, как Нильсен, — с его умелостью и пытливостью, с его особым пристрастием к неординарным, творчески рискованным методам киносъемки. Без него вряд ли осуществилось бы то зажигательное смеховое действо, в котором виделась авторам и тема, и проблема, и цель работы.

А сам Александров! Да и можно ли вообще сомневаться в приоритете режиссера, в его решающих полномочиях... Но в том-то, мне кажется, и прелесть картины — ее слабость и ее сила, — что режиссер в ней первый среди равных. Он еще не очень уверен в себе, в правилах игры, еще не крепко держит бразды правления — иногда выпускает их, сбивается с голоса, отдается на волю самоигральной стихии, на волю мюзик-холла, цирка, ревю. Но у него уже хватает понимания и сил не допускать полного самовольства ни одной стихии, так или иначе уравновешивать их, сводить, пусть порою с натяжкой, все частности в нечто цельное. Так, в сущности, и получилось — нечто несуразное и все же... цельное.

В конце декабря 1934 года выдалось несколько ясных и теплых дней. Один из них (точную дату вспоминают по-разному) можно считать «красным днем» кинематографа Александрова и Орловой. Днем первого публичного торжества.

Вот понемногу стекаются первые зрители картины к кинотеатру «Художественный» (тогда «1-й Художественный кинотеатр») на Арбатскую площадь. Там в 18.50 состоится премьера. Некоторые москвичи помнят старую площадь, тесноватый базар, бурливший и гомонивший вокруг громоздкой церквушки, похожей на кучку гнилых грибов. Помнят уютный сквер с керосиновыми фонарями, разбитый на месте базара, и чудную новинку столичной застройки — трамвайную станцию («стойло» — в разговорном варианте). Реконструкция площади ошеломила москвичей размахом и темпами: тучи пыли, поваленные деревца, красная кирпичная труха, густо припудрившая окрестные улочки и бульвары. И вот уже — ни церкви, ни «стойла», ни сквера с фонарями. Есть широкая, залитая асфальтом площадь и новое ее украшение — кинотеатр «Художественный», прикрывший спиной небольшой арбатский рынок.

Рушилась церковь, ломалась привычная планировка, — и весело, бодро, без жалости толковали про это москвичи (не из «бывших», понятно), надеясь в недалеком будущем стать очевидцами еще более грандиозных и созидательных разрушений.

На фасаде кинотеатра — в сиянии электрических ламп не слишком вразумительная (тонкий расчет), но цепкая, напористая реклама. Пестрый изобразительный бедлам — в духе времени.

СЕГОДНЯ И ЕЖЕДНЕВНО БОЕВИК СЕЗОНА
ДЖАЗ-КОМЕДИЯ «ВЕСЕЛЫЕ РЕБЯТА»

С одного боку интригующий столбец:

Режиссер — Александров
Проблема работы — смех
Тема — бодрость
Задача — оптимизм
Форма — музыкальная комедия

С другого — не менее интригующее пояснение:

Действие происходит на Кавказе, а затем в Москве.

В просветах — вперемешку — джазовые инструменты, лица Орловой, Утесова, почему-то Г. Арнольда (эпизодическая роль в картине) и... морды животных, участвующих в действии. Внизу строфа, еще не ставшая популярной:

Легко на сердце от песни веселой –
Она скучать не дает никогда.
И любят песню деревни и села,
И любят песню большие города.

И наконец, в самом низу — деловое и многозначительное: «*Во избежание очередей открыта ежедневная продажа билетов*». Все вместе довольно сумбурно, но завлекательно.

Впрочем, многие зрители — особенно из приглашенных — уже в курсе дела. В курсе пылкой, бойкой перестрелки, разгоревшейся вокруг картины после первых же общественных просмотров — задолго до выхода ее в прокат. Противники фильма и его защитники, не уставая, гвоздили друг друга, да так громогласно, так самозабвенно, что это само по себе создавало фильму невиданную доселе рекламу. Несуразность фильма отражала известную несуразность эпохи начала тридцатых. В воздухе витало предчувствие скандала, на виновницу которого — кинокартину — каждый хотел поглазеть. Хотя бы из одного любопытства.

«Положительное свойство александровской картины — в ее оптимистической основе, — решительно утверждала «Комсомольская правда», заведомый и стойкий доброжелатель комедии. — И когда нас спрашивают, за что агитирует картина Александрова, мы прямо и смело, не стесняясь присутствием критиков, которых «Правда» справедливо относит к породе «ихтиозавров», отвечаем: «Этот фильм агитирует за бодрость, веселье и хорошую музыку!»

Зато другая газета — «Литературная», руководимая в то время идеологами РАППа, — повела на фильм форменную атаку, начатую еще на первом писательском съезде Эренбургом, Лидиным, Гребнером. И особенно непримиримо — Алексеем Сурковым.

«Создав дикую помесь пастушеской пасторали с американским боевиком, авторы думали, что честно выполнили социальный заказ на смех. А ведь это, товарищи, издевательство над зрителем, над искусством... И на страницах газеты (намек на «Комсомолку». — *М. К.*) рядом с пахнущими порохом и кровью заметками международной информации, рядом с сообщениями ТАСС, заставляющими вечерком достать из дальнего ящика наган и заново его перечистить и смазать, щебечут лирические птички...»

Признаюсь, я всегда вспоминал эту тираду с невольной улыбкой, особенно когда видел на дачных собраниях, там же во Внукове, двух красивых, дружески беседующих меж собой стариков, равно почитаемых в тогдашнем искусстве — Алексея Александровича Суркова и Григория Васильевича Александрова. Жизнь ли их помирила или житейские обстоятельства — не берусь сказать.

Не в меру разбушевавшихся хулителей ленты не скоро смогли одернуть и самые высокие инстанции, тем более что между ними тоже не было согласия. Нарком просвещения Бубнов выступал категорически против картины — больше всего за «издевательство над классикой». Председатель ГУКФа Шумяцкий пробивал ее. Зрители тех лет, конечно, не знали, каких усилий, каких хитроумных маневров стоило Шумяцкому вывести ленту на божий свет. И самым удачным из них был показ ее Горькому на даче в Горках. Алексей Максимович, который всегда чувствительно реагировал на малейший проблеск таланта, пришел в полный восторг.

Горький же и предложил показать комедию Сталину и членам Политбюро. И хотя Борис Захарович от излишнего перепугу едва не испортил дело, решив показать не более двух-трех частей (остальные, дескать, еще нуждаются в доработке), впечатление после первых же эпизодов было настолько сильным, что Сталин и его соратники потребовали полного показа. И показ состоялся. И были хохот, громкие похвалы, возбужденный, вперебивку, пересказ друг другу только что виденных сцен — и снова хохот. И категорическое повеление вождя отнять картину у режиссера: «А то он ее испортит своими доработками».

Зрители, спешившие на премьеру, конечно, ничего про это не знали, но они читали в «Правде» как бы итоговую (примирительную) рецензию на картину, вот-вот выходящую на широкий экран. Они уже знали, что «Веселые ребята» — это действительно первый крупный шаг «в попытке широко использовать американское мастерство веселого трюка», что «картина не свободна от недостатков», и в первую очередь «из-за отсутствия сюжета», что, «несмотря на талант постановщика, несмотря на превосходную игру артистки Орловой и мастерство оператора Нильсена, трюк наглядно обнаружил свои сильные и слабые стороны», что «мюзик-холл на экране — веселое и занятное зрелище, но надо давать его в меру».

Наверняка большинство тех зрителей — степенные культурные москвичи, обитатели центра (шпану на такие просмотры не допускали) — кое-что знали и о самой картине. Понаслышке, конечно. Каждый из них имел знакомых или знакомых знакомых, которые ухитрились где-нибудь ее посмотреть, — было довольно много закрытых общественных просмотров. Естественно, все они сгорали от желания увидеть и услышать джаз-оркестр Утесова и самого Утесова — завидное достояние ленинградцев, проверить воочию интригующие слухи о новой звезде экрана — поющей, танцующей, все умеющей Любови Орловой.

Многие даже слышали песни из кинофильма — их включила несколько раз в свои короткие программы радиостанция Коминтерна. Детекторное радио — черный ящик с кусочком угля в металлической оправе, с патефонной иглою в рычажке, направляемой на уголек в поисках контакта, с парой наушников — стоило недорого. Передачи шли напрямую, непосредственно. Орлова, Дунаевский, Лебедев-Кумач, Александров, сменяя друг друга, вещали в микрофон — мраморный ящик с угольной пылью, который то и дело встряхивали, чтоб не искажался звук. Звук все равно искажался, терялся, но радиослушатель, покрепче прижав наушники, еще более азартно и напряженно «шарил» контакт, пробивался к голосу. Слушали редко, зато никогда вполуха.

...Но вот уже зрители в зале. Большинство одето неважно — москвошвеевская одежда мешковата, однообразна, легко занашивается, засаливается, да и менять ее часто накладно. Когда снимали один из самых потешных эпизодов «Веселых ребят» — проход «утесовцев» по улицам за катафалком, — настоящих прохожих удаляли из кадра: слишком неприглядный получался вид, безрадостный. Но лица... лица у этих людей воистину парадные, радостно-возбужденные и строгие одновременно. Эту неповторимость улыбок, взоров, невольных выражений донесут до наших времен и хроника, и старые фотографии, и фильмы, но лучше всего полотна Ряжского, Дейнеки, Малютина, Александра Герасимова — поразительно достоверные во всех характерных частностях...

Забыты служебные склоки, семейные неприятности, проклятый «квартирный вопрос». Сейчас они — публика, они на виду, а значит, вновь полны должного энтузиазма, праздничного ощущения «удавшегося начала».

На сцене Александров, Орлова, Нильсен, Стрелкова, Тяпкина.

Стрелкова хороша, даже прекрасна, королевски сдержанна и неприступна. Орлова при ней не сразу ощущается чем-то самоценным — скорее подобием камеристки. Но вот улыбнулась, вот засмеялась какой-то шутке (Александров с юмором представляет товарищей), вот шагнула с поклоном вперед — упруго, уверенно, весело. И уже — смотрите! смотрите! — теряет, не держит взгляды холодноватый и неподвижный изыск Стрелковой. Зал чувствует победительное обаяние белокурой соперницы — такой свойской, такой безыскусной — особенно громко и дружно аплодирует ей.

Все представлены. Пора начинать фильм. Но тут следует неожиданное. Александров произносит, вернее, декламирует вступительное слово в стихах, сочиненное накануне им же и Лебедевым-Кумачом, — нечто вроде старомодного обращения автора к зрителю с просьбой не судить слишком строго ни его, ни его комедию (нелишнее упреждение после стольких пронзительных уколов):

Товарищ зритель, в нынешнем спектакле
Героем главным будет звонкий смех.
Ведь ты пришел к нам отдохнуть, не так ли?
А смех всегда был отдыхом для всех.
На час-другой заботы все отбросьте,
И пусть сегодня позабавит вас
История талантливого Кости,
Любовь Анюты и веселый джаз!

И завтра на заводе, в наркомате
Вы улыбнетесь, может быть, слегка,
Припомнив джаз в оригинальном платье,
Анюты пляс и пьяного быка.
Лови момент, который позабавит,
Пусть нашу песню каждый запоет,
Ведь тот, кто с песней по жизни шагает,
Тот никогда и нигде не пропадет.

Концовку Александров пропел.

И вот первые, откровенно лукавые титры, из которых явствует, что Чарли Чаплин, Бестер Китон и Гарольд Ллойд в картине не участвуют. Зато участвуют Утесов, Орлова и «Мария Ивановна». Как бы в ответ на изумление зрителя последнее имя разлагается на буквы и вновь слагается в знак вопроса, а затем в коровью морду. Все предвещает веселый сумбур.

Действие, как и обещано рекламой, и вправду начинается на Кавказе. Но не просто на Кавказе — на приморском Кавказе, курортном Кавказе, ослепительные красоты которого часто рекламировались хроникой и популярными журналами и были вожделенной грезой каждого москвича. Животноводческая ферма «Прозрачные ключи» соседствует с пансионатом курортников «Черный лебедь». (Не могу догадаться, откуда взялось первое название, но второе явно взято из другой «оперы». Это был коронный номер одной из программ театра Фореггера — пародия на «Лебедь» Сен-Санса и Фокина.) На ферме главенствует пастух Костя (Леонид Утесов), в пансионате царит «дитя Торгсина» Елена (Мария Стрелкова), томная, волоокая красавица, отдаленное и слегка издевательское подобие Веры Холодной, Наты Вачнадзе и... пожалуй, той же Стрелковой, не самой яркой, но все же заметной звезды двадцатых годов. Насколько условен Костя с его намекающей фамилией Потехин и ухватками эстрадного корифея, настолько безусловна Елена, одна из легиона тогдашних московских и ленинградских барышень, которые поголовно баловались искусством и в каждом иностранце видели возможного избавителя от окружающей скуки и серости.

У Елены — домработница Анюта. Веселое, бойкое, цепкое существо — чуть-чуть замарашка, чуть-чуть гризетка. Две детские упругие косички — туда-сюда, заметно подкрашенный ротик, деревенское платьишко, лихо закатанные рукава, фартук, тяжелые башмаки. Вид слегка затрапезный, но милый. По правде говоря, это далеко от «простой, обыкновенной советской девушки» — ближе к опереточной служанке, а все же не то, не то... Есть в ее облике некая странность, нарочитость даже — что-то уж слишком на нее напялено. И башмаки эти несуразные (уж не чаплинские ли?). Нет, неспроста играет она в простоватость и затрапезность. Опытный зритель, искушенный в расхожих приемах кинозрелищ, сразу улавливает хитрый, многозначительный намек — она еще себя выкажет.

Первый выход Орловой — будто бы невзначай, не всерьез, будто бы мимоходом. Триумфально шествует по проселку общественное стадо (иные доброжелательные рецензенты поспешили — по горячим следам только что завершенной коллективизации — окрестить его «колхозным»), парадным маршем идет оно вдоль плетней и заборов, мимо садов, виноградников, кузницы. Мимо всеобщей беспечности и всевозможного изобилия, еще далеко не привычных для советского экрана, для советского зрителя. И вдобавок расцвеченных самыми залихватскими звуковыми эффектами — тоже диковинка для тогдашней публики. Утесов (Костя) поет зажигательную песню о песне, с которой «никогда и нигде не пропадешь»... подпаски аккомпанируют... стадо послушно шагает... невидимый хор подхватывает припев... сбегаются сельчане, прохожие — среди них Орлова (Анюта). В руках у нее горшки с молоком, она во все глаза смотрит на Костю, идет за ним, бежит. На момент Костя со стадом исчезает за высоким забором, она приникает к щели, забор, естественно, валится, Анюта валится на упавший забор — ах!!!

Уже стадо прошло, нет Кости (вдали от людей и коров он музицирует на скрипке под надзором местного немца Карла Ивановича), а она все сидит на поваленном заборе и одиноко скулит: «Тот никогда и нигде не пропадет».

...Поначалу дальнейшее пребывание Анюты на экране предполагалось как чисто служебное — в прямом соответствии с должностью персонажа. Служанка. Правда, ей предстояло все же разок-другой спеть и станцевать и в конце концов завоевать сердце героя, но не столько за счет своих разнообразных талантов, сколько за счет социально-общественного достоинства. Домработница, прислуга, конечно же, была положительней, во всех отношениях выше какой-то мелкобуржуазной Жози — так именовалось «дитя Торгсина» в первых вариантах сценария.

Но с первых же дней знакомства с Александровым все стало исподволь, но круто меняться: и буквальная роль актрисы, и реальная ее роль. Это шло бок о бок. Все ее ресурсы — красота, женственность, светский лоск (что-что, а держаться в обществе она была обучена образцово), природный артистизм, приумноженный солидным сценическим опытом, природная интуиция, изрядно обостренная личными невзгодами и ошибками, природная верткость, ревностное усердие в работе — все было брошено в ту решающую схватку, смысл которой она сама, ничуть не стесняясь, формулировала предельно четко: «Он мне нужен!»

И вот «служебная» роль стала быстро раздаваться вширь и вглубь, обрастать нюансами, придававшими ей совершенно иное значение. Не служанка — соперница. Равноправная, равносильная, а после и победительная соперница красивой, изящной, по-своему неотразимой Стрелковой. Звезда на звезду.

...Уже второй выход Орловой — как вызов, как выпад. Как боевой, задорный клич перед атакой. Она лихо съезжает по перилам лестницы с горкой тарелок, расставляет их на столе, ловко и споро прибирает комнату, протирает стекла, распевая при этом песню — не песню, романс — не романс... Скорее все-таки арию опереточного толка:

Я вся горю, не пойму отчего?
Сердце, ну как же мне быть?
Ах, почему изо всех одного
Можем мы в жизни любить?

«Мне нужны «опетые» слова», — любил говорить Дунаевский своим поэтам. «Опетые». Чтоб сердце, душа отзывались на них невольно. Хошь — не хошь. Чтоб сами к мелодии липли — как «ля-ля-ля». Пусть будет: «луна-видна», «вновь-любовь», «отчего-одного»... Бесспорным мастером «опетых» слов был Василий Иванович Лебедев-Кумач, больше других преуспевший в те годы по части песенной лирики: и любовной, и гражданской. Это особый дар, особый склад поэтического мышления, недоступный многим хорошим поэтам — даже и при желании их впасть в расхожую интонацию. Стихотворный текст к маршу «Веселых ребят» пытались сочинить и Светлов, и Саянов, и Луговской, и Кирсанов. Попытка последнего выглядит наиболее выразительной. И показательной:

А ну, давай, поднимай выше ноги,
А ну, давай, не задерживай, давай!
Ты будь здорова, гражданка корова!
Счастливый путь, уважаемый бугай!

...Анюта исполняет свое «страдание», а зритель то видит ее, то слышит ее голос — и тогда видит Костю в цилиндре, сюртуке, с кнутом через плечо. За ним неотлучно бредет его стадо. Принятый на пляже за иностранного гастролера, он приглашен Еленой в пансионат, на банкет. Анюта, как и хозяйка, в предчувствии желанной встречи. «Сердце в груди... — самозабвенно выпевает она тысячекратно «опетые» слова, — бьется, как птица...»

И хочется знать, что ждет впереди,
И хочется счастья добиться.

Арией этой в соответствии с канонами жанра заявляется ведущая тема образа. Актриса дважды еще напомнит о ней в этой же музыкально-словесной форме: сначала с грустью, потом с торжеством. Пока же она поет с надеждой.

Поет, как положено, до конца, до последней фразы. А в самый момент «отзвучания», как положено, входит Стрелкова и строго обрывает ее, сразу беря высокую ноту:

— Сколько раз я говорила вам, чтоб вы не устраивали сквозняка! Вы забываете — у меня голос!

Орлова берет чуть выше:

— У меня тоже голос!

Стрелкова поднимает совсем высоко:

— Да, голос, который вы не должны повышать, когда я с вами разговариваю! Почему вы еще не одеты?

Анюта убегает, но приоденется только чуть-чуть, самую малость. Обряжаться всерьез, преображаться ей еще не время. Пока что зрители должны лишь чувствовать, угадывать смутно всю ее прелесть и обаяние, превосходящие ядовитую красоту соперницы. Сейчас она как раз в том наряде, что лучше всего подходит для предстоящего аттракциона — вернее, даже каскада аттракционов. И вот — первый...

...Почти всегда, выступая перед публикой, Любовь Петровна рассказывала про эту сцену так:

«Я стою с блюдом, на котором приготовлен салат, как бы предназначенный для гостей моей хозяйки, а бык должен сзади войти в дверь и съесть этот салат — ну, конечно, для него были приготовлены всякие овощи. Я стою и как будто ничего не замечаю, улыбаюсь, и как будто мне совсем не страшно. Но на самом-то деле мне ужасно страшно и душа стоит у меня в пятках... Думаю, как он меня сейчас пырнет, так от меня ничего не останется. Но бык очень хорошо сыграл свою роль. С аппетитом съел свой салат, только по дороге он лизал мою руку. Оказывается, у быка язык, как щетка, и у меня ссадины на руке были такие, что потом пришлось лечить руку от его поцелуев».

Но самый трюк впереди. Заметив быка, Анюта оглушает его подносом по голове и задергивает портьеру. Бык напирает. Анюта стойко обороняется подносом, веником, щеткой. Бах! Бах!

Пока Костя любезничает с Еленой, нервно озираясь по сторонам, ощущая повсюду близость родного стада, пока идет череда первых обмороков и истерик, Анюта гоняет быка, гарцует на нем верхом — задом наперед, молотит веником. И в конце концов, конечно, падает — ах!!!

...Больше месяца пролежала Любовь Петровна «в Склифосовского» после этого падения, случившегося внезапно, безо всякого режиссерского расчета, — бык просто сбросил актрису. Оказалось: трещина в позвонке. Дубль, вошедший в картину, стал и первым, и последним.

Однако падением эпизод не кончается. Следуют новые трюки, с участием Орловой и без участия, и, наконец, Костя с позором изгоняется перепуганными обитателями «Черного лебедя». Одна Анюта сочувственно провожает его. Передает пастушью дудочку и, стоя на балконе, жадно слушает, как несется издалека без пяти минут знаменитое, «утесовское»: «Как много девушек хороших! Как много ласковых имен!» Лирическая передышка. И в завершение простенький, но безотказный трюк — сидящий на дереве Костя... падает с него.

Затем — судя по надписи, через несколько дней — к дереву, под которым сидит в расстроенных чувствах Костя, подходит Анюта и сообщает об отъезде Елены. Капельку грустная и капельку смешная сценка: Анюта робко заигрывает с Костей, бьет на нем комаров, спрашивает что-то несерьезное. Костя, у которого на уме Елена, резко обрывает Анюту и уходит, вконец удрученный. Анюта вновь напоминает нам, что, «если б имела хоть десять сердец, все бы ему отдала». Ей мешают комары и слезы.

После этого Орлова надолго, почти «на три части», уходит из действия... Собственно, тут кончается связная, сюжетно складная половина картины и начинается легкая несуразица. Начинается она игривой песенкой, которую дуэтом поют, проходя по экрану, месяц с луною (мультик). Из песенки явствует, что пролетел месяц.

...Как-то с самого начала было общепризнано, что вторая половина комедии удалась Александрову меньше. Крайне отрицательные суждения гласили, что вся эта часть бессвязна, явно подражательна, неуклюже сработана в духе американского кинокомического стандарта. Крайне положительные, отмечая удачные эпизоды, мастерство режиссуры, общий настрой, все же вменяли в вину создателям — как издержки первого опыта — отсутствие сюжетной связности, перегруженность трюковым материалом и музыкальными аттракционами. «Само нарастание аттракционов и трюков дано в фильме не в нарастании, а стихийно, отчего кажется слабой вторая половина фильма...» (Шумяцкий).

Вряд ли, однако, подобные мысли посещали головы зрителей. Сидя в зале, они скорее всего не задавались теми недоуменными вопросами, которыми вскоре осыплют картину дотошные рецензенты: каким случаем оказался Костя в Москве, да еще — как нарочно — близ мюзик-холла, да еще перед самым началом концерта под управлением того самого иностранного гастролера, за которого некогда приняли нашего героя? «Почему пастух, способный музыкант, который в начале фильма несет в себе какую-то социальную нагрузку... превращается в неистового трюкача?» «Почему известный дирижер без всякого ущерба для симфонического оркестра может быть заменен клоуном, корчащимся перед зрителем?» (Имеется в виду герой, который, увидев сидящую в ложе Елену, пытается подавать ей со сцены знаки — оркестр в такт его движениям вдохновенно наяривает Венгерскую рапсодию.) «С каких пор джазовые улюлюканья, хрипы и стоны оказались в большем почете, чем рапсодия Листа?» «Почему талантливый коллектив — оркестр находит единственную возможность для репетиций, шествуя за катафалком?» «Кто и как допустил на сцену Большого театра малоизвестных музыкантов, да еще столь непристойного вида?» и так далее. (Вопросы, взятые в кавычки, — прямые цитаты из номеров газеты «Советское искусство».)

...Сначала у Александрова и его блестящих сценаристов вообще не было намерения создавать сюжетную историю, просто двенадцать аттракционов, связанных условным ходом. В процессе съемок менялось их количество и содержание. Авторы перебрали множество вариантов финала (последнего аттракциона), прежде чем остановились на таком: мать Елены, пышнотелая дамочка, увидев из окна «Черного лебедя» обнявшихся Анюту и Костю, с горя бросается в море, и... море выходит из берегов.

Потом возник другой финал с морем. Костя объясняется Анюте в любви в воде. Их то и дело накрывает волна, мешая герою досказать любовную фразу, а героине — ее расслышать. В конце концов Анюта понимает, что к чему, и от радости теряет сознание — пускает пузыри, выныривает и обморочно верещит: «Воды! Воды!»

Последняя находка не пропала, она стала концовкой другой картины Александрова — «Волга-Волга». Но это к слову. А были и другие «неснятые» аттракционы, и немало таких, о которых невольно жалеешь, — так живо представляешь в череде прочих, уже известных нам пертурбаций. Предполагалось снять, например, эпизод (едва ли не коронный), где музыканты Утесова появлялись на борту самолета — и какого самолета! Самого «Максима Горького» — моноплана неслыханных размеров, построенного, как сообщалось в прессе, по инициативе Михаила Кольцова «соединительными усилиями советской печати, советской науки и советской промышленности». На воздушном параде в Тушино 19 июля 1934 года этот гигант замыкал строй. Это было чистое диво, ибо реальной пользы столь огромный, но тихоходный и неуклюжий тяжеловес принести не мог.

Было задумано поместить в самолет оркестрантов Утесова и снять музыкальный аттракцион вроде как в полете. Предлагали снимать без «вроде», а прямо в полете, — по молодости и горячности такое было в порядке вещей. Идея состояла в том, что музыканты, волей судеб закинутые в медвежий угол, должны срочно попасть в Москву на премьеру. За ними прилетает «Максим Горький» и забирает всех. Под крылом самолета необъятные просторы советской Родины. Кипучая радостная жизнь. Музыканты импровизируют. Их качает, бросает друг на друга, инструменты то и дело падают, перелетают из рук в руки, издают невероятные звуки...

Эпизод не сняли — меньше чем через год «Максим Горький» вдребезги разбился. В какой-то мере похожий сюжет Александров реализовал в более поздней комедии «Светлый путь». Там героиня Орловой полетит над необъятными просторами Родины на «ЗИСе-101» — первом советском лимузине. Она летит и поет. Это не очень смешно, хотя по-своему занятно. Правда, смех тут и не предусматривался — предусматривалось патетическое волнение.

И еще в одной картине отыграл режиссер несостоявшийся эпизод. В своей последней комедии «Русский сувенир». Там он использовал «Ту-104» — тоже тогдашнюю (в конце пятидесятых) диковинку. Салон этого лайнера стал едва ли не главным местом действия, но каким скучным местом! Лощеным, стерильным, нарядно-парадным — вполне пригодным для глянцевитой рекламы Аэрофлота. И Любовь Петровна в этой картине — красивая, затянутая в изящные туалеты, однообразно бонтонная и улыбчивая — уже в ореоле своей кинематографической славы — выглядела безликой рекламой самой себя.

...Но «Веселые ребята» были воистину веселыми. И были бы такими где угодно: в самолете, на пароходе, на необитаемом острове. Потому как сами создатели их были тогда веселые ребята: и Александров, и Эрдман с Массом, и Дунаевский, и Лебедев-Кумач, и, конечно же, Утесов. И она — Любовь Орлова.

А представители «широкой зрительской массы» (зал на тысячу мест был переполнен) ни о чем таком и не думали. Задолго до второй половины они уже в должной форме — едва успевают переводить дух. И наверняка они не задумываются о том, что вся эта бессвязная, но развеселая кутерьма — не более чем «хорошая убедительная агитация за трюковые съемки» (как выразился во всеуслышанье знаменитый Дзига Вертов) и, пуще того, реклама утесовского джаза — «чтобы зритель, утративший вкус к нему на эстраде, вновь увидел его запоздалый Ренессанс на полотне экрана» (как выразился рецензент все той же газеты, попутно выдав желаемое за действительное, — зритель никогда не утрачивал вкуса к утесовскому джазу).

Уже полтора часа зрители, позабыв обо всем, корчатся от смеха на сиденьях. Волны, взрывы, лавины, раскаты смеха сотрясают ряды кресел. Стены вибрируют. Старая лепнина грозит обвалиться. Администрация всерьез подумывает о «Скорой помощи» — местами в зале слышатся истерические стоны и визги.

...Вот этот самый смех, который одни рецензенты обзывали потом грубым, утробным, животным, а другие — здоровым, праздничным и жизнерадостным, сразу стал камнем преткновения в спорах о фильме. Можно ли так смеяться? Можно ли так смешить?

«Перед советской кинематографией, в числе ряда других, стоит и задача разрешить в кинокартинах проблему советского смеха на советском материале в условиях нашей советской действительности. Сценарий «джаз-комедии» этому основному условию не отвечает, так как, будучи высококачественным художественным произведением, он в известной степени лишь подводит итоги достижений в искусстве буржуазного смеха...»

Эта нелегко читаемая цитата — из резолюции «бюро цеховой ячейки художественно-постановочного объединения Потылихи» — буквально накануне пуска сценария в производство. Естественный вывод из резолюции — рассматривать разрешение на данный сценарий как «политическую ошибку руководства ГУКФа, треста «Союзфильм» и фабрики «Союзфильм».

Руководство ГУКФа не замедлило ответить на это не менее суровой и многозначительной отповедью: «Любители «политпросветфильмов» и принципиальные противники занимательных фильмов до сих пор не усвоили указания директивных органов о том, что картина должна давать отдых и развлечение».

«...Смех — важный фактор общественной жизни, — нехотя признавала «Вечерняя Москва», — но в смехе, который здесь, нет социальной направленности».

Вопрос о смехе был принципиальным, решающим. Дело в том, что Александров и его сподвижники ничтоже сумняшеся (а попросту, не ведая, что творят) наделали в фильме столько идеологических и эстетических ошибок, допустили столько очевидных просчетов, что можно удивиться, как он вообще прошел, просочился сквозь все препоны. Шумяцкий, конечно, был влиятельной личностью. Но и Бубнов — нарком просвещения — в какой-то мере определял культурную политику, а он резко протестовал против картины. «Только через мой труп!» — не больше и не меньше.

Обвинения были очень конкретные (напомним: голое трюкачество, сюжетная рыхлость, вульгарное остроумие, чужеродный стиль, бессвязность, бесцельность, бездумность). Оправдания же были не столь вещественны — ну, бодрость... ну, веселье... ну, хорошее настроение. Правда, все апологеты картины опять же увязывали свои аргументы с веской руководящей (сталинской) директивой: «жить стало лучше, жить стало веселее». Пытались доказать наличие в картине острой критики мелкобуржуазной нэпманской среды. Ратовали за разнообразие жанров в советском кинематографе. Но все это было не очень по существу. На поверку защитная реакция сводилась к патетической, но не очень внятной формуле: «Мы настолько окрепли, что веселая комедия, вызывающая наш смех, работает на социализм, на революцию, а не против — она смешит рабочего и колхозника и тем самым дает ему отдых».

И тем не менее СМЕХ. Повальный. Гомерический. Сокрушительный. Смех, одолевший все и вся. И ставший в конечном счете той броней, которая защитила картину, кругом ее оправдала.

Первым, чей смех разрешил многие сомнения, был Горький. Вытирая стариковским жестом глаза и усы, он долго после просмотра кряхтел, постанывал и сердито отмахивался ладонями от вопросительных взглядов и междометий. Его спросили про сюжет — не рыхловат ли? Он даже удивился: «Так ведь это же похождения. Одно за другим. Законно...» Его спросили про драку — дескать, многие находят ее чисто американской. Горький, если память не изменяет очевидцам, прямо разобиделся: «Не нахожу! Американцы, они как дерутся? Боксом. Грамотно стараются. А эти по-нашенски, по-русски — с размаху лупцуют...»

Драка у Александрова действительно вышла бесподобно. До сих пор киноведы-лекторы не прочь, при малейшей возможности, показать зрителю знаменитую восьмую часть, точно зная, что действует она наповал, делает зал и дружелюбным, и понятливым. Описать эту драку невозможно — ее надо видеть. И пожалуй, не раз. И слышать, конечно. Вся прелесть ее в том, что сработана она виртуозно — с подлинно хореографическим блеском. Джазмены дерутся истово, не щадя ни живота своего, ни инструмента, но ребенок не усомнится, что драка тут на поверку одно заглавие. Игровое, смеховое, скоморошеское действо. Есть музыка, ритм и фантазия. Есть хорошо отлаженный, детально выверенный шквал подробностей — мановений, гримас... Есть безоглядное, самозабвенное упоение своим «делом» — искусное подобие импровизации, за которой (как искони водится у настоящих джазистов) «сто потов» плюс вдохновение.

Драку хулители фильма (а порой доброжелатели) считали одной из самых веских улик, выдающих американское происхождение комедийного стиля Александрова. «Это какая-то демонстрация умений. Сделано очень любопытно, занятно. Но это не наше», — писала Эсфирь Шуб в газете «Кино». Часто называли конкретный первоисточник — «Воинственные скворцы» (ныне полузабытая, а некогда очень популярная американская немая комедия). Что правда — то правда, в эксцентрических блестках обеих комедий можно уловить близкое сходство. Оно есть. Только зазорного здесь не больше, чем в иных чаплинских трюках, почти дословно повторяющих ллойдовские или китоновские.

Вообще многие эпизоды в комедиях Александрова действительно ощущаются как вольные (не слишком буквальные) переводы «с американского». Как и в поэтической сфере, здесь есть «строки», явно уступающие оригиналу (к примеру, пышная хореографическая конструкция в финале «Цирка»), есть равноценные, равномощные «обороты», невольно заставляющие забыть их чужеземное происхождение, а есть и такие, условно говоря, «повторы», что явно превосходят первоисточник. К последним я бы отнес ту же драку.

Смеялся Сталин, успевший еще до выхода ленты на экран дважды ее посмотреть. Эпизод драки приводил его неизменно в детский восторг (хорошие кинематографические драки были слабостью вождя). Смеялись соратники, члены Политбюро — постоянные зрители главного кинозала страны.

Смех в «Веселых ребятах» становился «зоной контакта» (Мих. Бахтин), зоной взаимопонимания меж людьми, зоной сближения стихийно и вековечно разделенных слоев: высокой (профессиональной) и низовой (народной) культуры.

Однако повальный успех фильма на протяжении трех лет заставлял негативистскую критику упорствовать и пытаться оставить за собой последнее слово. «Зритель ржет», — констатировал аноним в журнале «Советское кино» в 1935 году. Но при всей конкретности и, пожалуй, даже известной справедливости этого вывода, суть дела точнее обозначил ответственный секретарь того же журнала Константин Юков: «...в таком разумном отдыхе утверждается та бодрость и радостное отношение к жизни, которые свойственны молодой, жизнеутверждающей и радостной стране, строящей социализм».

Это были трескучие, но, увы, не пустые слова. Передовой — то есть ***советски-сознательный*** — народ, коего было к тому времени большинство, бодро и уверенно смотрел в будущее, чувствуя, что все идет как надо, то есть все идет к лучшему. И каждый факт, подтверждавший это, встречал радостное и одобрительное ликование. И перелет Громова, и лихой удар Краснознаменной Дальневосточной по китайским провокаторам, и грандиозный проект Дворца Советов, и победу сборной Москвы над басками, и первый советский «Форд», и самолет «Максим Горький». И фильм «Веселые ребята».

Этот фильм был рассчитан на веселых ребят, на веселых зрителей — на тех, кто чувствовал свою причастность ко всем великим свершениям, к «поколению победителей». Расчет оказался не просто точным — кроме «смеха, бодрости и оптимизма», в фильме присутствовала масштабность, дерзновенный размах. Своего рода величие. И это делало его одним из эпохальных свершений — сродни всем вышеупомянутым. Первой советской музыкальной кинокомедией.

Тут уместно вспомнить, что за несколько месяцев до «Веселых ребят» на экраны вышла картина Игоря Савченко «Гармонь», которую и сам режиссер, и кое-кто из критиков поспешили назвать именно так: первой советской музыкальной кинокомедией. Но очень скоро стало ясно, что это вовсе не так, доказательством чему была весьма хилая реакция зрителя. В картине много музыки, но музыки малоинтересной, грамотно и скучно стилизованной в народном духе. Все действо выглядело не столько кинокомедией, сколько сценической — песенно-танцевальной — композицией фольклорного ансамбля. Уместной на самодеятельной сцене, но не на экране.

В то же время никто из тогдашних критиков — даже тех, кто признал удачу Александрова, — не рискнул объявить его родоначальником советской музыкальной кинокомедии. Говорилось о «нащупывании жанровых путей», о «нащупывании возможностей использования западной традиции в советской кинематографии». Но в массовом сознании картина воспринималась именно как глобальная и безоговорочная победа.

Картина Александрова первой обозначила собой — правда, еще не вполне внятно — рождение в советском кинематографе «большого стиля». Нимало не чужеродного директивным умонастроениям общества. Иными словами, знаменовала рождение кинематографического «соц-арта».

И даже явный дилентантизм авторов, из-за которого фильм перенасыщен драматургическими натяжками и нелепицами, обернулся достоинствами. Предугадать заранее все капризы, амбиции и возможности столь избыточно-щедрой фактуры, как утесовский джаз, вряд ли сумел бы и более опытный режиссер. Но молодые первопроходцы во главе с Александровым не очень-то утруждали себя кропотливым поиском логических решений, а просто вышибали клин клином — одну стихию другой. Оттого-то и нет в картине видимой стройности. Оттого-то и трудно отдать первенство кому-то из ее создателей. Недаром Утесов искренне (и обидчиво) считал себя — не Александрова — главным творцом «Веселых ребят». Когда у него спросили, с чьей подсказки его нашел Александров и вообще, как родилась у того счастливая мысль снять «веселых утесовских ребят», Леонид Осипович громогласно и картинно разыграл изумление: «Он меня нашел?! У него чего-то там родилось?! Это я, я его нашел! Это у меня родилось!»

К слову сказать, участники съемок не раз наблюдали весьма язвительные словесные стычки между режиссером и главным исполнителем, который очень часто делал, что хотел. «Товарищ Утесов, не вращайте задом, — не выдерживал Александров, — это, как известно, не пропеллер». Утесов полуоборачивался и бросал через плечо: «Я получаю триста рублей за выход, а этот зеленый голодранец что-то мне хочет указывать».

Бесследными эти стычки не остались. Ни дружбы, ни даже приятельства между Александровым и Утесовым после «Веселых ребят» не было.

Утесов органически слит со всей смеховой стихией картины — он главный затейник и главный участник всех ее джазовых аттракционов. Первый среди равных. Орлова же — другая статья. Ее задача и цель — быть несравненной, переиграть, перекрыть все и вся и оставить последнее слово за своей героиней. За собой. Ее эстетическая своеобычность еще не безусловна. Скорее перспективна. Ее предстояло уточнить, развить и утвердить другими работами. А пока что...

...Пока что Анюта, рискнувшая все-таки повысить голос в присутствии хозяйки (то есть вытянуть ноту, непосильную для бездарной Елены), изгоняется на улицу. Дождь. Ливень. Темень. Несется катафалк, на котором музыканты во главе с Костей спешат на свой концерт в Большом театре. Анюта — под колесами катафалка. «Едем с нами!» Пока оркестранты импровизируют на сцене на своих испорченных инструментах и без оных, продрогшая и промокшая Анюта на катафалке — в залоге у факельщика, веселого выпившего старикана. Потом она и факельщик за кулисами. Потом на сцене. И вот уже Костя, хватая трубу, просит, требует: «Спой, Анюта! Спой!»

Анюта, успевшая до этого тоже хлебнуть винца для сугрева, снимает с головы попону, которой укрывалась от дождя, надевает цилиндр факельщика, берет в руки фонарь-жезл, и...

«Сердце в груди, — ликующе разносится по сцене, по залу ее голос, — бьется, как птица!»

Она действительно хороша, почти ослепительна в этом белом цилиндре с пером, лихо сдвинутом набок, с фонарем, в узорчатом покрывале с кисточками и помпонами, зашпиленном на манер бального платья. На груди у нее бляха с похоронным номером.

Костя вступает со своей темой, и вместе, дуэтом, сидя на барьере «почти как настоящего» фонтана, они поют про сердце, которому «не хочется покоя» и которое «умеет так любить».

Собственно, на этом, по всем канонам, следовало бы закончить комедию. Но авторы еще не слишком искушены в канонах. Они позволяют героям поплясать, попеть частушки, прилюдно объясниться в любви и уж тогда, выпустив на сцену весь кордебалет, весь хор, всех оркестрантов — выстроив их на манер парадного шествия, — под раскаты уже знакомой нам песни о песне, от которой «легко на сердце», завершают действо.

И под самый конец они успевают еще раз преобразить Анюту. Поначалу это кажется лишним и даже берет легкая досада на неугомонных авторов. Так хороша она была в «своем» похоронном наряде, и вдруг — эта аккуратная прическа, это платье модного фасона, этот элегантный вид. Только и тут получилось не без расчета — возможно, невольного. Актриса как бы выходит из роли и представляет себя зрителю. Именно как актрису. Любовь Орлову. Новоявленную звезду отечественного экрана.

Вот я! Запомните меня, но не Анютой, а Любовью Орловой! Мы еще встретимся! Ждите!

А самым неугомонным оказался Александров. Он и после премьеры в «Художественном» продолжал развлекать публику, выступал в кинотеатрах, предваряя показ стихотворными куплетами собственного сочинения. Мало того, в течение нескольких месяцев в «Вечерке», в рекламных листках Роскиноиздата, на шершавых тумбовых афишах появлялись разухабистые четверостишия — плоды совместного вдохновения Александрова, Лебедева-Кумача и... классиков русской поэзии:

Печальный Демон, дух изгнанья,
Я хохотал всю ночь подряд
И позабыл свои терзанья,
Веселых увидав ребят...

или:

Я вам пишу — чего же боле?
Что я могу еще сказать?
Теперь я знаю: в вашей воле
Ребят веселых показать...

И про Костю тут было. И про джаз. И даже про быка. Только про Орлову ничего. Я просмотрел все, что сохранилось, и ничего про нее не нашел. Вот странно! Ведь как уместно было бы сочинить про нее... ну, скажем... такое:

По улицам слона водили.
Но где ж они — толпы́ зевак?
Они Орлову полюбили –
Все не насмотрятся никак!

И это было бы правдой. Почти правдой.

ИЗ ПУШКИ В НЕБО

> Ты долго ль будешь за туманом
> Скрываться, Русская звезда?
>
> *Федор Тютчев*

«Звезда родилась» — так назывался популярный американский мюзикл 1937 года с Джанет Гейнор — история юной самолюбивой провинциалки, пробившейся в звезды благодаря таланту, обаянию и характеру.

«Звезда родилась» — так назывался популярный фильм 1954 года с Джуди Гарланд (похожая история).

Так можно было бы назвать большинство музыкальных фильмов с Алис Фэй, Диной Дурбин, маленькой Ширли Темпл, Бетти Грейбл, Лесли Карон и другими поющими и танцующими знаменитостями.

Так можно было бы назвать большинство фильмов и с Любовью Орловой — начиная с «Веселых ребят».

Первый вопрос, которым советское киноведение задалось при явлении Орловой зрителю: «Звезда или актриса?»

А почему, собственно, надо было выбирать? Разве не могло быть вместе — и то и другое? Сомневаться в актерском таланте Орловой никому не приходило в голову — чего же боле? Да и существенна ли вообще эта проблема?

Но долгое время проблема считалась животрепещущей. И не только в эстетическом смысле. В бурные двадцатые, в период так называемой «культурной революции», Юрий Олеша написал пьесу «Список благодеяний». И впрямую столкнул в диалоге две крайние позиции, две противоположные трактовки проблемы: традиционную (естественно, реакционную) и новаторскую. Первую представляет Татаров — эмигрант, растленная личность, редактор русской парижской газеты; вторую — советская актриса Леля Гончарова, на время приехавшая за границу. Татаров искушает Лелю надеждой сделаться звездой, он взывает к естеству, к природному стремлению человека возвыситься, опередить себе подобных.

Татаров спрашивает Лелю:

«— Советские дети читают сказки?

Леля. Смотря какие.

Татаров. Например, о гадком утенке?

Леля. Не читают.

Татаров. Почему? Прекрасная сказка. Помните? Его клевали — он молчал, помните? Его унижали — он надеялся. У него была тайна. Он знал, что он лучше всех. Он ждал: наступит срок, и я буду отомщен. И оказалось, что он был лебедем, этот одинокий гордый утенок. И когда пролетали лебеди, он улетел вместе с ними, сверкая серебряными крыльями.

Леля. Это типичная агитка мелкой буржуазии.

Татаров. Как вы говорите?

Леля. Мелкий буржуа Андерсен воплотил мечту мелких буржуа. Сделаться лебедем — это значит разбогатеть. Не правда ли? Подняться над всеми. Это и есть мечта мелкого буржуа.

Татаров. В Европе каждый гадкий утенок может превратиться в лебедя. А что делается с гадкими утятами в России?

Леля. В России стараются, во-первых, чтобы не было гадких утят. Их тщательно выхаживают. В лебедей они не превращаются. Наоборот, они превращаются в прекрасных толстых уток...»

«Кто обычная героиня картины Александрова?» — вопрошал критик в журнале «Искусство кино» в 1940 году — уже после «Цирка» и «Волги-Волги», после предельного вознесения Орловой, подтвержденного наградами, званиями и всеми наличными почестями. И отвечал сам же: «Это звезда театра в любой мутации. Это домработница, ставшая певицей джаза, это артистка варьете, это письмоносец, которая все равно «стар». Но как раз такова и героиня западного ревю. Там этот тип женщины — самый привлекательный, и ее карьера самая ослепительная».

Но как же тогда с вознесением, с чаяниями? Или мнение данного критика напрочь противоречило общепринятому? По существу, нет. Многие думали то же, признавая куда более важные и позитивные приметы александровского кинематографа — «оптимистического искусства, в котором ощутима неповторимость нашего советского бытия и которое способно оздоровляюще воздействовать даже на инородную стихию» (читай — Орлову). Было дружелюбно и слегка снисходительно признано, что, несмотря на оторванность героев первых двух его лент («Веселых ребят» и «Цирка») от реальной бытовой почвы, их поведение именно таково, что легко транспонируется в советскую действительность. А иные, еще более терпимые критики готовы были пойти еще дальше и целиком, без оговорок принимали Орлову, — разумеется, не как «стар», а как...

Тут подходящего термина так и не придумалось. Приходилось варьировать громоздкое: «тип положительного героя». Создание такого «типа» вменялось в задачи советского кинематографа. В отличие от «немого» периода под словом «тип» подразумевалась уже не столько «типажность», сколько типичность, но сдается, в иных случаях эти понятия не так уж далеки друг от друга. Тем более что бесспорно ведь наличие внутренней, характерной типажности, которая вкупе с внешней чаще всего и создает на экране ощущение предельной типичности. Такое ощущение вызывали Крючков, Столяров, Самойлов, Боголюбов, Новосельцев, Симонов. Мы ставим их в данном случае «впереди» Щукина, Ванина, Мордвинова и даже популярнейшего Бабочкина, поскольку именно они, первые, более всего отвечали желанному «типу положительного героя» — молодого, красивого, смелого. Достойного любви самых прекрасных женщин... И тем же типажным соответствием отличались Зоя Федорова, Тамара Макарова, Марина Ладынина, Лидия Смирнова. И Любовь Орлова.

На этот счет не было никаких разнотолков меж рядовым и руководящим зрителем.

«Надо указать еще одно важное требование наших дней, — декларировал Борис Шумяцкий, — которое мы будем предъявлять к подбору актерских исполнителей наших фильм (обратите внимание, как, при всей твердости тона, нетверд еще его лексикон, как причудливо смешаны в нем фразеология уходящих двадцатых и словесные обороты нового, но уже утвердившего себя времени. — *М. К.*). Оно сводится к тому, чтобы характеристика современного человека не монополизировала бы физическую красоту только за людьми с той стороны баррикады, за людьми чужого класса... Наоборот, непрерывно повышающийся культурный уровень наших масс требует от киноактеров показа красивого человека, красивого работника и работницы, колхозника и колхозницы как основного типического строителя социализма».

Решительность, с какой фактически отвергается возможность положительного героя «с той стороны баррикады», не может скрыть ревнивого желания перенести толику обаяния, физической неотразимости этого «псевдогероя» в советскую действительность.

«Смотрите, — часто говаривал Пырьев и в довоенные годы, и после, — как умело, как убедительно *они* доказывают красоту, благородство, талант своего человека. Иногда, черт его знает, даже завидно. У «них» по этой части дьявольский опыт. Грешно нам чураться этого опыта, грешно им не попользоваться...»

Александров владел этим методом в совершенстве, мог его использовать самым что ни на есть «открытым способом». Обезоруживающе открытым.

...Главная героиня фильма — звезда американского цирка. Ее имя броско читается, звучно произносится — Марион Диксон! У нее ослепительная улыбка, ослепительные наряды, ослепительный номер. Идея номера явно подсказана классиком мировой фантастики — «из пушки на луну», остальное — феерическая смесь импозантного бурлеска и простодушного балагана. В этом грандиозном и рискованном действе героиня поет и танцует на верхотуре пушечного ствола, кувыркается на трапеции-полумесяце под куполом цирка. И вновь поет.

И лишь одно омрачает (а где-то исподволь и оттеняет) ее звездную ослепительность: тайное роковое прошлое, результатом которого является черный ребенок, и, как следствие, рабское подчинение ловкому и коварному негодяю, цирковому импресарио Кнейшицу.

И вот она — в СССР, в небывалой стране, где так вольно дышится человеку, где каждый награжден по заслугам и где с каждым днем живется все радостнее. Порукой тому песня, где обо всем этом складно и веско сказано, — красивая могучая песня, главная песня фильма, ставшая сразу главной песней сталинской эпохи, главной песней страны. Ее неофициальным гимном.

И что же случается с этой дивной женщиной в дивной стране? То, что случается с каждой Золушкой... Сердце ее, униженное и оскорбленное буржуазной реальностью, покоряет один из лучших, достойнейших представителей нового мира.

«...Есть тип мужской наружности, — писал о таких «строгих юношах» Юрий Олеша, — который выработался в результате того, что в мире развилась техника, авиация, спорт. Из-под кожаного козырька шлема пилота, как правило, смотрят на вас серые глаза. И вы уверены, что когда летчик снимет шлем, то перед вами блеснут светлые волосы. Вот движется по улице танк. Вы смотрите. Под вами трясется почва. Вдруг оказывается в спине этого чудовища люк, и в люке появляется голова. Это танкист. И, разумеется, он тоже оказывается светловолосым. Светлые глаза, светлые волосы, худощавое лицо, треугольный торс, мускулистая грудь — вот он, современный тип мужской красоты... Это красота красноармейцев, красота молодых людей, носящих на груди значок «ГТО». Она возникает от частого общения с водой, машинами и гимнастическими приборами».

Бедный, бедный Юрий Карлович! Вряд ли он сознавал, что в своем захлебе, столь откровенно выдающем его мучительное ощущение собственной неполноценности, он вторит самым грубым образцам геббельсовской публицистики. Именно в таких выражениях и в такой тональности воспевался белокурый и мускулистый герой «новой Германии». (Случайно ли, что в одной из шведских газет довоенной поры в рецензии на александровский «Цирк» оказалась такая фраза: «...здесь, в Москве, прекрасная американка влюбляется в статного арийца Столярова и...»?)

И все же знаменитый писатель подметил нечто сущее. Именно такой тип и создавался в советском кино актерами — молодыми, светловолосыми, плечистыми парнями призыва тридцатых годов. В «Цирке» этот тип представал в облике Сергея Столярова — бесспорно, самом национально-совершенном. Национально-возвышенном.

Но не только любовью преображается судьба героини. Сама страна, над которой вечно веет весенний ветер, для которой нет ни черных, ни цветных, пробуждает в ней, заморской жар-птице, желание остаться с ними, быть сопричастной их радостной созидательной жизни. Ах, как естественно, правильно, «в точку» выглядело ее желание в глазах простодушного кинозрителя образца 1936 года! Какой «законной гордостью» преисполняло оно его душу! Оно было дорого ему и подсознательным смыслом: как подтверждение разумности и справедливости *своего* гражданского повиновения — своей «советскости». (Много позднее об этом выразились бы резче и грубее — своей «совковости».)

В годы НЭПа такой повальной гражданской однозначности еще не было. Мы знаем это по книгам Зощенко, Олеши, Эренбурга, Булгакова, знаменитый роман которого вспоминается здесь особенно настойчиво, хотя бы потому, что многое происходит здесь также в отдаленном подобии цирка — в варьете. И происходит по поводу, отдаленно схожему: сенсационные гастроли зарубежного артиста.

Воланд, как мы помним, искушал москвичей тем, что презрительно называлось Маяковским «изячной жизнью». И как мы помним, почти все зрители того злосчастного представления оказались жертвами буржуазных пережитков, набросились на купюры, на шикарные дамские туалеты.

Однако даже в передовой житейской среде с годами становилось все больше разночтений на этот счет. Стихотворных обличителей «изячной жизни» к началу тридцатых почти не осталось. Наоборот, появилось вызывающее:

> Хочу по Петровке пройтись иностранцем!
> Хочу наилучшую шляпу в Мосторге!
> Хочу, чтобы туфли малиновым глянцем
> Сияли на солнце шевровым восторгом!

Это дрозд-пересмешник Михаил Вольпин. Это чуть-чуть в шутку, но больше уже и всерьез. Так же как и в строчках Кирсанова:

> Зачем тебе, сестра моя, одежда иностранная
> Ужель у нас в республиках что надо — не найти?

Синеблузный максимализм был отвергнут даже комсомольскими идеологами. Сам Жаров, главный комсомольский поэт, предлагал в 1929 году советской женщине:

> И вот, пока нам не страшны враги,
> Пока они пальбой не беспокоят,
> Сними, мой друг, скорее сапоги
> И замени... на что-нибудь другое!

В 1936 году отношение к «изячной жизни» стало более терпимым. Шутки воландовской шайки скорей всего сочли бы за провокацию. Безоглядно броситься из зала на сцену за иностранными шмотками, во-первых, не позволила бы высокая идейная сознательность, к тому времени уже овладевшая массами, — гордое ощущение своей сопричастности «нашей счастливой жизни», во-вторых, зритель уже хорошо знал, чем чреват неположенный энтузиазм. «Шевровым восторгом» подавлялся Страх. Страхом обозначались границы восторга.

Негодяй Кнейшиц (повадкой, обликом, деяниями — сущее дьявольское отродье!) искушает свою жертву тем, чем искони искушают женщин. Орлова—Марион стоит посреди комнаты, неподвижная и прекрасная, меж тем как «черный человек» бросает к ее ногам содержимое чемоданов, кофра, шкафов. Летят дорогие платья, меха, перед лицом героини трепещут две умопомрачительные чернобурки. «Я купил это для вас, Мэри! Это стоит тысячи... тысячи долларов!»

Но непреклонна поза прекрасной женщины и тверд ее голос: «Мэри, для которой все это куплено, больше нет!»

И зритель мысленно аплодирует ее ответу. Он аплодирует не только потому, что модные тряпки утратили для него абсолютную ценность и он готов вместе с героиней отвергнуть их ради идеалов. Его одобрение основано на убежденности, что Страна Советов способна уже в ближайшее время одеть звезду нисколько не хуже дьявола Кнейшица. Обеспеченность перестала пугать, перестала казаться угрозой высоким идеалам, перестала быть тайной и преступной страстью. Она утеряла свою недоступность, недосягаемость — правда, больше теоретически, чем практически. Но и практически тоже.

Уже примелькались в витринах флаконы и косметические коробочки треста «высшей парфюмерии» — ТЭЖЭ. Уже реально вселились в дома патефоны, велосипеды, пианино, будильники советских марок. (Разве что торт, которым Кнейшиц зловредно угощает Раечку, дочку директора цирка — явно не фабричного производства). И платья, сравнительно модные, и шляпки, и броские галстуки уже не приметы буржуазного разложения, а приметы растущего социалистического благосостояния. Именно в эти годы появляется сразу несколько журналов моды, а «Комсомольская правда» открывает серию статей на тему «Мы хотим хорошо одеваться». И неслось по стране на волнах московского радио:

На газонах центрального парка
В каждой грядке цветет резеда.
Можно галстук носить очень яркий
И быть в шахте героем труда.
Как же так — резеда? И героем труда?
Почему? Объясните вы мне!
Потому что у нас каждый молод сейчас
В нашей юной прекрасной стране.

Можно, можно... И галстук, и шелковые чулки, и губную помаду...

Правда, качество советского ширпотреба было хуже качества иностранных «штучек», но об этом говорилось прямо и смело с самой высокой трибуны страны, преисполняя граждан непреложной уверенностью, что и тут мы вскорости «догоним и перегоним».

И потому так естественна, так сообразна историческому моменту первая мысль, осенившая голову директора цирка (советского цирка!) при виде сногсшибательного номера Марион Диксон: «Нам нужен свой номер! Из своих материалов». И так же естественно и сообразно — злободневно! — уточнение Мартынова: «Если уж делать, так делать лучше».

И вот уже готова пушка — куда внушительнее заграничной. И новый номер куда эффектнее и смелее: «Полет в стратосферу». Луна, конечно, дальше, но луна — это фантазия, сказочная мечта, а стратосфера — «осуществленная мечта». Сказка, уже отчасти сделанная былью, притом осуществленная советскими людьми.

Имена Усыскина, Васенко и Федосеенко, героев-астронавтов, трагически погибших при спуске, но все же давших стране мировой рекорд, так же как имена их предшественников, Прокофьева, Бирнбаума, Годунова, были известны каждому пионеру, каждому грамотному октябренку. В 1936 году, согласно опросу газеты «Вечерняя Москва», дети играли в них «так же активно, как «в пограничников» и в перелет АНТ-25. Активнее играли только «в Чкалова» и «в челюскинцев».

И все получилось как нельзя более правомерно: обретя в Советской стране любовь и человеческое достоинство, героиня сразу же обретала и свое настоящее, достойное дело. Обретала номер не только более впечатляющий, но и более идейный, содержательный. Этой содержательностью обусловлено главное преображение героини — из одного звездного состояния в другое. По идее, это «другое» должно было стать еще более «звездным», еще более ослепительным, однако получилось не совсем так. Первая ипостась Марион Диксон оказалась для советской публики и впечатлительнее, и памятнее. Но об этом ниже.

Надо отдать должное создателям «Цирка». Какой бы лобовой агиткой ни выглядела фабула, ее основа — превращение героини из одной звезды в другую — разработана и разыграна просто-таки блестяще. В самом начале, в прологе, по экрану мечется жалкое, растрепанное, раздавленное ужасом существо — толком не успеваешь разглядеть ни лица, ни фигуры. Затем — эффектный контраст! — перед нами сущая дива кабаре: короткий черный парик, диадема с перьями, фантастический белый плащ. Сбросив диадему и плащ, она предстает в странном сверкающем, чешуйчатом трико, придающем телу змеевидную пластичность. И танец ее — суперчечетка (Александров хитроумно форсирует темп ускоренной, то есть «замедленной» съемкой), и песенка зазывной шансонетки («Мэри верит в чудеса! Мэри едет в небеса!»), и залихватские жесты, и грубовато-игривый голос, и резковатый американский акцент — все моментально и органично слагается в типажный образ, чуточку вульгарный, капельку режущий и слух, и глаз, но крайне привлекательный, исполненный смелого и оригинального артистизма.

Затем еще несколько превращений — как бы переходных, промежуточных. Орлова легко, с машинальной непринужденностью меняет один туалет на другой —

все они достаточно скромны и достаточно элегантны. Они четко метят ее иностранность, но уже не крикливо, не вызывающе. И обличьем, и содержанием звезда понемногу опрощается, спускается с чужедальних небес на грешную землю, приближается к нам. На последнюю, «прощальную гастроль» она выходит без диадемы, без ослепительного плаща, без черного парика — тусклая, подавленная. Ее задорная песенка звучит безрадостно. Ее чечетка отзывается сухой деревянной дробью. Она опускается в дуло пушки с отрешенным лицом. Видно, что играет она уже чужую роль, отрабатывает чужой номер. Звезда умерла, закатилась, погасла...

Звезда родилась! Не пройдет и двух частей, как она появится перед нами еще более сиятельной, чем прежде, и это будет сиятельность уже нового ее местопребывания. Ее появление возвестит торжественным голосом шпрехшталмейстер: «Мировой рекорд советских артистов!.. Последнее достижение цирковой техники!.. Полет в стратосферу!» И торжественно-праздничный марш, знакомый до исторической перестройки чуть ли не каждому взрослому и подростку (ибо не было в радиоконцертных программах ничего популярнее марша из кинофильма «Цирк»). И впечатляющий выезд мотоциклистов. И эффектный выход парашютистов. И мощное фанфарное многоголосие.

На арену выезжает некое подобие усеченной ступенчатой пирамиды. На ее вершине Мэри со своим избранником. Над ними, как волшебная птица, самолет с вертящимися световыми пропеллерами. На героях плащи благородно-монументального покроя, летные шапочки-шлемы — их облик варьирует расхожий мотив панно и плакатов тех лет («мы рождены, чтоб сказку сделать былью»). И в самом аттракционе («воздушном полете») они четко держат образ, заданный новой, сверхпопулярной общественной темой — образ пилотов-спортсменов, побивающих во славу Родины мировые рекорды.

Примечательно, что Мэри уже не опускается в дуло пушки, — что выглядело в прежнем номере безрадостно и тревожно. Она бодро заходит в него через боковую дверцу, как заходят в кабину самолета. Правда, таинство действа этим несколько разрушается, зато появляется приятная уверенность, что все кончится хорошо. Победно. Что «наша возьмет». В цирковом номере явно слышится пафос военных, воздушных и физкультурных парадов, наполняющий сердца зрителей гордостью и боевым духом.

Недаром и завершается полет грандиозным парашютным десантом — точь-в-точь как на тушинских празднествах. Мэри медленно опускается на исполинском парашюте, ловко акробатируя на подвешенной к нему трапеции, а следом за ней летят из-под купола вниз крохотные парашютики с куколками. Истинный апофеоз злободневности.

Однако номер на этом не кончается. Опустившись на арену, парашют-исполин начинает вновь подниматься, медленно открывая огромный пандус и сидящих на нем танцовщиц. На вершине пандуса — Мэри.

Начинается яркое и не совсем цирковое шоу — нечто близкое к бурлеску и мюзик-холлу, а если еще точнее, к помпезным секвенциям знаменитого американского хореографа двадцатых-тридцатых годов Басби Беркли.

Разумеется, последняя ассоциация не приходила в голову советскому зрителю, плохо знакомому с американским мюзиклом той поры. Меж тем все визуальные, ритмические и прочие блестки этого финального шоу — разновидности хореографических секвенций Басби Беркли. Это от него пошли гигантские и ажурные построения, связанные друг с другом в бесконечный и завораживающий узор, ошеломительно-постановочные («реквизитные») эффекты не всегда безупречного вкуса, в которых выявлялись дизайнерские фантазии автора.

То же и здесь. Огромный пандус от самой арены «увит» гирляндой статисток (только соседство со словом «гирлянда» мешает написать неблагозвучное «герлс»). Пленительная лирическая мелодия заволакивает пространство, — не сразу улавливаешь, что этот нежный, успокоительный напев — ритмическая вариация прежней легкомысленной песенки «Мэри верит в чудеса, Мэри едет в небеса». Теперь, подхваченная невидимым хором, она звучит по-иному и мелодически:

В вихре вальса все плывет,
Весь огромный небосвод,
Все кружится, скользя,
Удержаться нельзя.
В вихре вальса все плывет...

Пандус начинает вращаться то в одну, то в другую сторону, девушки оплетают его танцевальным узором. Мэри по-прежнему наверху, затем они все, скрытые полутьмой, жонглируют натурально горящими факелами, затем Мартынов, поймав брошенные ему с вершины факелы, бежит вверх по ступеням той самой пирамиды, с которой начинался аттракцион, и, опустившись на колено, как бы зажигает лестницу. Волна электрического света льется вниз. Одновременно загораются гирлянды электрических лампочек вокруг пандуса. Девушки и Мэри продолжают танцевать. Сверху на арену по веревкам спускаются клоуны с трубами... Впрочем, все это, конечно же, надо видеть, ибо в пересказе, даже подробном, невольно упускаешь множество мимолетных перемещений и сочетаний, без которых нет полноты впечатления.

Внезапное появление на арене Кнейшица и его истошный окрик останавливают представление, и, честно говоря, вовремя, ибо продолжение этой безразмерной феерии уже грозит перейти в эстетически безвкусную вакханалию. Впрочем, режиссер и сам это чувствует и успевает завершить действо более точной образной кодой, нежели окрик злодея, — героико-патетическая интонация переходит в лирико-патетическую. «Все так светло! — торжествующе поет Мэри на вершине пандуса. — Мир так хорош. Радость — ты со мной. Близко счастье мое!»

Надо сказать, что с чувством меры у Александрова всегда были проблемы. Во многих своих картинах, особенно последних, его рука явно не блюдет эту меру. Но здесь, в «Цирке», режиссер все-таки не преступил грани — хотя не раз опасно приближался к ней.

После окрика Кнейшица, после его неудачной попытки вызвать возмущение зала «расовым преступлением» своей бывшей любовницы (тут ставит точку появление бравых энкаведистов) начинается знаменитый, самый трогательный эпизод картины — «Колыбельная». Зрители бережно передают друг другу черного малыша, убаюкивая его нежной песенкой. Ее поют на разных языках русская женщина, украинец, индус, узбек, грузин, еврей и негр. В одном этом крохотном эпизоде — целая вереница знаменитостей. Ее поет директор цирка. Ее допевает хор:

> Спи, сокровище мое,
> Ты такой богатый,
> Все твое! Все твое!
> Зори и закаты...

(Кажется, именно после «Цирка» в интеллигентской среде родилась зубастая пословица «Советская колыбельная должна будить!».)

Но это еще не конец. Появляется Мэри на руках у Мартынова — заплаканная, перепуганная. Передав матери маленького Джима, директор доходчиво объясняет ей ситуацию. И потрясенная открывшейся ей правдой, Мэри поет. Поет песню, которой обучил ее Мартынов.

О стране, над которой веет весенний ветер и в которой жить с каждым днем все радостней.

Она спускается по лестнице пирамиды (как Мэри вдруг оказалась на ней — непонятно, но и несущественно: мы уже приохочены режиссером-чародеем такие мелочи не замечать, а вернее, принимать их как должное). К ней подходят Мартынов, директор, новые друзья. Ее окружает публика. Хор могуче, маршеобразно подхватывает припев песни.

На этом можно было бы завершить фильм, но для Александрова еще не самая высокая нота. И потому цирковое шествие... волшебно... переливается в реальную демонстрацию — физкультурный парад на Красной площади.

Мэри, Мартынов, директор с маленьким негритенком на руках, Райка со своим комично-незадачливым женихом — все, как один, в белоснежных полуспортивных костюмах — идут впереди колонны, осененные завесом знамен, под темпераментные раскаты «Песни о Родине». Мелькают портреты Сталина, Ворошилова. И вновь торжествует героическая, державно-волевая стихия, упоение которой так ощутимо и в этом чеканном шаге, и в этой бравой отмашке, и в этих сияющих лицах.

Но кажется — и вряд ли случайно, — что самая бравая отмашка, самый чеканный шаг и самое просветленное лицо все-таки у нее, у бывшей Марион Диксон (а ныне, как нетрудно предположить, Маши Мартыновой). И не только потому, что на ней больше всего сосредоточено внимание камеры, внимание окружающих. Дело еще и в Орловой, всегда незримо и зримо опережающей всех, всегда охочей прибавить огонька, дабы не оставлять никаких сомнений в своей победительности. Она идет в рядах демонстрантов — юная, сильная, цветущая. Как все. И все же первая. Среди счастливых людей — самая счастливая.

Да, изменилось время. Давно ли травилась Маруся из-за того, что нет у нее лакированных туфелек? Давно ли царили «есенинщина», «молчановщина», «пантелеймон-романовщина»? Давно ли кумирами были Дуг и Мэри? Давно ли екали сердца «совбарышень» при виде иностранного спеца? Давно ли оставила в США добрую половину актрис студия Немировича-Данченко?

Теперь не то. Теперь у нас и сила, и красота. И исполнение всех желаний. И если раньше кто-то сомневался в этом — по слабости, по злопамятству, просто по недомыслию, — то теперь таких осталось немного. Теперь такое и стыдно, и нелепо. И даже Марина Цветаева в далеком Париже поет славу челюскинцам (как победно окрестили у нас челюскинскую авантюру) и Советской России.

И Марион Диксон, заморская дива, подтверждает это своим чистым ликующим голосом:

> Я другой такой страны не знаю,
> Где так вольно дышит человек!

...С площади медленно поднимается в небо воздушный шар. Сверху на парашютах спускаются буквы: К. О. Н. Е. Ц.

И это действительно конец. Но и после конца, уже с пустого экрана гремит и несется вслед покидающему зал зрителю: «Широка страна моя родная...»

Эта песня, моментально ставшая главной песней страны, сложилась на 36-м варианте, 35 предыдущих были забракованы режиссером и скончались в мусорной корзине. Но это были по крайней мере творческие издержки — законные. Незаконным же был мусор тогдашнего кинопроизводства — совершенно непролазный. Из-за него терялась впустую масса времени, нервов, творческой энергии. «Цирк» в этом смысле обошелся Александрову и Орловой дороже всех прочих фильмов. Недаром журнал «Искусство кино» в мае 1935-го, сообщив, что «наши режиссеры... больше половины рабочего времени тратят на преодоление технических и организационных неполадок», выбрал в качестве наглядного подтверждения съемочный день группы Григория Александрова. Бесстрастный хронометраж читается как сценарий трюковой комедии:

«...Бригадир осветителей стучит по микрофону кулаком, ругаясь сквозь зубы. Сегодня плохо работает радиосвязь с осветителями, и поэтому световые лучи робко и неуверенно шарят по декорации.

...«Пандус влево!» — командует режиссер. Пандус долго-долго стоит на месте, потом стремительно поворачивается вправо, потом внезапно останавливается и так же стремительно начинает вертеться, не обращая внимания на крики «Стоп!».

...Оператор возится с аппаратом. Мотор испортился, и во время съемки следующего плана придется вертеть ручку кустарным способом.

...Жонглеры начинают подбрасывать факелы, но половина из них, второпях мало намоченные керосином, не горят. В воздухе чад и носятся хлопья копоти.

...Акробатка на верху пандуса дует на обожженные пальцы, трясет рукой и требует передышки.

...Для следующего плана люльку с режиссером и оператором нужно поднять выше. Тросы со скрипом тянут площадку, поднимая ее одним концом вверх. Александров и Нильсен повисают на руках».

Трудно представить, как можно было сохранять хладнокровие и оптимизм в такой трагикомической атмосфере, но Александров умудрялся. Чем немало удивлял и своих сотрудников, и сторонних наблюдателей. К месту сказать, снимая сцены последнего аттракциона (в том числе и вышеописанный злополучный эпизод), он не знал, что звук изначально «подложен» неточно и все больше смещается. Контрольных проверок не было, поскольку лаборатория на две недели вышла из строя, и весь материал, добытый буквально потом и кровью, оказался несинхронным. А поскольку пересъемка была невозможна (пленка покупалась на валюту, и специальный представитель ОГПУ(!) считал дубли и следил, чтоб не было ее перерасхода), пришлось уже на монтажном столе по кусочкам выправлять изображение, кропотливо подгонять его под фонограмму.

Александров всегда старался по мере возможности оградить Орлову от этого сора. Уже после «Цирка» для нее был сооружен специальный вагончик (он стоял в павильоне, иногда «выезжал» на натуру), где Любовь Петровна могла передохнуть, перекусить, переодеться. Ну и просто переждать очередную неурядицу.

Но неурядицы все равно доставали. Доставали еще и потому, что стремление Александрова поразить зрителя невиданным и неслыханным, довести каждый эффект до крайности усугубляло реальные трудности, а трудности порождали добавочные неурядицы.

Но, слава богу, у Орловой был счастливый характер. Терпеливый, неподатливый на удары, а уж ради дела, ради любимого дела, как мы уже многократно убеждались, она готова была рисковать хоть здоровьем, хоть самой жизнью. И рисковала. Диаметр дула, на котором она танцевала, был всего 75 сантиметров. А высота — шесть метров. Внизу, конечно, страховочная сеть, два помрежа, а все ж таки каково? К тому же площадка для танца (мизерный кружок) была стеклянной, так как в основании жерла установили прожектор, освещающий актрису снизу. Во время коротких репетиций стекло слегка нагревалось, но никто не думал, что во время съемки оно способно всерьез раскалиться. А оно именно раскалилось, и актриса почувствовала это, уже отбивая чечетку. А ей предстояло еще сесть на это стекло и спеть свои зажигательные куплеты. Пересъемка же, как мы уже знаем, грозила большими неприятностями. И Орлова села на это проклятое стекло и спела куплеты и, не дожидаясь лестницы, по которой должна была спускаться, свалилась в страховочную сеть.

Не знаешь, плакать или смеяться над подобными штуками, поскольку иногда кажется, что удача дается именно за такие муки. Во всяком случае, Любовь Петровна относилась к подобным вещам совершенно невозмутимо и вспоминала всегда с юмором («два дня потом в туалете орлом сидела»).

Правда, бывали ситуации совсем несмешные и явно лишние, которые она тем не менее воспринимала столь же здраво — как обыденную сложность жизни, и никогда, ни прямо, ни окольно, не требовала бережного отношения к своей персоне. Во время своих концертов она часто рассказывала зрителям, как снималась сцена, где Марион Диксон, сидя на полумесяце, кругами летающем над ареной, распевала «Лунный вальс».

«Меня закрепили на маленьком велосипедном сиденье и крутили всю смену — восемь часов! И докрутили до того, что я была больна дня три — как от морской болезни».

Между тем все было гораздо, гораздо драматичнее. Любовь Петровна с юности страдала «болезнью Миньера». Яркий цвет, резкий свет, нервная встряска, не говоря уж о таких круговоротах, как вышеописанный, вызывали у нее подчас самую болезненную реакцию: головокружение, рвоту, физическое бессилие. Так было и в тот раз, и многие заметили, что на съемочную площадку она вернулась вконец изможденной. Хотя, как всегда, улыбалась и бодро делала свое дело. Разумеется, рассказывать об этих подробностях зрителям на концертах было бы глупо.

Кому не известно, сколь неприглядна порой изнанка кинопроизводства? Для осветителей, звукотехников, пожарников, реквизиторов, ассистентов, рабочих — тех, кто воочию видит пот и кровь, видит всю эту нервную, склочную, муторную суету, — по идее не должно существовать магии творчества, магии творца. Наверно, для кого-то и не существует. И тем не менее проверено: даже там она, эта волшебная магия, умеет не пропадать — пробивается сквозь изоляцию всей этой сорной и пыльной, этой подсобной, подручной производственной маеты и хочешь не хочешь заставляет себя ощущать. Любовь Петровна была сполна наделена умением и талантом вызывать это ощущение — всегда и везде. Не было такой ситуации, в которой она могла бы хоть на минуту потерять свое женское или творческое лицо.

Пролог к «Цирку» — пробег героини с ребенком за уходящим поездом — снимался под Москвой на станции Суково. И в первый же день съемки «суковатое» название себя оправдало (теперь эта станция именуется более благозвучно — Солнечная). Споткнувшись о камень, Любовь Петровна плашмя упала на угольный шлак. «Ребенка» (куклу) она, естественно, уронила, в кровь рассадила обе коленки, разорвала чулки, заодно зацепилась юбкой о какую-то железку. Поднялась она в плачевном и, прямо сказать, неприличном виде, но в момент подавила и боль, и стыд, и злость — только сморщила досадливую, чуть нарочитую гримаску. Деловито оправляясь, кинула растерянной толпе: «Ребенок-то жив?»

Характерно и то, что для нее практически не было разницы между творческим лицом и женским. Одно подразумевало другое. Женственность была ее формой (маской) и ее содержанием. И отсутствие таковой в женщинах ее обижало, коробило — потому как бросало тень и на нее, женщину «Божьей милостью». Унижало ее, как унижает воспитанного человека невоспитанный родич. Любовь Петровна попросила Александрова убрать из кадра (снимался эпизод, где вторым планом шла закулисная цирковая жизнь) двух силовых акробаток. Их мускулистый, кряжистый вид плохо действовал на нее. Она никогда не стремилась выигрывать на таком «самоигральном» фоне — напротив, любила окружение красивых лиц и красивых вещей. Для нее не было уважительных причин, способных оправдать женскую грубость, опущенность, неприглядность, разве что это было артистической задачей или артистической маской, — как у любимой ею Раневской, которая виртуозно шаржировала свою антиженственность.

Большинство памятных житейских впечатлений, как я заметил, было связано у Любови Петровны именно с этим ее восприятием женской сути. Как-то раз в конце сороковых по дороге в Семипалатинск ее машине «повезло» крепко застрять в пустынном и безлюдном месте. Бродя с Мироновым по окрестностям, они наткнулись на небольшое скопище ветхих сарайчиков, где, судя по дымкам, по развешенному на веревках тряпью, жили люди. Было жарко, хотелось пить, и потому они рискнули постучаться в ближайшую дверь. Дверь открыла женщина, как потом выяснилось, немка.

Все быстро разъяснилось: артистов занесло в одно из тех мест, куда зимой 1942 года — на голод и холод, на верную гибель — буквально выбрасывали поволжских немцев. Без домашней утвари, без запасов вещей и одежды. Но Любовь Петровна была потрясена не этим (рискованные политические вопросы она и на дух к себе не подпускала — «не нашего ума дело»). Ее поразила убогость жилища и его... чистота. Каждая щепочка вымыта, каждая плошка блестит, каждая тряпица аккуратно свернута и лежит на своем месте. На детях застиранная, заплатанная, но опрятная одежонка. В сарайчике душно, но ничем не пахнет. На обратном пути она напомнила Миронову, какой дух был в богатой казахской юрте местного начальника, куда накануне их зазвали поужинать.

Вечером в гостинице Семипалатинска Любовь Петровна снова вернулась к этому нежданному впечатлению: «Вот, Лева, какой урок жизни! Вот так, только так должна содержать себя каждая женщина. В какой бы дыре ты ни оказалась, в каком бы дерьме ни плавала, не опускайся, будь красивой. Лопни, а держи фасон!»

Любовь Петровна по себе знала, каково дается женщине личный и деловой успех. Она сама прошла через тернии к звездам, обдирая в кровь и душу, и тело. Вкалывала, как каторжная. Знала цену своим поражениям и победам. И потому, как никто, имела душевное право утверждать на сцене и на экране всемогущую женственность.

Нетрудно представить, какой успех обрушился на Орлову после выхода «Цирка». Премьера состоялась в мае 1936 года в ЦПКиО, в новом, только что отстроенном Зеленом кинотеатре. Это был гигант на двадцать тысяч мест — самый большой кинотеатр страны. Таким образом, показ оказался своего рода премьерой и для кинотеатра.

Обе эти премьеры породили столь великий ажиотаж, что очередь за билетами на другой день эскортировали конные милиционеры, а большинство парковых аттракционов пришлось закрыть, дабы не пропустить на территорию потенциального «зайца». Но это еще что! Надо было видеть, какую рекламу отгрохали кинофильму в центре Москвы, на Страстной площади. Колокольня Страстного монастыря (ныне снесенная) была приспособлена под гигантскую фанерную фигуру Марион Диксон в сопровождении «герлс»... Искрящийся плащ, перья над головой... Поскольку небоскреб «Известий» находился несколько в стороне, а более высоких зданий по бульвару тогда еще не было (в том числе и дома напротив «Известий» на другой стороне Тверской, где поселятся через четверть века Орлова и Александров), это беспримерное сооружение, усеянное электрическими лампочками, виднелось аж от Никитских ворот.

В июне того же года состоялась премьера в Ленинграде. Ленинград почему-то особенно жаловал Любовь Петровну. Это было обожание, страстное и бережное одновременно. Ее концерты проходили обычно в Колонном зале бывшего Дворянского собрания — как по старинке называли здание коренные жители. Здесь же, буквально через дорогу, находилась и гостиница — знаменитая «Европейская», где всегда останавливалась Любовь Петровна и ее ближайшие спутники.

К концу концерта в проезде собиралась толпа столь огромная и густая, что останавливались трамваи на проспекте 25 Октября, то есть Невском. Характерно, что давки никогда не было (все-таки петербуржцы!). Плотно сбитая меж домов масса даже при желании не могла раздаться в стороны и дать проход от подъезда к подъезду. Приходилось после концерта ждать, пока администрация филармонии не подберет восемьдесят здоровых мужчин (иногда из той же толпы), и в этом живом кольце, грубо раздирающем возбужденную толпу, натянуто улыбаясь, двигалась Любовь Петровна бок о бок с Мироновым. Он держал ее под руку. Крепко-крепко.

В те дни, когда в Ленинграде проходили премьеры «Цирка», в городе гастролировал МХАТ, и Александров отправился на спектакль, пока Любовь Петровна давала очередной концерт. Возвращался он в «Европейскую» в одной машине с Тарасовой, Москвиным и Тархановым. Неожиданно «эмку» перехватила милиция и вежливо объяснила, что проезд по проспекту временно остановлен — впереди огромная толпа, ждут выхода знаменитой киноартистки Орловой.

Корифеи МХАТа молча переглянулись, посмотрели на смущенного Александрова и... засмеялись. Москвин, добродушно вздохнув, выдавил: «Да-а, вот это синема!»

Иных не в меру горячих точек она откровенно побаивалась и, обжегшись раз, предпочитала в дальнейшем избегать. Так было с Одессой, которая приняла Любовь Петровну — как раз после «Цирка» — уж чересчур по-одесски... Не просто темпераментно, но даже как-то и ошалело — хотя и не без артистизма, тоже чисто одесского.

В первый же день, едва она вышла из подъезда «Лондонской» — хотела зайти на почту, дать телеграмму Александрову (верный Миронов, как всегда, был рядом), — какой-то уличный пацан узнал ее и завопил: «Остановитесь, господа! У нее черный ребенок!» (реплика Кнейшица). И уже через три минуты за ними двигалась изрядная толпа, которая разрасталась так быстро, что гастролеры в перепуге вернулись обратно в гостиницу.

Но тайна ее проживания уже была раскрыта. К вечеру у здания гостиницы собралась такая толпища, что выехать со двора можно было только на броневике. Автопарк «Интуриста» предоставил Орловой шикарный «Линкольн», и шофер с тоской прикидывал, во что обойдется машине ее крестный путь от гостиницы до биржи. Там, в самом большом концертном зале Одессы, проходили выступления Орловой.

Шофер не ошибся, а вскоре и все другие шоферы Одессы, даже самые страстные поклонники кино, стали дружно отнекиваться от почетных рейсов. Ослепительные лимузины возвращались в парк исцарапанные, помятые, а порой и скособоченные.

Но еще круче был обставлен выезд со двора гостиницы. У железных ворот изнутри вставали служащие с ведрами воды — человек пять-шесть, и как только ворота растворялись... И так приходилось поступать каждый раз, хотя **этот** номер ни для кого уже в городе не был секретом. Ничто не могло остудить ретивых одесситов.

Перед концертом приходил начальник пожарной охраны и провожал к пожарной лестнице, по которой спускались во двор, — выйти иначе было невозможно.

Бабель, бывший тогда же в Одессе, писал Александрову: «Если Вы хотите знать, что делает Ваша жена, могу сообщить во всех подробностях. У «Лондонской» толпа, а на деревьях напротив ее окон сидят мальчишки и обо всем докладывают вниз: «вошла... взяла полотенце... переодевается...»

В Одессе Любовь Петровна впервые всерьез ощутила оборотную сторону своего триумфа — разнервничалась, плохо спала. К тому же напротив гостиницы на бульваре с утра и до ночи гремели громкоговорители, и никто, невзирая на просьбы обожаемой артистки, не брался утихомирить их. Особенно часто звучали песенки из кинофильма «Цирк», и это вдвойне раздражало — приходилось злиться на саму себя.

Когда гастроли уже заканчивались, в номер к Миронову явился вежливый капитан НКВД и попросил от имени своих товарищей «сделать» один концерт для чекистов. Миронов объяснил, что времени для этого нет — все до отъезда расписано, сама же Любовь Петровна в таком состоянии, что впору убавить, а не прибавить концерты. И заодно помянул про зловредные громкоговорители. Капитан обрадовался: «Мешалки эти мы в момент уберем, а вы уж похлопочите за нас! А то как-то нехорошо получается — в воинской части дали, а «за чекистов» забыли»...

Мешалки тут же замолкли, а чекистам был дан ночной концерт, к концу которого Любовь Петровна совсем обессилела и пела не своим голосом. Видимо, это была уже последняя капля, — в гостинице она расплакалась и, всхлипывая, бормотала, что никогда больше не поедет в Одессу.

Но ездила, и не раз, — дело есть дело.

Иногда кажется, что оглушительный успех Орловой в «Цирке» в значительной степени был обусловлен ее единственностью. Зарубежных звезд музыкального кино советский зритель еще не знал, свои, помимо Орловой, появились чуть позднее. Однако практика зрелищных искусств показала, что конкуренция здесь чаще работает не на понижение, а на повышение спроса, что зритель быстро улавливает меру и качество своеобразия каждой новой звезды и не торопится переносить часть восхищения с одного объекта на другой. Да что говорить: звезд вообще никогда не бывает слишком много, никогда не хватает на все закутки и закоулки зрительской души.

Было время, когда совмещение нескольких звезд в одном кинофильме считалось вредным, коммерчески несостоятельным. Однако это неписаное правило не соблюдалось так уж неукоснительно, и многочисленные исключения из него бывали порой очень плодотворны — разумеется, при умелом сочетании «своеобразий».

Наличие целого пантеона равносильных богов вовсе не означает равномерного распределения между ними религиозного чувства — напротив, необходимость одного еще сильнее подчеркивает необходимость другого.

Орлова легко перенесла потом все сравнения — правомерные и произвольные. Ее никто не потеснил, не затмил. Ни новоявленные советские звезды, ни светозарная зарубежная плеяда, заполученная нами главным образом «в качестве трофея». Конечно, первенство Орловой в какой-то мере было предопределено ее... первенством. Она стала первой в СССР музыкальной кинозвездой. Но затем трижды — нет, четырежды — это первенство подтверждала, и никто из советских музыкальных звезд не мог и не пытался его оспорить. Пожалуй, только три заграничные современницы Орловой заставили сердца зрителей трепетать столь же сильно: Франческа Гааль, Марика Рёкк и Дина Дурбин.

Тут надо заметить, что Орлова предстала перед советской публикой в некотором роде и первой звуковой зарубежной звездой — Марион Диксон. Иностранность героини сработала на ее славу очень даже ощутимо. И дело тут не в одной заморской экзотике — хотя она всегда действенна. Обновленная, осовеченная Марион в заключительном аттракционе, может быть, и прекрасна, но как-то... бесплотна. И прямо скажем, несколько пресновата — напоминает «фосфорическую женщину» из «Бани» Маяковского. В карнавальном шуме и блеске это не очень замечаешь, но подсознательно фиксируешь. А подлинная Марион Диксон хоть и не столь безупречна, не столь монументальна, зато пленительна своей зажигательной игривостью, своей чувственной и немножко порочной красотой, своей чертовщинкой (недаром она подручная дьявола Кнейшица). И конечно, своим страданием. Не случайно почти на всех открытках, плакатах, рекламных панно Орлова представлена как Марион Диксон (в первом своем «выходе»), а не как покорительница стратосферы или демонстрант-физкультурница.

Орлова не испытывала никакой мелочной зависти к зарубежным звездам. Правда, она не любила «при себе» восторженных разговоров, возбужденных толков о других актрисах, но это по-человечески так понятно. Конечно же, ей, как актрисе и женщине, не было чуждо желание первенствовать, но оно никогда не проявлялось откровенно — кто-кто, а она умела держать себя в руках. И коль уж на то пошло, она и в скромности старалась не уступать никому. Шутила: «Скромность хороша, когда она кричит».

К тому же Орлова всегда почитала чужое мастерство — как и положено сильному мастеру. Не знаю, как она относилась к Марике Рёкк, но Франческа Гааль ей нравилась. Когда весной 1945 года та оказалась в Москве и ВОКС организовал встречу с московской артистической элитой, Любовь Петровна, как вспоминал Александров, с охотой и тщанием, явно немного волнуясь, готовилась к свиданию с очаровательным «Петером». Сидя с маленькой, на удивление быстро пришедшей в себя после тяжелейших невзгод венгеркой в одном из уютных зальчиков морозовского особняка, она поведала собеседнице, что ей тоже однажды довелось побывать «маленькой мамой». Рассказала про «Цирк». Отдаленное сходство сюжетных мотивов умилило обеих.

К Дине Дурбин, Джанет Макдональд и Милице Корьюс — потрясательницам сердец в ту же пору — Любовь Орлова относилась как бы... никак. С очень умеренной симпатией, хотя фильмы их смотрела охотно и даже порой пересматривала. Любовь Петровна лишь со временем, далеко не сразу стала тревожиться за своего зрителя. Она видела его со сцен театральных и концертных залов, вблизи гостиниц и служебных подъездов, читала записки и письма. Хорошо ощущала свое всевластие над ним и не желала сомневаться в его верности — потому и отчаянно сберегала свою молодость.

Впрочем, невозможно закончить эту тему, не сделав одной маленькой, но существенной оговорки. Было все-таки одно исключение. Да, было, было одно звездное имя, которое вызывало глубокую — и пожалуй, чисто женскую, ревнивую неприязнь Любови Петровны. Марлен Дитрих. Похоже, тут не было серьезной творческой ревности, — я не уверен даже, что Орлова видела что-либо, кроме «Свидетель обвинения». Тут было именно неприятие, ревнивое неприятие личности.

Эта странная на первый взгляд реакция была посвоему объяснимой. Любовь Петровна чутко уловила в Марлен Дитрих особый пошиб, особую, недоступную ей — титулованной советской звезде — форму миропонимания и мироощущения. Заочно унижающего ее. Что это была за форма? Органично-дерзкое, но нимало не распущенное свободомыслие. И непринужденная, смелая самостийность. И гражданская проницательность и принципиальность (достославный вызов нацизму). И победительность в интимных «опасных связях». И триумф в Германии и в Штатах. И лавры в фильмах знаменитейших режиссеров. И смелая модность (брючный костюм в 30-е годы!). И спокойное, безнервозное одоление времени, одоление возраста (что для Орловой с годами становилось все более болезненной проблемой). И свободное знание двух европейских языков кроме родного немецкого (Орлова могла лишь чуть-чуть объясняться по-французски).

Вдобавок ко всему они были не то чтоб внешне похожи, но не очень и разнились (абрисы, в общем-то, совпадали). А уж в знаменитых своих цилиндрах и подавно. Трудно сомневаться, что цилиндр Орловой в «Веселых ребятах» был заимствован из «Голубого ангела» (который видел в Германии Александров).

Она встречалась с Марлен раза два или три в Америке, во время небольших артистических раутов. Их фотографировали — в компании других знаменитостей. Любовь Петровна никогда не становилась рядом с Дитрих, а на полученных снимках потом вырезала или отрезала последнюю. Одна из таких искалеченных фотографий оказалась на даче в кабинете Александрова.

...Мнение критики, сгоряча и безоговорочно поместивших Орлову в одну нишу с зарубежными «стар», было, конечно, поверхностным. Ее национальная и социальная неповторимость ощущалась уже в «Веселых ребятах». В «Цирке» же она проявилась, как видишь сегодня, весьма броско. Но главное, многие рецензенты совершенно точно определили суть образа, созданного Орловой. В газете «Свенска прессен», к примеру (от 1 июня 1936 г.), находим такое: «Марион Диксон, она же

Любовь Орлова, не так уж убедительна, как американка, но являет себя симпатичной и впечатляющей представительницей современной русской женщины».

Была ли Орлова убедительна как американка или это только казалось простому, малопросвещенному советскому зрителю? Думается, скромный шведский рецензент был прав. Чего не заметил и не мог заметить простой советский зритель, это пародийности образа. Марион Диксон, конечно же, сильно утрированная американская звезда — и в эксцентриаде, и в лирике. Американский зритель вряд ли воспринял бы ее всерьез.

Другое дело, что рецензент не совсем точно выразил позитивную часть оценки. Орлова была не просто «симпатичной и впечатляющей» — она была образцовой, примерной. Идеальным — с точки зрения политической конъюнктуры — воплощением женской миссии.

Эту миссию Любови Петровне пришлось волей-неволей воплощать и в жизни. Советская реальность моментально потребовала от нее житейского соответствия тому идеалу, который она рекламировала с экрана. В будущем ей предстояло стать депутатом, орденоносцем, лауреатом Сталинских премий, занять почетные общественные посты, выступать, где надо, и говорить, что надо. А началось все именно с «Цирка».

Наверно, Любовь Петровна хотела бы забыть этот эпизод — как и многие, многие другие, но сегодня для полноты картины его следует воспроизвести.

В 1936 году кремлевская власть, следуя мудрому указанию товарища Сталина, предложила народу обсудить — и, естественно, единодушно одобрить — проект закона об абортах. (За год до этого подобную акцию осуществили в Германии национал-социалисты.) В пропагандистской кампании были задействованы лучшие люди страны — точнее, лучшие женщины. В их число попала и она, заслуженная артистка РСФСР, только недавно получившая это звание (равнозначное званию «государственный артист» в той же нацистской Германии). Свое мнение она должна была высказать по радио, на всю страну. И вот с помощью одного из ответственных радиоредакторов был подготовлен и зачитан ею такой текст (разумеется, я привожу выдержку):

«Совершенно замечательно, что правительство вынесло проект «О матери и ребенке, о семье, разводах и абортах» на обсуждение широких масс.

Мудрый проект, проверенный на массах советских граждан, становится историческим событием, и трудно понять, какое огромное влияние окажет он на последующее развитие человечества.

Трудно еще определить, какие грандиозные последствия последуют (стилистика оригинала сохранена. — М. К.) *за проектом для наших детей, для светлого будущего нашей Родины. Вот почему мне хочется с полной откровенностью приветствовать проект в целом и сделать несколько дополнений к некоторым его пунктам».*

Далее актриса предлагает уточнить «пункт об алиментах» — «нерационально наказывать отца-неплательщика тюрьмой, его надо заставить работать», приветствует пункт об ограничении разводов и вносит смягчающую поправку в «пункт об абортах»:

«Так же, как и во всем, в пункте об абортах не должно быть обреченности. В нашем советском обществе есть много самостоятельных женщин, много профессий, в которых женщина успешно конкурирует с мужчиной... Беременность вырвет женщину из ее работы, может быть, в тот момент, когда она завершает грандиозный проект или готовится к героическому перелету, или завершает работу над большой ролью, для которой она потратила несколько лет своей жизни, и, может быть, в этот ответственнейший момент своей жизни, своей общественной и политической биографии она вынуждена все бросить и потерять год времени...

Пусть в таких случаях женщина родит несколько позже. Пусть в таких исключительных случаях ей будет разрешен аборт. Пусть женщина знает, что закон — это не рок.

Мне кажется, что в последнее время все женщины собираются рожать, что всем хочется иметь ребенка. Мне самой хочется иметь ребенка, и я его непременно буду иметь. И это естественно. Условия нашей жизни улучшаются с каждым днем. Жить все радостнее и веселее. Будущее еще более замечательно. Почему не рожать?

И поэтому, мне кажется, и не надо создавать непреложности. Мы так счастливы, так горды своей Родиной потому, что мы не знаем обреченности. Мы поем в нашем фильме:

Всюду жизнь и вольно, и широко,
Словно Волга полная, течет.
Молодым везде у нас дорога,
Старикам везде у нас почет.

Пусть будет и для женщины везде дорога! Пусть у нее будут все возможности достигать высот современной культуры, героизма, мужества! Пусть, когда этого требует долг, она не останавливается перед абортом для его выполнения и рожает в подходящее для нее время».

Это прозвучало по радио полторы недели спустя после премьеры «Цирка» (в Зеленом театре 3 июня 1936 года). Многие из ее друзей и знакомых восприняли пассаж насчет ребенка всерьез — как обещание подать пример широким массам, причем в ближайшее же время... Иные смельчаки при встрече, интимно понижая голос, по-свойски, полушутливо спрашивали: «Ну, когда?..»

Когда я спрашивал Александрова, почему у них с Орловой не было детей (а спрашивал я раза два-три, надеясь однажды услышать более обстоятельный, нежели обычно, ответ), он закрывал тему короткой фразой: «Сначала она не хотела, потом не могла». Сперва я подумал, что это, наверное, так и есть, только внес про себя небольшую коррекцию: не могла она, потому что очень не хотела. Прежде всего не хотела — ни сначала, ни потом. Это ощущалось слишком явно. Ребенок означал огромный риск для ее внешности, для ее артистической карьеры, а ничего важнее двух этих целей она себе не представляла. И ради них без раздумья пошла бы на любой по счету аборт.

К детям Любовь Петровна относилась, как нетрудно было заметить, с большой прохладцей. Держала дистанцию. Наверно, они с какого-то момента начали раздражать ее неуправляемостью, неспокойствием, а может быть, подсознательно и своей молодостью — невольным напоминанием о ее летах.

К Дугласу, сыну Александрова от первого брака, она относилась ровно и дружелюбно, но никакой мачехой ему не была и к воспитанию его руку практически не прилагала. Что вполне устраивало Александрова, который и сам-то не очень занимался сыном.

Однажды летом 1947 года они с Александровым были в гостях на даче у известного конструктора авиадвигателей Александра Микулина. Тяжеловесный, с наголо обритым черепом, с дубоватыми манерами, генерал был женат на одной из красивейших актрис Москвы, вахтанговке Гарэн Жуковской. Крепко выпив, он стал отпускать комплименты Любови Петровне, ее красоте, таланту, уму и вдруг, переполненный чувствами, чуть не плача, посетовал, что не познала она — такая женщина! — радостей материнства. Всех сидящих за столом слегка передернуло. Жена полушутливо, но с явной досадой хлопнула его ладошкой по лысине. Но Любовь Петровна спасла положение — весело засмеялась и громко объявила: «Познала! Сполна познала. Мой Гришенька сто очков любому младенцу даст. С меня его одного вот как хватит!» И это была сущая правда...

Однако позднее эта деликатная частность осветилась для меня чуть подробнее. Не побоюсь поделиться ею, хотя элемент публичного риска заведомо чувствую. И дело не только в том, что Орлова сказала в своем звучном радиовыступлении неправду. (Возможно, была вынуждена сказать ее). Речь идет о секретной *тени*, которая помимо более-менее легального нехотения, обрекла Любовь Петровну на бездетность. Очень немногие близкие люди знали, что она была крайне неохоча (мягко выражаясь) до сексуальных отношений. Вообще. Практически до отвращения. Когда Дуглас Александров, чуть подвыпив, сказал мне об этом, я не очень поверил. Потом об этом же мне сказал Утесов. А потом и Шаховская, игриво подтвердившая эту ходкую, но отнюдь не пустую сплетню. А позже мне попал в руки стихотворный экспромт Лебедева-Кумача, знаменитого сочинителя всех главных песен к фильмам Александрова. Кстати, Орлова в шуточных стихах (она часто ими баловалась) довольно остроумно упомянула поэта (речь там шла об эвакуации 41-го года):

... Вот и Лебедев-Кумач –
Наш маститый, наш трепач!
Вещи наши — детский лепет,
Вот у Васи — это да!
Как он свой багаж ни лепит,
Он не лезет никуда.

Случилось, что в конце сороковых годов впавший в какое-то истерическое, болезненно-покаянное настроение (в основном по поводу своих патриотических песен) Василий Иванович выдал такой шедевр — в духе гаерских шлягеров:

И хочется снова и снова
Сказать мне про Любу Орлову,
Которая, честное слово,
Была разнесчастной звездой.

Скажу я, хоть это не ново,
Что с этою Любой Орловой
Судьба поступила сурово,
Ее обделивши п........ой.

По дурости (а возможно, тоже в подпитии) он выдал этот экспромт своим внуковским гостям, из которых кое-то не поленился его записать. И все! Сотворчеству и дружбе — хотя последняя и была далеко не закадычной — сразу пришел конец... А Любовь Петровна так и осталась бездетной, однако ничуть (по ощущениям близко знавших ее людей) не страдала от этого — так же, впрочем, как и Александров, которому вообще любовные и чувственные влечения были приметно чужды.

АМЕРИКА РОССИИ ПОДАРИЛА ПАРОХОД

Краса полуночной природы,
Любовь очей, моя страна,
Твоя живая тишина,
Твои лихие непогоды...
Твои леса, твои луга,
И Волги пышные брега,
И Волги радостные воды...

Николай Языков

Немного истории... В 1933 году Ильф и Петров написали пьесу-обозрение «Под куполом цирка». Ее премьера состоялась в Московском мюзик-холле. Александров предложил им переделать пьесу, имевшую тогда большой успех у зрителей. Ильф и Петров привлекли к работе Катаева, который помогал разрабатывать сценарные ходы. Тут же появились разногласия — режиссер последовательно смещал тематические акценты. Затем Ильф и Петров уехали в Штаты. В отсутствие сценаристов Александров обратился к Бабелю. Он придумал Пролог и Колыбельную. Изъял некоторые сцены. По возвращении трио сценаристов отказались принять поправки и распорядились снять свои имена из вступительных титров.

Основной темой сперва было конкретное и популярное «догнать и перегнать». Марион, обучая Райку, произносит волшебное слово эпохи реконструкции —

ТЕМП. «Темпо, Райка! Где твоя темпо?!» Это была тема нового аттракциона.

Затем Александров увлекся злободневной антирасистской темой, где главная роль отводилась героине Орловой. Затем эта тема органично влилась в новую — ставшую в конце концов главной. Тему Родины. Самой счастливой и навсегда победительной Родины.

Это была столь же конъюнктурная тема, сколь и самая злободневная, пафосная и монументальная. Самая вдохновляющая и самая… химерическая. Страна рекламировала свой взлет. Страна укрепляла свой авторитет во всех сферах. Первые победы торопливо воспринимались как окончательные. Праздничный размах проникал во все жизненные формы, в том числе и в искусство. Засев колоннадных фасадов, дворцы метрополитена, державные живописные полотна, курортные комплексы, гипсовые статуи, триумфальные арки, помпезные театральные постановки. Съезды, слеты, совещания, парады (не отсюда ли издержки вкуса в «Цирке»?). Внешний блеск передавал высокий эмоциональный накал — как казалось, сущностный накал счастливой эпохи...

Притом в сознании советского человека утверждался именно женский образ Родины и ее столицы. Вера в Родину-мать поддерживалась праздничными демонстрациями, бодряческими песнями, широковещательными кампаниями, связанными со спасением полярных экспедиций, потерпевших аварию экипажей, жертв зарубежной реакции. Печать, наглядная агитация, радио, школа — все аспекты пропаганды вносили весомую лепту в этот концепт. Приехавший в 35-м году в Страну Советов знаменитый негр Поль Робсон включил в свой постоянный репертуар «Песню о Родине».

Праздничное начало было, разумеется, не всеохватным. Но оно все-таки не было чистой воды обманом. Оно тоже было правдой жизни. И не столько даже реальных процессов, сколько навязанных и разделяемых большинством представлений о времени. Искусство оказалось точным в передаче умонастроений, мировоззрений людей той эпохи, их публичных и сокровенных желаний.

Середина 30-х годов — годы утверждения единого стиля, т.н. Большого стиля. Ведущим методом искусства, как известно, стал социалистический реализм — ему и предписывалось определять стиль. Практически нормативно! То есть стиль, что отмечал один из авторитетных знатоков нашего кино Леонид Козлов, был не объективной категорией, а заданной официально. Нормативной. Идею стиля питало ощущение абсолютной прочности, передовитости и надежности советского государства. Уверенность, что историческое величие социальных процессов уже автоматически должно вызывать великое искусство.

Художественный стиль, заведомо ориентированный на создание шедевров, был изначально сомнителен и опасен. Создатели фильмов, заведомо помня об их сугубой публичности и боясь ненароком уклониться от «генеральной линии», старались держать свое вдохновение в рамках общепринятого регламента и лишь намеком, лишь по мелочи, лишь притворно, лишь замаскированно, лишь под прикрытием безопасных традиций позволяли себе доносить до зрителя многозначный трепет живой жизни.

Ценность комедий Александрова и Орловой в том, что они нашли и реализовали форму условности, способную вместить и передать оптимизм времени. Их фильмы представляли собой сплав ревю, пародии, эксцентрики, мелодрамы, сатирической и лирической комедий, американской комической школы. Недаром кто-то из критиков тогда же назвал их фильмы «жанровым нонсенсом»

Вопрос о формах условности вставал перед искусством 30-х годов. В кинокомедии в первую очередь. Устремляясь в сторону демократического потребителя, она старалась найти в житейской достоверности подтверждение великих идей. Но рядом существовал и страх перед достоверностью, жизнеподобием, боязнь утратить в ней праздничный дух эпохи. Отсюда стилистическая двойственность. Другой авторитетный критик, Юрий Ханютин, отмечал в тогдашнем кинематографе «неповторимый сплав достоверного и легендарного, обыденного и возвышенного». Я бы уточнил задним числом: не легендарного, а мифического.

Не самый громкий из лозунгов той эпохи гласил: «Помножим американскую деловитость на русский революционный размах!» Вот тут-то и крылось основное расхождение между Александровым и Ильфом с Петровым. Им хотелось сделать главной темой именно деловитость. Александрову был нужен **размах**. Последнее, конечно, проще (*киношнее)* и эффектнее. Отсюда его видение сюжета и темы. Отсюда же лихое, свободное, волюнтаристское отношение к материалу. Размах так размах! Он использует низкие жанры, со всей щедростью гримируя и наворачивая их стандартные ходы и приемы — порой выворачивая их наизнанку. Чисто цирковой номер он избыточно уснащает бурлескной, кафе-шантанной эстрадой... Декорирует триумфальный финал грандиозным тортообразным пандусом, осыпаемым десятками парашютиков... Берет тривиальную комедийную ситуацию — трусоватый обыватель в клетке со львами — и победно выворачивает ее... Берет реальную мелодраму и реально разоблачает ее: тайна Марион и злодейство Кнейшица лишены в советской стране подлинной трагичности.

И роль Марион наглядно выказала бескрайний **размах** мастерства Орловой. Именно она возвела ее на пьедестал звезды, и в этом смысле Орлова опередила всех своих современниц. Хотя играла разных персонажей, очень подчас несхожих. Но... звездой был образ самой актрисы, в которой зритель не ощущал пределов ее возможностей...

...«Цирк» сделал свое дело. Образ идеальной советской женщины был зафиксирован. Уверенный взгляд, горделивая осанка, спортивно-парадный облик, бьющий через край темперамент, деловитый напор, озорная улыбка явили комплекс, ставший практически каноном. Теперь предстояло его уточнить, дополнить. И, следуя логике исторического процесса, довести до символической однозначности, превознести до сущей фантастичности.

И вот, через два без малого года, кинозалы страны огласились новой песней, продолжающей тему «широкой родной страны». Это была песня о Волге, которая полноводна, как море, и, как наша свободная Родина, широка, глубока и сильна. И пела эту песню истинно русская, уральская девушка по прозвищу Стрелка, по имени Дуня Петрова, по профессии — письмоносица. Заметим, не почтальон, а именно письмоносица — что и конкретнее, и русопятее. И была эта девушка главной героиней фильма, лучше которого уже не создавалось потом Александровым: «Волга-Волга».

Впоследствии Александров говорил, что идею этой картины заронил в него великий Чаплин — в те дни, когда принимал создателей «Потемкина» у себя на вилле, в Голливуде. Они вместе катались на лодках по океану, и Чаплин громко пел под мерные взмахи весла: «Вольга-Вольга! Вольга-Вольга!» (дальше слов он не знал). И в момент передышки мимолетом обронил: «Вернетесь в Россию, непременно сделайте фильм про Волгу. С песнями. Теперь это просто».

Не уверен, что Александров восемь лет берег и вынашивал эту идею — она могла воскреснуть и вдруг. Но именно в 1937 году настал черед ее осуществления.

Все говорило о том, что они на пороге великой славы, почета, предельного творческого и житейского подъема.

С февраля 1937 года Александров — заслуженный деятель искусств. Как неуклюже сказано в постановлении ЦИК СССР, «за выдающиеся качества кинематографического оформления кинофильмов».

С апреля 1938 года Орлова — «артистка-орденоносец» (так и обозначалось в титрах картин). Впервые она в Кремле, в Свердловском зале. Впервые пожимает руку Калинину, принимая от него высокую награду — орден Трудового Красного Знамени. Правда, ходила потом забавная молва, что наградили ее сразу двумя орденами. Притом разными. Якобы в списке, который подали на подпись Сталину, она стояла где-то в середине — в числе награжденных орденом Трудового Красного Знамени. И якобы не найдя любимой актрисы в разделе награждаемых орденом Ленина, вождь самолично вписал туда ее фамилию и, уже не дочитывая, подмахнул весь список. Ничего не оставалось, как вручить ей оба ордена: один явно, другой тайно.

Это чистый вымысел, хотя по-своему не такой уж фантастический (похожие трюки со сталинской подписью имели место в других случаях — свидетельством тому два совмещенных архитектурных варианта, венчающих фасад гостиницы «Москва»). Тем более что прошло всего десять месяцев и Любовь Петровну действительно наградили орденом Ленина. Видимо, такая необычайная скоротечность и спровоцировала чье-то воображение на подобную выдумку.

Когда Сталин увидел впервые Орлову на кремлевском приеме, он умилился и, подойдя к ней, сказал: «Какая худенькая, какая бледная! Почему такая? Нездоровы?» Орлова в шутку ответила: «Вот Александров... вконец замучил съемками». Сталин обернулся к режиссеру: «Имейте в виду, товарищ Александров, Орлова у нас одна! Она — наше советское достояние. А если вы будете ее мучить, мы вас казним, повесим, а потом расстреляем. Кулик (один из первых и самых безмозглых маршалов. — *М. К.*), где твоя артиллерия, которая так плохо стреляет?»

...В августе 1937 года они в Кисловодске. Впервые в доме отдыха. Было жарко, весело и беззаботно. Фотокамера Александрова фиксировала их частную жизнь со всей добродушной, откровенной шаловливостью — большинство снимков Любовь Петровна потом уничтожит. Осталось немногое, и это немногое кажется мне очаровательным: прекрасное загорелое женское тело, озорно прикрываемое, точно мандолиной, экзотической пальмовой веткой.

Примерно тогда же они и поженились. Официально. Это могло бы произойти и раньше — больших помех, в общем-то, не существовало, но было много маленьких, моральных и материальных. Теперь исчезли и они.

Впервые у них появилась своя квартира — до этого приходилось снимать и не везде «со всеми удобствами». Появились именитые и приятные соседи: Юткевич, Москвин, Образцов, Немирович, Мессерер... Свой круг...

Впервые появилась и домработница — расторопная и говорливая старуха, любившая потолковать с предметами домашнего обихода: с примусом, умывальником, плитой, ковром и ковровой щеткой... Ее каламбуры смешили и хозяев, и гостей и невольно внедрялись в их язык: «Температурную газету читали?», «Домуправ приходил, два противотаза принес — вон лежат», «И по какому ж поводу кискуссия?».

Впервые завели собаку — светло-серую овчарку, не самых благородных, но все же хороших кровей. И дали ей веселую, чуть-чуть хулиганскую кличку Раздень. Собака была добродушна и кидалась навстречу гостям с самыми лучшими побуждениями, но окрик хозяев — «Раздень! Раздень!» — повергал иных посетителей в полную панику. Собака жила на даче.

Да, именно тогда, в 1937 году, и затеялся дачно-строительный кооператив во Внукове и началось дачное житье — сперва урывками, потом, по мере обживания и обустраивания, все более и более долговременное. А рядом — забор в забор — Василий Лебедев-Кумач: дом с готической башенкой, с круглым оконцем, резным балкончиком — ни дать ни взять «дворец Джульетты». А неподалеку Леонид Утесов. А чуть чуть подальше к оврагу — Исаак Дунаевский. Соседи. Соавторы. Те, что создали когда-то знаменитую песню о песне, которая «строить и жить помогает». Те, что создали главную песню предвоенной эпохи — о широкой родной стране. Те, которым предстояло в ближайшее время создать песню о Волге — полноводной, как море, и свободной, как советская жизнь.

Зимой 1937 года Александров собирает на монтажном столе документальный фильм «Доклад проекта Конституции СССР на VII Чрезвычайном Всесоюзном съезде Советов» (съемку делали операторы кинохроники). Это было и ответственно, и почетно. И во всех отношениях показательно. Голос художника вторил торжествующе-официальному гласу Времени. И ничто не могло омрачить в его глазах этот процесс, и ничто не могло помешать ему: ни производственные неурядицы, ни репрессивная смена кинематографического руководства во главе с Шумяцким, ни досадный арест в разгар съемок ближайшего сподвижника, превосходного оператора Нильсена (скорее всего расстрелянного сразу после ареста).

То, что должно было бы стать для художника камнем преткновения, ослабить его душевную силу, отвратить от лицевой (и лицемерной) стороны жизни, на Александрова, как и на многих других корифеев советского кинематографа, действовало обратным образом. Он инстинктивно (но на практике очень даже дальновидно) устремлялся еще ретивее, еще охотнее на солнечную, на светлую сторону, стряхивал с себя неприятности, как случайную, невесть откуда взявшуюся засохшую грязь. И Орлова была с ним в этом, как и во всем жизненно важном, абсолютно солидарна.

Это Время не знало полутонов, полумер. Полугоря и полурадости. Напряженное от нетерпения оправдать и возвеличить себя, оно было благосклонно к своим энтузиастам. К людям, способным с открытой душой и чистым сердцем — без колебаний и оговорок, без лишнего умствования, — вопреки стихиям, неполадкам, козням маловеров и нытиков, совершать невозможное. И воспевать невозможное.

Мы знаем, что и эти люди не были застрахованы от оборотной стороны Времени. От его чудовищной жестокости и подозрительности. От его глобально-болезненных капризов. От его неслучайно-случайных ударов. Но это, как правило, приходило к подобным людям неожиданно и нежданно, и потому иллюзорность их счастливого бытия не слишком доходила до сознания.

«Волга-Волга» сделана именно такими людьми — хотя и при участии «не совсем таких». Сценаристы картины Михаил Вольпин и Николай Эрдман, два ссыльнопоселенца, которым, как ни странно, разрешалось анонимно работать на советский кинематограф, разумеется, не были врагами этого Времени. Ни явными, ни тайными (скорей уж бессознательными). Просто они не могли воспринимать его с той же душевной простотой и доверчивостью, с какой воспринимали его Александров и Орлова. Особенно Эрдман, от шуток и побасенок которого (не говоря уж о двух великих пьесах) за версту несло историческим пессимизмом.

Основой же таланта и темперамента Орловой и Александрова был исторический оптимизм. Как и основой их успехов. Ни актриса, ни режиссер не могли и не желали адекватно реагировать на горькие вещи, если они впрямую не касались их благополучия. Арест Володи Нильсена, близкого и любимого человека, приложившего свою талантливую операторскую руку к успеху и «Веселых ребят», и «Цирка» и успевшего уже снять несколько больших эпизодов для «Волги-Волги», вызвал у наших героев разве что минутную растерянность. Но не более чем минутную. На вопрос ассистента: «Не отменить ли съемку?» Александров спокойно ответил: «Зачем отменять? Снимать будет Петров (второй оператор. — *М.К.)*. И в этот раз, и потом». И больше разговоров о Нильсене не было ни на съемках, ни дома.

Не будем, однако, думать, что мода, повальный спрос на исторический оптимизм, имевший место в то время, рождался из одной лишь исконной человеческой слабости (из желания «не видеть, не слышать, не говорить») и являлся предательством по отношению к жертвам этого времени. Все было, конечно, чуть-чуть... нет, не сложнее... Горше. Коварнее. Оптимизм этот был не столько сказочкою лубочно-елейного толка, сколько сказкой мифологически-мощного, страстного, боевитого духа. Мифы, создаваемые Временем, апеллировали не столько к народной фантазии, сколько — как это ни парадоксально — к здравому смыслу. К естественному желанию людей трудиться и учиться, торопить свое счастье, бороться за него, не задаваться лишними вопросами, искать кратчайших путей к разрешению всех проблем, не вешать носа, не опускать головы.

Жесткая поднадзорность над этими процессами не казалась насилием — ее воспринимали с пониманием. И не только в силу пропагандистских подсказок (капиталистическое окружение, недобитый внутренний враг, пережитки прошлого и т.д.). То была во многом безотчетная, подсознательная реакция коллективной души, смертельно уставшей от хаоса, в котором она пребывала с «германской войны» вплоть до Отечественной.

Вспомним: в течение двадцати лет народ жил в условиях чрезвычайщины. Его терзало войнами, восстаниями, голодом, безработицей, беспризорщиной... Колхозы и новостройки давались ценой крови и нечеловеческих усилий. Все это приводило к параличу воли, утрате многих позитивных ментальных свойств. Ощущение, что все страдания и жертвы напрасны, что впереди тот же, если не больший мрак, грозило народу окончательной потерей живительных токов. Угроза вполне реальная, исторически небеспрецедентная. Восстановление этих токов — мучительнейший процесс, и мы, люди девяностых и позднейших годов, хорошо это знаем.

Исторический оптимизм — пусть даже в примитивно-языческой форме — был той соломинкой, паутинкой, за которую инстинктивно хваталось общественное сознание. Другого — безобманного, антимифического — способа выжить, сохранить волевую энергию, национальное и социальное достоинство, просто жизнестойкость у народа не было. И если уж уточнять метафору, то соломинкой правомерно назвать лодку, в которую, спасая жизнь, радостно лезешь, не думая, какой курс она держит и куда тебя завезет.

Кнут был реальностью. Такой же реальностью хотелось видеть и пряник. Вот почему так жадно откликался народ на каждый рекорд, на каждый успех советской науки, техники и культуры. Чаяния опережали Время, и Время, торопясь их нагнать, горячась и гневаясь, придирчиво оглядывало себя в поисках симптомов, знаков, очевидных доказательств сбывшихся надежд. Торопясь и гневаясь, оно творило помпезные, хотя порой и жизнестойкие, суррогаты этих доказательств, но вместе с тем не забывало изредка одарять благосклонностью то «разумное, доброе, вечное», что можно было бы —

пусть с натяжкой — также причислить к своим великим деяниям. Оно поощряло всех — и талантливых, и бездарных, — кто мог показать этот желанный пряник так, чтоб в него поверилось. Чтобы его вид, цвет и запах были бы самодостаточной радостью. За встречную реакцию публики можно было не опасаться.

Недаром так охотно, так легко подхватывались народом бодрые песенки, несущиеся с экрана:

> Что мечталось и хотелось,
> То сбывается;
> Прямо к солнцу наша смелость
> Пробивается.
> Всех разбудим — будим, будим!
> Все добудем — будем, будем!
> Словно колос, наша радость наливается.

Надо ли говорить, что были в стране и другие люди, у которых сбывалось далеко не все, что «хотелось и мечталось», которые острее, будничнее и тревожнее, а то и горше воспринимали Время. Которым выпало пережить трагический разлад с ним и, конечно же, поиному понимавшим его смысл. Но не о них сейчас речь.

Любовь Орлова ничуточки не кривила душой, когда писала (а вернее, наговаривала для мосфильмовской многотиражки «За большевистский фильм»), что в фильме «Волга-Волга» она «работает над тем, что давно мечталось и хотелось», что роль письмоносицы Стрелки — «талантливой, жизнерадостной девушки, каких много в нашей стране, волновала ее больше всех предыдущих работ». Дежурность выражений, присущая тогдашнему публичному лексикону, не умаляет их чистосердечности. Заметка называлась «Мечта осуществилась», и в этой до фальши избитой фразе, обобщающей все пафосные установки Времени, можно бы углядеть зерно успеха. Актриса осуществила свою мечту, сыграв роль девушки, осуществившей мечту, и тем самым осуществив мечту миллионов, желавших лишний раз убедиться в правоте и осуществимости своих надежд.

Но все это, к счастью, не так. Не совсем так. Фильм «Волга-Волга» не вошел в пределы мифологического сознания широких масс. Остановился у края, поблизости. Остался романтической комедией — о молодых подвижниках самодеятельного (по сути, площадного, балаганного, бродячего) искусства, о неукротимости простодушно-здоровой, земной творческой стихии.

«Интересно вспомнить, как фильм был задуман», — напишет рецензент в журнале «Искусство кино» в октябре 1938 года.

Действительно, интересно. И потому процитируем монолог режиссера — он заодно поможет нам вспомнить содержание фильма.

«Действие развертывается на далеком Урале, на притоке маленькой речонки. Основное производство там — мелкая кустарная промышленность. Люди привыкли к окружающему быту, не верят, что в нем может произойти что-нибудь интересное.

Начальник кустарной промышленности считает, что он прислан сюда по недоразумению, и мечтает только о том, как выбраться из этой глуши. Окружающее он презирает и говорит, что здесь «вода мелкая, рыба мелкая и люди мелкие».

Но строящаяся неподалеку плотина поднимает уровень воды в речке, делает ее судоходной. В связи с этим начинается перемена и в окружающем. Развивается культура, прежде незаметные люди вырастают.

Параллельно с этой темой фигурирует и тема народного творчества — художественной самодеятельности.

Отплывает пароход по Чусовой, Каме, Волге и по новому каналу. Две трети действия фильма развертываются на этом пароходе. Пароход проходит через все конструкции канала Волга—Москва, и тут будут происходить все приключения делегации. Во время пути пароходика к нему присоединяются новые художественные коллективы. В Москву приплывает одиннадцать кораблей от одиннадцати республик нашего Союза.

Плывя по Волге, экспедиция останавливается у берегов, знакомится с бытом глухих местностей и их художественным творчеством. Здесь будет использован интереснейший волжский фольклор, старинные песни, частушки, пляски».

Наш читатель, хорошо помнящий фильм, наверняка пребывает в легком недоумении, поскольку ничего этого по большей части в фильме начисто нет. В нем вообще нет двух параллельных тем. Есть одна — художественная самодеятельность, где ведущую партию исполняет, как легко догадаться, Любовь Орлова. Забавно, что в монологе режиссера о ней ничего не говорится. Про Ильинского все-таки сказано: «начальник кустарной промышленности» и так далее, а про Орлову — нет.

Между тем Александров не мог не знать заранее, какую роль предстоит сыграть актрисе в задуманной ленте. Однако режиссеру, очевидно, не хотелось рекламировать будущую картину как очередную «музкомедию со звездой». Критика тех лет взывала к поиску собственной, доподлинно советской трактовки жанра, отличной от западных трафаретов. Отсюда в монологе: «перемены в окружающем»... «развитие культуры»... «рост прежде незаметных людей»... И «быт глухих местностей», и «волжский фольклор», и «одиннадцать кораблей от одиннадцати республик»...

И все это в конце концов потеснилось, ушло и уступило место маленькой письмоносице Дуне Петровой по прозвищу Стрелка. Именно она создает, а затем и возглавляет всю положительную программу действия. Программу бойкую, динамичную, вдобавок распаленную личным конфликтом. То есть опять же не личным, но лично-общественным (в духе времени), поскольку здесь, в частной жизни героини, интимное согласие целиком зависит от гражданского.

Так что борьбу маленькой письмоносице приходится вести как бы на два фронта: с врагом внешним — товарищем Бываловым, тем самым начальником кустарной промышленности, который презирает всех и вся, и врагом внутренним — молодым счетоводом Алешей Трубышкиным, который, несмотря на взаимные чувства, не разделяет ее творческих пристрастий и тоже ставит палки в колеса.

Не будем пока заходить за идейную схему этой борьбы. Не будем касаться художественных достоинств каждого из названных персонажей. Тут карты легко спутаются. Того и гляди, окажется, что герой Ильинского нам не менее симпатичен, чем героиня Орловой, Алеша же... но это, повторяю, за рамками идейной схемы.

Между тем этой схемой, суть которой ратоборство, определяется одно из главных своеобразий характера героини. Не так уж и важно, что Бывалов и Алеша — не одного поля ягоды. Что один вредит в силу чванства и несусветной тупости, а другой — просто по недомыслию. Что одного надо искоренить, а другого перевоспитать. Главное, что и та и другая цель требуют от героини максимального энтузиазма и сноровки.

Время пахло порохом. То с Запада, то с Востока тянуло боевой гарью, но запах этот не удручал, не убивал молодой кичливости, а только пуще ее бередил. Вожделенные молодежные значки — «Ворошиловский стрелок», «ГТО», «ГСО», «Осоавиахим» — крупные, веские, яркие, не на хлипких заколках — на винтиках, на стальных цепочках — грезились предварительными наградами за грядущие подвиги.

«Алик — авиатор»... «Глеб — гранатометчик»... «Петя — пограничник»... «Тимофей — танкист»... Так помогал дошколятам освоить азбуку один из популярнейших детских поэтов. А Соня? А «Соня — санитарка» — так же, как «мы с Тамарой».

И Стрелка — простая советская девушка, каких много в Советской стране, — тоже вся в радостной боевой готовности. Дать отпор! Выдать напор! И вид у нее под стать — бойцовый, походный. Лихо повязанная косынка, куртка с закатанными рукавами, сумка через плечо, плотная юбка военного покроя, сапоги.

Ох уж эти сапоги... Воистину, куда от них денешься? Кажется, совсем недавно комсомольский поэт проникновенно советовал сменить эту обувку «на что-нибудь другое», и вот — нате!

Все верно: время пахло порохом, и враги мерещились даже там, где их не было и быть не могло, но... ЗВЕЗДА в сапогах! В шершавой походной робе!

И робу эту, более присущую синеблузному театру, актриса не снимет большую часть картины — ненадолго, перед самым финалом переоденется в платье и вновь предстанет перед нами в сугубо мужской, на этот раз капитанской униформе.

Такой финал можно истолковать как прямое нарушение канона, который требовал несколько иного преображения героини под занавес, иной парадности, тем более что форма капитанская с чужого плеча и сидит на героине крайне мешковато — гротесково.

Но эта видимая непочтительность к облику актрисы на деле — чистое лукавство. Во всех мужских и полумужских одежках Любовь Петровна прелесть как хороша — как-то по-особому мила и женственна. Ей к лицу эта смехотворная униформа — как и походная дубоватая роба (куртка, мужские штаны, заправленные в сапоги), как и полувоенный костюм письмоносицы.

Кстати, не вчера замечено, что военная форма вообще идет красивой женщине. Когда стройность фигуры подчеркнута строгой юбкой, когда голенища сапог ладно обхватывают ножку, когда френч, гимнастерка или китель зримо намекают на тонкость талии, когда пилотка или фуражка, сбитые чуть на бочок, элегантно «фасонят» прическу...

За иллюстрациями далеко ходить не надо. Стоит только увидеть Орлову в «Боевом киносборнике №2», где она играет ту же Стрелку, но уже военную письмоносицу (1942 г.). Стоит увидеть ее во «Встрече на Эльбе», где она в заключительном эпизоде предстает в американской воинской форме (1949 г.). Кстати, Орлова имела во время войны звание полковника (ни больше ни меньше) и могла при желании выступать перед солдатами в военной форме, как Марлен Дитрих (правда, ходившая в рядовых). Но не желала и, полагаю, ни о чем подобном не думала.

В предыдущих картинах Орлова бросала вызов зарубежным дивам на их территории. Вот, смотрите: не хуже вас поем шансонетки, душещипательные песенки, бьем чечетку, заламываем цилиндры, разбиваем сердца и ослепляем нарядами. Пусть «Цирк» и завершался советским парадом, где Орлова шагала в рядах строго одетых граждан, все равно на плакатах, рекламных щитах, на открытках и любительских снимках она была Марион Диксон. И такой запомнилась.

В новой комедии ее звездность стала иной. По сути. По нравственной подоплеке. Стрелка нимало не заботится о личной славе, о личном приоритете. Ее успех не становится народным почином. «Первый приз» за песню никак не меняет ее общественного положения. Ей не во что преображаться. Какой она была, такой и остается — письмоносицей Дуней Петровой. Передовой, но не божественной.

Привкус небывальщины, чуда — пусть обыкновенного, житейски обоснованного, — так внятно ощутимый в предыдущих картинах, здесь упрятан и глубоко, и хитроумно. Героини Орловой в тех лентах являли собой явно недосягаемую мечту. В «Светлом пути», следующей своей картине, режиссер и актриса сделали, казалось бы, все возможное, чтоб доказать обыденность чудесного, доказать общедоступность чуда — головокружительного прыжка героини из безвестности к сияющим вершинам почета и славы — но нет! Слишком высок оказался пьедестал почета, чтобы зритель поверил, что подобное доступно всем и каждому, что нет здесь толики волшебства.

То же было и в жизни. Рекорды ивановских ткачих, Дуси и Марии Виноградовых; знаменитых летчиц экипажа «Родина» — Расковой, Гризодубовой, Осипенко; «хлопковой» девочки Мамлакат Нахонговой были, конечно, реальностью, но реальностью мифологической. Их деяния ощущались «звездными часами» эпохи, примерами исключительного (вот именно!) героизма. Именно такими — мифологическими — героинями они, по сути, и были.

Но «Волга-Волга», оставаясь романтической, никак не бытовой, не заземленной, картиной, поражала зрителя удивительно свойской интонацией, бесшабашно-веселой, едва ли не «синеблузной». Мечта здесь придвинута к зрительскому сознанию буквально вплотную. Кажется, вот она — ее можно потрогать руками, поплескаться с нею в речной водичке, перекинуться острым словцом, подпеть ей, подшутить над нею... Ведь кроме беспримерных подвигов были и другие — более рядовые, хотя и не менее характерные. Более доступные обиходному сознанию.

Наверно, мало кто помнит сейчас имена Фины Ирдуган, Таси Вагиной, Клавы Демченко, Нины Угольниковой, Веры Улитиной — командирских жен, участниц труднейшего лыжного перехода Тюмень—Москва. А в 1935 году о них немало писалось и говорилось. Иногда эти женщины шли вдоль полотна железной дороги. Пассажиры кидались к окнам, открывали их, махали руками, кричали лыжницам что-то веселое, ободряющее. Румяные героини улыбались, бросали в ответ что-нибудь озорное, не переставая взмахивать палками и размашисто продвигаться вперед в своих мешковатых лыжных костюмах. Пассажиры отходили от окон, долго еще обсуждали свежее впечатление, и, вполне возможно, кто-то говорил (как написано в одном из тогдашних очерков): «Да, если жены у них такие, какие же сами-то они, командиры наши!»

Подвиг был так близок, так обиходен (рукой достать!), что невольно думалось, что все командирские жены такие, как эти...

Письмоносица Дуня Петрова в своих неприглядных будничных одежках тоже гляделась одной из многих. Финал фильма впрямую обозначает это. Ищут некую Дуню, сочинившую песню о Волге, чтобы вручить ей главный приз Олимпиады. Находят Дуню. Но это не та — хотя и пляшет на славу. Находят целый танцевальный ансамбль — все девушки — Дуни! Крохотная солистка ансамбля — чудо-ребенок — тоже Дуня. Вылавливают из воды какую-то девушку — она ставит рекорд, плывет без остановки Москва—Баку. Тоже Дуня и тоже Петрова!

Между тем, если разобраться, то можно легко увидеть, что скромность героини, как и скромность ее притязаний, несколько обманчива: не такое уж скромное достижение — сочинить песню, которую мощно и дружно запела вся страна. Но зритель, подкупленный свойской, простецкой интонацией, охотно поддается этой иллюзии, охотно дает уговорить себя, что в жизни такое не только бывает, но и есть. Как правило.

Пролог и эпилог, сделанные в духе балагана, а более агиттеатра или все той же «Синей блузы», и доверительно предупреждающие зрителей об условности событий и персонажей, на деле, естественно, еще больше располагают к доверию. Доверительность необходима этой картине гораздо больше, чем предыдущим, да и последующим. Джаз в первой комедии был, при всех киношных накрутах, подлинным, не бутафорским, и эта подлинность оправдывала многие несообразности. Подлинным был и цирк — столь явно подлинным, что на фоне его реалий проходила любая стилизованная фантазия.

Но самодеятельность «Волги-Волги» не вполне натуральна, да и не очень-то притворяется таковой. Ни Антимонов, ни Оленев, ни Володин, ни все прочие не играют талантливых неумеек, не прячут своего артистического класса. Не скрывает его и Орлова, и так мастерски не скрывает, что хочется верить, что песню, удостоенную главного приза и ставшую народной, сочинила Стрелка, а не «какой-нибудь Лебедев-Кумач» совокупно с «каким-нибудь» Дунаевским.

Самодеятельность здесь и не могла выглядеть вполне натуральной, то есть доморощенной (даже если б это была настоящая самодеятельность), ибо в задачу фильма входило доказать, что любая точка страны кишмя кишит талантами, что заурядные обитатели глухомани — дворники, повара, курьеры, лесорубы, официанты, водовозы, милиционеры — способны с ходу бить эстетические рекорды.

То был романтический образ самодеятельного искусства — в духе всеобщих желаний и настроений. И оттенен этот образ не менее романтическим — виртуозно вознесенным до поэтической крылатости — образом недруга: тупицы и чинодрала Бывалова. На первый взгляд кажется, что нашему рассказу можно бы обойтись без этой фигуры. Но без него не было бы и Стрелки, поскольку все ее действия — в прямом, лобовом противодействии ему. К тому же Бывалов — это Ильинский. Актер, способный переиграть всех и вся и остаться на поверку главным солистом. Он всегда опасный вызов партнеру. А здесь особенно, ибо щедро поддержан сюжетом и явным творческим расположением авторов. И Орловой здесь, как никогда часто, приходится выходить на предел своих возможностей, чтобы создать равносильную контригру.

Обойти его нам нельзя еще и потому, что именно он наиболее точно и честно оттеняет социально-общественный лик звезды — ее эпохальную миссию. (Точнее и выразительнее всех, кому выпадало раньше или позже оттенять ее.)

Ильинский играет прекрасно — и вообще (потому как прекрасный артист), и в частности (потому как роль — его и только его!). По этой роли легко представить его Победоносикова в мейерхольдовской «Бане» — он явно что-то оттуда позаимствовал. Похоже, Бывалов ощущался им несколько облегченным, более, что ли, эстрадным вариантом Победоносикова.

Образ «ответственного работника», самодовольного и двуличного человека с подозрительно чистой анкетой и замашками вождя, был, как известно, чрезвычайно популярен в советской литературе довоенных лет. Прежде всего, конечно, у сатириков. У Булгакова, Кольцова, Катаева, Зозули, Ильфа и Петрова, у записных, ныне забытых фельетонистов мы встречаем эту типажную личность, угнездившуюся в сотнях трестов и учреждений, везде «передовито» и бездарно осуществляя «общее руководство». Было бы странно, если б мимо нее прошел автор «Мандата» и «Самоубийцы», ставший сценаристом фильма.

Человек этот был не пережиток прошлого, не «плесень старых безрадостных лет» (как пелось в прощальной песенке «Волги-Волги»). Он продукт настоящего — притом продукт не шуточно ценный. Столп того самого порядка (надзора!), в котором власть нуждалась не меньше, чем в широком народном энтузиазме. Именно ими в первую голову фильтровалась и регулировалась любая инициатива, идущая снизу (идейная догма Времени).

Товарищ Сталин задавал в этом смысле едва ли не самый главный тон. Смелые инициативы Чкалова были, как мы помним, удостоены его расположения. Схожие, а в чем-то еще более смелые инициативы Сигизмунда Леваневского показались ему ненужными, политически нецелесообразными: не вызовут ли подвиги этого нерусского летчика подъем милитаристского духа в ненавистной Польше?.. Инициатива шахматной федерации учинить суперматч Ботвинник—Алехин встретила его милостивое согласие: шанс раздавить одряхлевшего эмигранта выглядел более чем вероятным. Инициатива же великого тяжеловеса Королева вызвать на поединок самого Джо Луиса была пресечена на корню: а вдруг проиграет?

Забавно, что многие из киношной братии узнали в Бывалове весьма конкретного человека — Дукельского, самого бездарного и самого краткосрочного руководителя Комитета кинематографии, лично определенного туда товарищем Сталиным. Вдвойне забавно, что намек на Дукельского был физически невозможен — картина делалась при Шумяцком. Бывалова—Ильинского в шутку (не более!) загримировали именно под Шумяцкого. И в этом не было злого умысла. Оператор фильма Владимир Нильсен очень дружил с Шумяцким, ездил с ним в Штаты. Думалось, что Борис Захарович проявит должное чувство юмора и не обидится. Но Шумяцкий, который узнал себя, и не столько по гриму, сколько по заспинным смешкам, все-таки обиделся...

Он был снят и расстрелян незадолго до окончания съемок и картины не видел. Дукельский же оказался ее первым зрителем — еще за монтажным столом. Он пришел на студию в первый же день своего назначения, вечером. Хозяйски все обошел. Студия была пуста, только в одной из монтажных сидел молодой светловолосый красавец в джемпере и колдовал над пленкой.

— Кто вы такой? — строго спросил Дукельский, видимо удивленный, что молодой человек даже не приподнялся со стула.

— Я — режиссер. Моя фамилия — Александров.

Ему и в голову не приходило, с кем он разговаривает.

— Что вы здесь делаете?

— Я монтирую фильм.

— Как называется фильм?

— «Волга-Волга».

— Покажите!

Тут Александров осторожно (гость был в полувоенной форме) попросил собеседника представиться и онемел от изумления, услышав ответ. Он, как и многие, оказался не в курсе событий. Александров раскрыл рот в машинальном: «А-а?..» Хотел спросить про Шумяцкого, но пресекся. Однако Дукельский угадал его вопрос и так выразительно промычал «А-а!..» и махнул рукой, что все стало ясно.

Дукельский сел рядом и стал смотреть материал. Александров пытался в меру сил озвучить его, даже пел в нужных местах. Непроницаемое круглое лицо Дукельского сильно смущало режиссера. Он не знал, что новый начальник изрядно глуховат и большинство слов до него просто не доходит. Однако особых возражений по материалу не было. Правда, последовал совет сделать все происшедшее сном Бывалова. Александров сдержанно обещал подумать.

Разумеется, Дукельскому и в голову не пришло угадать себя в Бывалове. Угадали другие. И одним из первых — Сталин. Посмотрев в первый раз «Волгу-Волгу» (в первый из сорока!) и отерев мокрые от слез усы, он сказал: «Никогда не думал, что могу так смеяться!» Благодушествуя, расхвалил на все лады Орлову, Ильинского, а под конец лукаво спросил: «А знаете, кто такой

Бывалов? Кого они тут, паршивцы этакие, запечатлели? Дукельского! Он — кто ж еще?!»

Возможно, впечатление, прочно осевшее в сознании Сталина и воскресавшее каждый раз при очередном просмотре, сослужило в конце концов добрую службу и привело к скорому — через год — снятию Дукельского.

Ильинский—Бывалов стал любимым персонажем Сталина — буквально наряду с... Чапаевым и Максимом (из трилогии Козинцева и Трауберга). На одном из довоенных приемов он подсел (!!!) к Ильинскому и сказал нечто не совсем вразумительное: «Давайте дружить! Вы — бюрократ и я — бюрократ. Мы поймем друг друга...» Актер и без того не отличался говорливостью, а тут вообще онемел. Только улыбнулся и нерешительно покивал головой.

Вспоминается, что в похожих персонажах Булгакова, Кольцова, Ильфа и Петрова современники тоже узнавали конкретных людей. Явление было злободневным. Но имелась у него еще одна сторона — кроме откровенно помпадурской.

Рассуждая по выходе фильма о своем герое в той же киношной газете «За большевистский фильм», Ильинский сместил его оценку в иную крайность: «Бывалов несет в себе эмбрионы врага народа. Именно из этих эмбрионов и на этой благоприятной почве беспринципности, рвачества и полной пустоты может в дальнейшем из Бывалова вырасти злостный, махровый враг». Понятное дело, актеру хотелось — а может, *кто-то* и подсказал? — потрафить самому крутому велению Времени. Бдительно, по-чекистски вглядеться в своего героя: нет ли в нем чего посерьезнее «комчванства» и помпадурства?

(Представляю, каково было прочесть такое авторам сценария в своем Вышнем Волочке.)

И тем не менее, с точки зрения большинства современников, в этих строчках не было никакой натяжки.

Вот ведь и Шкловский в газете «Кино» разразился похожей оценкой: «...жизнь страны враждебна озлобленному бюрократу Бывалову».

Сейчас, много лет спустя, эта натяжка ощущается, но скрыт в ней некий иезуитский резон. Среди множества врагов и недругов на советском экране в тридцатые годы нетрудно выделить группу наиболее достоверных, наиболее узнаваемых — куда как более, чем шпионы, диверсанты, вредители, кулаки, иноземные злопыхатели и недобитые белогвардейцы. Это они — ответработники, порою видные партийцы, врагами себя никак не считающие, не возражающие ни против «победы социализма в одной стране», ни против ударных темпов, ни против других лозунгов Времени, но делающих все, чтоб не было этих самых темпов, рекордов, подвигов. Кто по глупости, кто по косности, кто из чиновных амбиций, а чаще из всего вместе. Наиболее характерная их форма одежды: полувоенный костюм, галифе, сапоги, матерчатая фуражка, портфель. Наиболее характерная внешность: приземистый, плотный, лысоватый, всегда в суетливом напряге. Наиболее памятные воплотители их: Каюков («Большая жизнь»), Альтус («Шахтеры»), Абдулов («Светлый путь»), Чмыров («Валерий Чкалов»). Сходство меж ними и Ильинским—Бываловым более чем очевидно.

В сущности, все их противодействие историческому прогрессу сводится к одному — перестраховке. Всюду — на производстве, на полигоне, на стройке — они выступают от имени трезвости, осторожности, старых технических и житейских норм (вроде бываловского: «чтобы так петь, двадцать лет учиться надо!»). Повод для обличения как будто реальный. Однако в реальности эта линия, обратная «генеральной», имела более сложную подоплеку, нежели голый бюрократизм и карьеризм. Никому не хотелось называться «нытиком и маловером», но еще меньше хотелось в случае срыва рекорда, аварии, катастрофы, вызванных небрежением к нормам, попадать «во вредители». А то и похуже: в агенты иностранных держав.

Власть постоянно намекала народу, что среди его руководителей могут оказаться и враги, и прямые пособники врагов (потому и «процессы», и чистки, и повальные аресты), и поощряла тенденцию в искусстве издевательски разоблачать номенклатурных подлипал. Да, карикатурность была обязательна. Она успокоительно действовала и на публику, которая сразу видела, что к чему, и на высшую власть, которая лишний раз убеждалась в правоте своих «очистительных» мер. Так что политическая взыскательность Ильинского к своему герою казалась не такой уж беспочвенной.

Но масштабность Бывалова являла собой иное и гораздо более высокое художественное качество. Она в детально безупречной, метафорически выразительной его характерности. Перед нами классический «маленький человек» (в немом кино Ильинский постоянно варьировал этот образ), которого судьба-индейка метнула в начальство, в наполеоны и который, не дай бог, выскочит на простор политической жизни. На «врага народа» Бывалов, конечно, не тянул, разве что под общую гребенку. Не тянул и на вождя народов. А вот на Дукельского и ему подобных, сплошь и рядом занимавших волею «хозяина» ответственнейшие посты — всех эти куликов, ворошиловых, шкирятовых, ждановых, — очень даже тянул.

Безусловно, публика чувствовала этот подтекст. Скоморошеская издевка над начальством, как всегда, была по душе простонародью.

Тут Александров невольно вышел за рамки площадной шутейности. Но, к счастью, вышел недалеко. Иначе действительно превратил бы Бывалова в Победоносикова, а Мелководск в город Глупов, и это был бы конец детски веселому, безмятежному конфликту. Тут Орловой пришлось бы играть совсем иную положительность — куда как более сомнительную и неподатливую.

Бывалов же ей вполне «по зубам». Он, конечно, главный противовес, но противовес, по сути, фиктивный. Он — ходячая провокация, подначка, невольный «разбудитель» талантов. В том числе и у маленькой письмоносицы. С какого-то момента их сюжетные линии вообще ложатся на параллельные курсы и одна другой не мешают. Бывалов для Стрелки такой же легковесный камушек, как Алеша, как дорожные недоразумения, как сквозняк, уносящий листки с нотами ее песни. И доказывать свой талант ей надобно не Бывалову, не Алеше, не олимпийскому жюри и даже не стране (это все само собою). Доказывать надо (как, в сущности, и в других картинах) кинозрителю, но доказывать «без дураков», как есть, то есть без подражаний, без имитаций, без хитроумных режиссерских подставок, без киношных спецэффектов, которыми изобилуют все другие комедии Александрова. Здесь Орлова в наибольшей мере самодостаточна. Здесь ее героиня не знает ни ревности («Веселые ребята»), ни страха («Цирк»), ни жажды всенародной славы («Светлый путь»), ни женского одиночества («Весна»). Здесь нет никаких душещипательных помех для ее успеха. Здесь ее жизнь не угнетена никакой глобальной заботой. Ей хорошо живется и хорошо поется. И хорошо мечтается о хорошем. И это все такая же безыскусно-обыденная правда жизни тех лет, как и повседневно-повсеместный тайный ужас перед ОГПУ-НКВД.

Наверно, все-таки не случайно «Волга-Волга» оказалась единственной чистокровной, без малейших сторонних примесей, комедией Александрова. Пожалуй, это был единственный момент времени в сталинский период, когда светлая сторона реальности зримо выглядела доподлинной частью жизни. Бок о бок с бесчеловечными расстрельными процессами... До этого и после она была или натяжкой, или неправдой. Ее приходилось искусственно осветлять, натужно представлять правдой, гримировать. Часто она бывала нарядной, разительной, по-своему импозантной неправдой. Но никогда так живо, так непосредственно, так «безуговорочно» не верилось в светлое настоящее, как в это предвоенное четырех-пятилетие. Не мечталось, а реально виделось.

И песня, которую сочинила Стрелка и которую подхватил народ, тоже частица этой правды. Впрочем, насчет «подхватил» требуется поправка. Народ благосклонно выслушал эту песню, но до улиц и площадей, до частных застолий, до походных костров, до свадебных сборищ, до школьных компаний она не дошла. Она неплохо модифицирует старый напевный лад, неплохо слушается, даже запоминается. Ее иногда исполняли на концертах — Любовь Петровна неизменно включала ее в свой репертуар, одно время ее часто давали по радио, ее знали и ценили, но душу она не волновала.

Интересно, что из пяти «главных песен» музыкального кинематографа Александрова эта песня популярна... наименее. Четыре других — маршеобразных, барабанно-грубых — народ слушал охотнее и распевал гораздо чаще. А ведь только в песне о Волге не чувствуешь резкого политического акцента. В других же он вибрировал оглушительно. То были марши-шлягеры, марши-тараны, чей победно-воинственный, взвинченно-радужный строй гипнотически работал на витринные установки режима. Собранные вместе, они ничуть не уступили бы увертюре из нацистских маршей, которым предварил свой «Нюрнбергский процесс» Стэнли Крамер. Такой «оборотной стороны» в песне о Волге нет.

И что удивительно: в начале тридцатых способные композиторы Шехтер, Давиденко, Коваль и другие пытались создать, а вернее, сконструировать новые народные песни исходя из новых жизненных установок.

Маленькие листовки с нотами и словами этих песен пестрели призывами: «Пусть массовой песней овладеют миллионы!», «Продвигай в массы пролетарскую песню!», «Борись с мещанской музыкой: церковной, халтурной, цыганской и фольклором!». Тут же давались полезные советы: «Собери группу товарищей, раздели их на два голоса... расскажи им содержание песни и спой несколько раз» и т.д. Все было разложено и предусмотрено, но... не пелось.

Силою буденной
Тракторов колонны
В коллективах наших
Дружно землю пашут.

Натужное сочетание посконного мелоса с походно-ритмическим строем не встречало в массах желанного ответа. А пелось вдруг почему-то иное, почти шансонетное:

Все выше и выше, и выше
Стремим мы полет наших птиц.
И в каждом пропеллере дышит
Спокойствие наших границ.

И как ни тщились «рапповские» деятели доказать, что слова и мотив этой песни неуместно-игривы, что автор ее Павел Герман остался верен своему бульварному вкусу (намек на «Кирпичики»), массы ощущали ее как свою. И песни Дунаевского, так часто обвиняемые в плагиате, мещанстве, низкопробной эстрадности и прочих грехах, тоже были своими. Быть может, самыми своими, ибо никто не умел так, как он, преображать улично-переулочный стиль в победные звоны, в зажигательное многозвучие. В просветление и подъем духа.

Только во время войны «Песня о Волге» на какое-то время воскресла. Хотя поначалу это воскресение было скорее досадным.

Елена Ржевская — очевидица одной из кровопролитнейших «мясорубок» 1941 года — ржевской, вспоминает, что когда она смотрела из наблюдательного пункта на немецкие позиции и видела, как вражеские солдаты спускаются к Волге за водой, первое, что приходило ей на память, — строчки из песни:

Пусть враги, как голодные волки,
У воды оставляют следы,
Не видать им красавицы Волги
И не пить им из Волги воды.

Но уже зимой 1943 года Любовь Петровна пела эту песню бойцам-сталинградцам среди бескрайних, еще местами дымящихся развалин. Когда дошла до приведенных строчек, выразительно повела рукой и глазами на бесконечную колонну пленных немцев... И еще пару-тройку лет эта песня имела живой успех. Ее пела не только Орлова. Пели артисты фронтовых бригад. Пели — непременно в ускоренном темпо-ритме! — баянисты-фронтовики. Пели клубные солистки... Потом она подзабылась.

ПОД «МАРШ ЭНТУЗИАСТОВ»

Успех «Волги-Волги» был действительно сногсшибательным. Не один Сталин смотрел и пересматривал ее множество раз. Она практически не сходила с экрана до самой войны — когда уже и «Светлый путь», выпущенный осенью 1940 года, начал заметно терять популярность.

...Александров, как всегда, неспешно строил планы будущей постановки. И, как всегда, широковещательно о них говорил. Планы были впечатляющие, нередко даже чересчур: их нереальность становилась очевидной при первом же серьезном обсуждении.

Существовал план поставить цветной фильм об искусстве одиннадцати союзных республик — «торжественную и праздничную поэму о нашей Родине». Фильм предполагалось назвать «Счастливая Родина». Его сюжет строился на приключениях пионера и пионерки. Ребята, попав в комнату сказок в Ленинградском Доме пионеров (бывшем Аничковом дворце), прячутся под диван, чтобы проверить таинственный слух: будто ночью сказочные фрески оживают. И они действительно оживают. С одной из них сходит волшебная фея — Любовь Орлова — и дарит маленьким мечтателям ковер-самолет и шапку-невидимку. На этом ковре ребята и фея летят над просторами Советской страны, дивясь удивительным делам прекрасных советских людей.

И завершалась одиссея в Москве, в Кремле, куда они невидимо проникали, и Сталин...

Предполагаю, что именно на этом месте рассказа Дукельский и замахал руками на Александрова, сказав, что невидимо в Кремль проникать не положено, что это политический проступок, если чего не хуже, что охрана обязана видеть и докладывать.

Фильм не состоялся, но в замысле легко усмотреть много схожего с будущим фильмом. Не сюжетом, а жанровой установкой. Александрова тянуло поставить сказку — старую сказку на новый лад. Стоит вспомнить, что переиначиванье старых сказок было в те времена очень модным — прежде всего в детской литературе, в детском театре, в кинематографе. Иные переделки были довольно занятны, ими зачитывались и засматривались.

Александрову это было близко по духу, по складу воображения. Слепой не увидел бы хрестоматийных сказочных мотивов в «Веселых ребятах», «Цирке», в той же «Волге-Волге». Даже в ней, самой жизнеподобной, хорошо различим образ царевны-лягушки, анонимно творящей чудеса и скрывающей под невзрачным обличьем могучие, всепокоряющие силы. Это четко различимо и в «Весне», и в последующих, некомедийных лентах. В «Светлом пути» это было открыто декларируемым намерением. Золушка по-советски.

И еще один бродячий мотив тогдашней жизни, ставший, естественно, бродячим и в искусстве, хотелось воплотить Александрову. Сталин и дети. Собственно, хотелось ему поставить рядом со Сталиным прежде всего Любовь Петровну (такие замыслы возникали у него не раз), но самым оптимальным оправданием подобной встречи — самым трогательным и политически безупречным — стали бы, конечно, дети.

Мотив был уже достаточно обкатан. Сталин спасал малыша от злобных волков (Лев Квитко). Сталин отправлял лучшего из хирургов страны в дальние дали к смертельно больному мальчику (Виктор Гусев). Сталин нежно мурлыкал и одаривал часиками маленькую узбечку Мамлакат (Лев Кассиль). Сталин движением пальца создавал полустанок, чтобы живущая в горах девочка могла вскочить в поезд и не опоздать в школу (Евгений Долматовский). Кино не отставало. Сталин забирал Буратино и его друзей в свою замечательную страну («Приключения Буратино»). Сталин получал от пионеров трубку, некогда потерянную им в Туруханском крае («Трубка вождя»).

Я нарочно привожу все эти сюжеты, абсолютно равноценные по своему идейному и эстетическому содержанию, поскольку один из перечисленных (поэма Виктора Гусева) всерьез обсуждался на внуковской даче — благо автор и режиссер тоже были соседями. Предполагалось, что текст сценария будет, как всегда у Гусева, стихотворным, а главным женским персонажем станет юная мать мальчугана (естественно, Любовь Орлова) — вдова героически погибшего моряка-пограничника. Ей предстояло написать письмо вождю с просьбой о помощи, а затем после удачного исхода операции, поговорив с ним по телефону и получив личное приглашение на первомайские торжества в Москву, оказаться с сыном на праздничном приеме в Кремле. И вот тут-то главной противодействующей фигурой должен был стать местный врач, трус, подхалим и перестраховщик и чуть ли даже не бывший троцкист. Слава богу, что хоть эта паточная смесь не реализовалась!

Возможно, «Золушку по-советски» и не следовало делать, но по сюжету, по жанру и по комедийным возможностям это александровское кино.

Когда Виктор Ардов повел Александрова в Театр сатиры посмотреть его «Золушку» — комедийную пьесу про ткачиху-стахановку, режиссер сразу понял: вот что надо ставить! Одного не хватало ему в материале — парения, волшебства. Пьеса была веселая, легкая, бытовая по духу... Работая с Ардовым над сценарием, он все время напоминал: «Давайте уводить в сказку!» Ардову же сказочность не давалась. Большего триумфа, чем награждение своей героини орденом, он придумать не мог.

Но Александрову этого было уже недостаточно, и тут его можно понять. Создавать нечто подобное «Члену правительства», «Шахтерам», «Большой жизни» ему не хотелось. Тем более не тянуло его на бытовую комедийность. Александрову было мало победы на всю страну среди уже привычных трудовых побед, которые привычно воплощали на киноэкране Вера Марецкая, Марина Ладынина, Зоя Федорова, Тамара Макарова. Ему, уже окрыленному сказочным успехом, уже не раз и не два доказавшему свое чемпионство, хотелось чего-то неслыханного и невиданного. Чтоб на весь мир, чтоб воссияло «осуществленною мечтой над всеми странами и океанами». Иначе при чем тут Орлова?

По-своему он был прав. Это с трудом понимали его соавторы. Не только Ардов. Веселый эстрадный поэт Михаил Вольпин, заменивший в этом проекте Лебедева-Кумача, с изумлением «всматривался» в те видения, что рисовались честолюбивой фантазии режиссера: «Она будет получать орден, и тысячи зеркал отразят ее справа, слева, на потолке, и мраморный пол отразит тоже. И фигуры «Побед», трубящих в трубы, отразятся с нею. И она закружится. И с нею закружатся отражения и фигуры «Побед».

Подобное изливалось на соавторов буквально потоками и, конечно, воспринималось нелегко. Или, напротив, более чем легко: в конце концов, за режиссером последнее слово — пусть его делает что хочет! В любом случае душевно соучаствовать в этом было, по их словам, невозможно.

...«715 метров!» Так называлась статья, которая оповестила страну о рекордах ивановских ткачих.

«Бросив вызов приверженцам теории «технического предела», Дуся Виноградова перешла с обслуживания 24 станков на 70. Смело и уверенно командуя на 70 автоматических станках системы «нортрон», она вместе со своими сменщицами уже третий месяц подряд сдает с комплекта 715 метров молескина в смену... Это втрое больше, чем сдавала Виноградова год назад. Это всесоюзный рекорд, побивший все европейские нормы и приближающийся к высшим нормам американской выработки ткани».

К тому времени, когда начал сниматься фильм, сестры Виноградовы, Дуся и Мария, работали каждая на 200 станках и били мировые рекорды. Потом уже, задним числом, их стали воспринимать как прототипов героини фильма: это было где-то натяжкой, а где-то закономерностью. Биографии сестер почти не совпадали с биографией Тани Морозовой, но феномен триумфа был, безусловно, один. Исконно деревенская честность, истовая работоспособность, здравая сметка, здоровое, боевитое честолюбие (что-то от русского перепляса — «а я еще и не так могу!») и под конец уже вкус к успеху, к славе, привычка к победному состоянию тела и духа. Ну и конечно, в какой-то момент сыграл поворотную роль конкретный СПРОС. Не жестокий хозяйский спрос, а своевременная начальственная подсказка: «Надо!»

С такой подсказки начинали Стаханов, Бусыгин, Изотов и все прочие герои «великих строек». Движителем такой подсказки (или встречного поощрения) всегда был спонтанный карьеристский расчет, естественное желание выслужиться, обостряемое подсознательным страхом за свою судьбу и нередко сочетаемое с искренним желанием осчастливить страну очередным великим подвигом, внести свою лепту в ее растущую мощь.

Такую подсказку осуществляет в фильме парторг фабрики — рослая, полная, энергичная женщина с хорошим русским лицом и начальственно-громким голосом. «Вы сыграете у меня фею, — сказал режиссер Елене Тяпкиной, отдавая ей сценарий. — Добрую волшебницу из «Золушки». Только советскую волшебницу!»

Какое-то время они же, сестры Виноградовы, считались консультантами постановки. Но фактически их роль свелась к одному или двум присутствиям на съемках — да и то не тех эпизодов, где героине требовалось работать на станках. Учила Любовь Петровну ткачиха-стахановка по фамилии Орлова (такое странное совпадение). В первый же день Любовь Петровна, пытаясь, согласно инструкции, «легким вдутием губ» вытянуть нитку из челнока, втянула ее в себя так, что пришлось долго и мучительно изымать ее из дыхательного тракта.

Обучение шло три месяца — каждый день по два часа. Наверно, можно было бы обойтись и меньшим сроком — не так уж много в фильме сцен, где Таня наглядно демонстрирует свое ткацкое умение и неумение, но считалось необходимым в интересах реализма (а Любовь Петровна свято исповедовала этот принцип) хорошо изучить и освоить профессию своего героя. Это называлось «вжиться в образ». Бесспорно, такое «вживание» придало ей немалую уверенность, и прежде всего уверенность в полном взаимном соответствии себя и роли. Поэтому, может быть, она и не ощутила, сколь невыигрышна эта роль среди других ее главных музыкально-комедийных ролей.

Наверно, самая лучшая — и самая честная — часть картины: начало. В театральном, декоративном, условном, в балаганно-раешном стиле нам представляют житье героини в домработницах у белотелой нэпманши. Тут напридумано много смешного, скоморошеского. Тут Орлова довольно бойко лицедействует, не стесняется поломаться и покривляться, изображая неотесанную, но смышленую деревенскую деваху. Тут минимум прямой достоверности и максимум забавной живости.

Между тем Орлова очень любила эту роль — больше всех других, часто говорила об этом на своих концертах. Говорила, что образ Золушки ей особенно близок, ее судьба схожа с этим сюжетом.

Мне кажется, имелась еще одна — возможно, подсознательная — причина особого пристрастия актрисы к этой роли. То была прощальная, лебединая песнь ее Образа, ее темы — преображения гадкого (ущербного, затравленного) утенка в блистательного (осененного всенародным признанием) лебедя. В «Весне», последней комедии Александрова, эта тема прозвучит лишь слабым, едва слышимым отголоском.

И Александров, не сомневаюсь, тоже ощущал этот фатальный момент. Фильм стал ее лебединой песней не только из-за войны, прервавшей ее «светлый путь» на целых восемь лет. Просто в 1940 году Любови Петровне было уже под сорок. И хотя по-прежнему молодо сияли глаза, и тело почти не утеряло гибкости и подвижности (сто очков любой девчонке!), и морщинки не проступали сквозь косметику, но весомей, чуть-чуть степенней становились и шаг, и осанка, неуловимо застывали черты лица, и оно обретало более зрелую, более неподвижную видимость. Недаром все чаще шли ее героине строгие одеяния, контрастом оттеняющие юность и непосредственность. Недаром не мельтешат вокруг нее — в «Светлом пути» это особенно заметно — чересчур уж юные партнерши (правда, девушки той поры вообще выглядели постарше своих лет: «взрослили» и стиль одежды, и воспитание, обязывающее к ранней серьезности). Тут было к месту и пристрастие Александрова педалировать жанр — не прятать, а, напротив, всячески отчеркивать его условность. Чтобы зритель воспринимал все как игру и не слишком гонялся за достоверностью видимого.

Главный обертон в состоянии режиссера этого периода — тревожный максимализм. С одной стороны, это были счастливейшие годы его жизни. Он получил все желаемое: богатство, славу, почет. И поскольку был свободен от «завиральных идей» — абсолютную творческую свободу. С другой стороны, душу царапало тайное беспокойство. Народ и Власть ждали от него очередного Чуда — и никак не меньшего, чем предыдущего. Большего! Да он и сам не хотел иного.

Александров уже привык быть первым — безоговорочно первым. Стало быть, требовалось единым махом убить максимум зайцев. Обойти набирающих высоту Пырьева с Ладыниной, Юдина с Серовой и Целиковской. Заодно перекрыть все новоявленные шедевры о трудовых рекордах, женщинах-выдвиженках, молодежном энтузиазме, партийной мудрости («Комсомольск», «Большая жизнь», «Член правительства», «Великий гражданин» и т.п.). Не забыть и тему вредительства. И кстати, уж покончить с мифом о его голливудских корнях. Героиня будет не просто советской, но такой советской, какой и не снилось героиням Марецкой, Макаровой и Зои Федоровой. И коль уж сказано «сказка», выдать такую серию трюков и комбинаций, чтоб у всех дух захватило!

Разумеется, все это не было конкретной, осмысленной установкой — только глубинный подтекст. Ни одна комедия не выдает Александрова столь откровенно, как «Светлый путь». Его ребяческую страсть к первенству, плетению небылиц (в том числе и про свою близость к верховным небожителям), его стремление творить небывалое, ошеломлять небывалым, заходить за край и в эксцентрике, и в патетике, мешать Божий дар с яичницей (то есть идеологией), быть в числе самых слышимых и видимых запевал политической пропаганды.

В результате стилистика, как и должно быть, получилась вызывающей, крикливо-суматошной олеографией.

В наши времена ее назвали бы «постмодернистской». Недаром иные современные киноведы восторгаются «Светлым путем» больше всех прочих картин Александрова, видя в ней классическое предвосхищение «постмодерна». Вся эта винегретная разносортица сцементирована лозунговым пафосом, балаганным дивертисментом и — Любовью Орловой.

В начале фильма звезда, как водится, упрятана в кокон — как мы уже сказали, в обличье лубочной деревенской девки. Неуклюже повязан платок, бесформенная юбка, толстые ярко-полосатые чулки. Сердечком крашенные губы, две косы.

Под команду радиодиктора идет урок гимнастики... под задорный марш из «Веселых ребят» Таня разжигает примус, качает коляску с хозяйским младенцем, ставит самовар, чистит картошку. Поскольку картошка на съемках чиститься, как положено, не хотела, Любовь Петровна, умница, придумала хитрость: заранее очистила всю картошку и обломками спичек незаметно закрепила шкурки — так что оставалось просто изображать очистку. Музыка из «Веселых ребят» присутствует тут явно из озорства — в 1930 году (а начало действия обозначено точно: 27 апреля 1930 года) ее еще не придумали. Вспоминается, что в первой своей комедии Любовь Петровна тоже была вначале домашней прислугой — только в опереточной трактовке. Теперь же — в лубочной: «чевой-та»... «Анна Кинскинкиновна»... «в аккурат»... «теперича»...

Первые четыре части фильма вызывают в памяти бытовую комедию двадцатых годов. История, рассказанная здесь, легко ложится в ряд протазановских, барнетовских комедий: «Закройщик из Торжка», «Дом на Трубной», «Дон Диего и Пелагея» и т.п. Не только сюжетные комбинации, весь антураж действия — затхлая гостиница в провинциальной глуши, общежитие девушек в бывшем монастыре, заурядный фабричный цех; все персонажи — «телесная» хозяйка, молодой инженер приятной наружности, энергичная активистка, солидный ухажер с пышными усами, животиком и потешной фамилией Талдыкин, старикан-мастер, девушки-ткачихи; диалоги — все легко переводится на язык немой комедии бытового толка. И видение Тани: сказочный замок, куда, как ей кажется, поведет ее активистка Марья Сергеевна, вполне в духе наплывов, которыми любила «играть» немая комедия.

Кое-что все же не переводится. Например, музыка и куплеты. Но, скажем прямо, музыкальный ряд в «Светлом пути» — весьма уязвимый компонент. Даже в начале, где он представлен, казалось бы, весьма выигрышно. Он украшает действие, порой приятно разряжает его, но, по сути, ему довольно посторонен. Мила незатейливая песенка Тани о Золушке, еще более милы «частушки-страдания», распеваемые девушками в монастыре-общежитии, а «жестокие» куплеты Талдыкина — лучше и не придумаешь! (Недаром «некурящий я, непьющий» до сих пор популярная подпевка.)

Но странно: и песенки, и частушки, и куплеты положены на одну мелодию, а музыкальной темы не возникает. Даже в пределах короткого, в четыре части, фильма, составляющего как бы экспозицию сюжета. Они играют «всего лишь» водевильную роль — в отличие от предыдущих картин Александрова, где музыка органично включена в ритм и пластику действия и ощущается постоянно. Главная музыкальная тема («нам нет преград») себя не оправдывает — возникает она поздно и неожиданно. Авторы словно спохватываются к середине фильма и торопливо пытаются восполнить пробел. Музыки много — громкой, ликующей, но фильм не прошит музыкальными нитями, не пронизан музыкальными стрелами, и это заметно оголяет те издержки стиля, о которых речь шла ранее.

Удачно сказал об этом в дружеской беседе с братом Зиновий Дунаевский (в то время музыкальный руководитель ансамбля НКВД): «Вы проморгали с Гришей музыку фильма». Именно так: не к фильму, а фильма.

Но что действительно было трудно вписать в комедию старого бытового толка, так это главную роль. То есть не саму роль, а Таню Морозову в исполнении Орловой. Как бы там ни стремилась Любовь Петровна к реализму и безыскусности, душок аттракциона, нарочитости все равно ощутим. Она не столько играет Таню, сколько играет в нее. Но это отнюдь не во вред зрелищу — когда оно конкретное, то есть балаганное зрелище. Когда оно отвечает жанровым задачам. Сказочность судьбы явствует уже в начале. И уже в первых частях легко различим лукавый подмиг — этакую присказку: сказка, дескать, впереди...

...Однако начиная с пятой части, фильм сделан по канонам совсем другого кинематографа. Эти части также несложно препарировать в самостоятельный фильм, созвучный «Комсомольску», «Шахтерам», «Большой жизни» и т.д.

Мы говорим о созвучии, имея в виду общие принципы сюжетосложения, расстановку фигур, слагаемые конфликта, идеологический пафос. Всем этим «азам» вполне отвечает история скромной фабричной девчонки Тани Морозовой, рассказанная здесь отнюдь не по-шутейному.

...Работает на ткацкой фабрике бойкая симпатичная девушка. Общая любимица. Питает тайное чувство к молодому инженеру. Страдает из-за неравенства положений. Работает, как и все, на восьми станках, а мечтает о шестнадцати — чтоб, как пишут в газетах, «была бы большая польза стране». Секретарь парткома, женщина богатырской стати, вкупе с передовыми рабочими и инженерами, целиком «за». Директор фабрики, типичный горе-руководитель из фельетонной публицистики, вкупе со «спецами» (ведь нет «ничего подобного ни в Лионе, ни в Манчестере!»), целиком «против». Меж делом Таня ловит вредителя (судя по всему, бывшего кулака), как бы предвосхищая этим боевым подвигом грядущий трудовой. Стремясь добиться своего, она пишет в Москву, в Совнарком — товарищу Молотову (второе лицо в кремлевской иерархии). Получает одобряющий ответ и право на великий почин. Первый успех побуждает ее к очередным дерзаниям — сначала на тридцати станках, потом на ста пятидесяти. Рождается рекорд... Директор, естественно, снят. На его место назначен молодой инженер — возлюбленный Тани. Усыпанная цветами, героиня едет в Москву получать орден. Все.

Однако не все. С этого момента начинается как бы еще один, третий по счету вариант советской Золушки. Возвращается сказка. Возвращается в запредельно-фантастическом варианте.

Но, прежде чем перейти к нему, присмотримся, какова наша звезда в предшествующих. Все как будто в порядке: ее фирменная неподдельность на месте — просачивается, пробивается сквозь весь чужеродный ее образу антураж. Фирменно сияющие глаза, фирменная улыбка, отмашка, стать, голос... А чтоб не забылось про ее музыкальную комедийность (тоже фирменный знак), выдается вставной номер-дуэт. Опять является на экран Талдыкин (Володин) со своей обаятельной маской незадачливого жизнелюба и добряка и возвращает Орлову (и нас) в привычную стихию.

Номер явно высосан из пальца — иной нужды, как приукрасить действие и Орлову, в нем нет. Но зритель — тот, которому фильм был адресован в первую очередь, — наверняка радовался и такому нехитрому оживляжу.

Нагруженный мебелью воз. На возу Таня. За возом Талдыкин. Они перебрасываются любезностями и куплетами. Таня роняет нечто не вполне складное — то ли реплику, то ли частушку: «Мама, глянь-ка, это ж Танька! Это ж я! Незабитая, деловитая, знаменитая, во как!» Талдыкин отвечает ей похожим: «Всем наша Таня хороша! Все в ней ловко — обстановка и душа!» Таня вторит ему бессловесно: «Пум-пум-пум! Пум-пум-пум!» Талдыкин, отставая, кудахчет: «Цветик полевой, быть бы нам с тобой мужем да женой!» И проваливается в люк канализации, дабы стать жертвой сперва подметальной машины, потом поливальной — старый трюк американской «комической»... Справедливо, наверно, было б окрестить подобное дребеденью, но ведь смотрелось. И само по себе, а уж в контексте всей этой вздрюченной героико-трудовой стихии...

...Так вот, последняя вариация на тему Золушки начинается в Кремлевском зале. Тане вручают орден. Понемногу вступает музыка и уже не прерывается до конца картины. Таня проходит мимо жирондолей в другой зал, ее движения переходят в длительный танец. Танцуя, она приближается к зеркалу в золотой раме, любуется собой. Снималось это все на студии. Александров мечтал снимать в подлинных кремлевских залах, мечтал снять и подлинного Калинина, вручающего героине орден. Не удалось.

Смотрясь в зеркало, Таня запевает песню про Золушку — ту, которую пела и не допела в начале фильма. Изображение в зеркале меняется — появляется Таня, одетая в деревенское. Она подхватывает песню:

Не волшебница седая
Подавала мне совет.
И не фея молодая,
А товарищ средних лет...

Отражение в зеркале снова меняется. Теперь это Таня в рабочем комбинезоне. Дружным дуэтом обе Тани завершают песню:

И работала отлично,
Как Стаханов научил.
И Калинин самолично
Орден Золушке вручил.

И снова меняется отражение. Таня в полушубке и белом кокошнике. Она приглашает живую Таню в будущее: открывается, точно дверь, рама зеркала, за нею открытый легковой автомобиль «ЗИС-101» гордость советского автопрома. Таким образом к теме «Золушки», уже несколько подыссякшей, присоединяются еще две старые сказочные темы: Зазеркалье и ковер-самолет.

Автомобиль плавно взмывает в небо. Звучит песня, больше похожая на оперную арию, каждая из Тань поет по куплету. Автомобиль летит над горами и городами. Белая птица (нарисованный журавль — должно быть, тот самый отставший в прологе) кружит над девушками. Возникает главная мелодия фильма. И главная песня:

Здравствуй, страна героев!
Страна мечтателей, страна ученых!

Чуть позже ее назовут «Маршем энтузиастов».

Машина летит над ВСХВ — Всесоюзной сельскохозяйственной выставкой. Таня оглядывается, не находит «отраженной Тани» и пересаживается за руль. («Двадцать шестого, — напишет в письме Миронову Любовь Петровна, — состоялись первые съемки «Золушки». Проезды на машине по павильонам. Ездила сама за рулем, жертв нет».)

Продолжая петь, Таня снижается, проезжает под аркой ВСХВ (сейчас это северный вход), под раскаты мощно гремящей песни подкатывает к текстильному павильону, где ее встречает ни много ни мало сама Высоковская — директор Главтекстиля (настоящая!). Текстильный павильон являет собою отдаленное подобие того самого сказочного замка, который когда-то пригрезился деревенской девчонке. Здесь уже многолюдье, среди которого Танины подруги, наставники и, конечно, любимый.

(Прошу прощения у читателя за столь детальный пересказ, но именно эти эпизоды — самая сокровенная, самая исповедническая часть картины. Именно здесь помыслы и побуждения режиссера выражены наиболее открыто и красноречиво, и потому так важно услышать каждую деталь, оценить каждый поворот фантазии.)

Поднявшись на высокий постамент, где красуется новый текстильный станок, Высоковская предоставляет слово Татьяне Морозовой — уже не только знатной ткачихе, но и депутату Верховного Совета, инженеру (из чего можно догадаться, что дело действительно происходит в будущем, но явно не очень отдаленном). Таня в строгом дорогом костюме с двумя орденами поднимается на постамент и, стоя рядом со станком, низвергающим бесконечную ленту ткани, на фоне Дворца Советов (увы, пока только панно!) вновь запевает «Марш энтузиастов». Хор мощно подхватывает припев.

Но это еще не финал, режиссер не хочет оставлять никаких недомолвок — его зритель, он знает, такие вещи недолюбливает. А посему еще на момент возникает Талдыкин, внося в действие последнюю комедийную ноту и предваряя завершение лирической линии.

Поговорив с иностранным послом (видно, и впрямь наша героиня, как поется в ее песенке, изучила все науки), Таня устремляется навстречу любимому. Никаких объятий, никаких поцелуев. Взявшись за руки, они проходят через резные ворота текстильного павильона к большому фонтану и направляются к гигантам Мухиной. Камера обстоятельно любуется героями, словно кружащими близ нержавеющей пары. Скульптурой и венчается фильм.

Дальше уже эпилог...

Танино будущее режиссер фактически сделал настоящим. «Осуществленной мечтой» (как и гласят слова «Марша»). Что ж... все это и вправду существовало — в реальности и в мечтах: и ВСХВ, и скульптура Мухиной, и даже Дворец Советов (еще не построенный, но уже внесенный в путеводители по Москве, уже давший имя одной из станций метро, уже воспетый в стихах).

Риторический вопрос: какая это была реальность? Именно такая — парадная, выставочная... показушная. Самая желанная. Самая оптимальная. И главное, в ряду уже существующих. И такой представлялась она не только Александрову, не только простодушному, доверчивому обывателю. Сергей Эйзенштейн рассказывал об этом ощущении, пожалуй, не менее красочно, чем его бывший сподвижник и ученик. Осень 1939-го (как раз в это время начались съемки «Золушки») виделась ему, «как подлинно Болдинская осень нашей страны... как непрерывная цепь побед... Это победа нашей военной техники в Монголии. Это победа нашей дипломатической мудрости в сложнейшей международной обстановке. Это победа сельскохозяйственной выставки... Это победа на пути освобождения от рабства наших угнетенных братьев, победа, влившая в семью наших народов 13 000 000 страдальцев Западной Украины и Западной Белоруссии. Наконец, это победа Ферганского канала — первая победа завтрашних форм коммунистического труда, внедренных победоносным колхозным строем в обстановку сегодняшнего дня».

Думаю, немного нашлось бы тогда художников, кто не согласился бы с великим Мастером, что «поистине даже славная история нашей страны имеет мало таких сверкающих страниц, где бы на протяжении двух-трех месяцев столпилось бы столько исторически неслыханных событий».

Маловероятно, чтобы такое писалось лишь ради формы, ради служебного благополучия, из-за боязни попасть в «черный список», быть заподозренным в нелояльности и т.д.

Так что легко допустить, что и фильм Александрова смотрелся многими не без волнения в сердце. Кому не хотелось «осуществленной мечты»? А то, что знаком этой мечты была прекрасная женщина с таким знакомым лицом, с таким смелым взглядом и тихой неземной улыбкой, еще больше располагало к созвучию. И сердцá, и умы.

...Были, однако, сердца и умы нерасположенные. Даже реакция ближнего круга Орловой и Александрова оказалась не единодушной. Сдержанные пересуды сводились, как правило, к дружескому вздоху: перебрал... перемудрил... заигрался...

Не глянулась картина и Сталину. Правда, не столь сильно, чтоб испортить его отношение к создателям. Реакция была незлобивой— раз на раз не приходится. Александров вспоминал: «Вот и Сталин отнесся не очень...»

Однако не забудем, что именно Сталин дал название фильму (вернее, переназвал его). И прямо скажем, довольно удачно. Название «Золушка» звучало странно: то ли сказка, то ли американская комедия, то ли австрийская мелодрама. Сталин вообще любил давать названия фильмам и часто попадал в точку — был у него этот любопытный дар, свойственный страстным обожателям кино.

Картина ему не глянулась, но возражений не вызвала. Ни возражений, ни похвал. На одном из приемов в Кремле он сказал Александрову: «Мы вас ценим за смелость, а этой картиной вы хотели нам угодить. Хотели угодить начальству...»

Григорий Васильевич объяснял эту реплику чувством ревности. В фильме задействовано три вождя, но нигде даже не упомянут Сталин. За поддержкой Таня обращается к Молотову. «Товарищ средних лет» — добрая фея, цитирует Орджоникидзе. И наконец, появляется Калинин — пусть не натуральный, но все равно узнаваемый. Не думаю, однако, что дело в ревности.

Можно предположить, что фильм, во-первых, не оправдал ожиданий Сталина — он рассчитывал увидеть очередную потеху, во-вторых, ему никогда не нравился в игровом кино избыток поэтического (придуманного) пафоса, чрезмерная выспренность и вычурность формы. Он не любил произвольной игры воображения, претенциозной витиеватости и вообще изобразительной разболтанности. Если это все так, то в его попреке можно уловить связь с главным зазором картины — несочетаемость комедийной фантазии режиссера и его политических фантазий.

...Через пять месяцев — 15 марта 1940 года — фамилии Александрова и Орловой открывали список лауреатов-кинематографистов — первых лауреатов Сталинской премии. О самом событии они узнали за два дня до газетной публикации. По секрету. То, что они открывали список кандидатов в лауреаты, давало, конечно, большие надежды. Но Сталин был непредсказуем — так что Любови Петровне пришлось два-три дня даже помучиться бессонницей. Вечерами, гуляя по Глинищевскому переулку, они встречали Немировича-Данченко, одного из председателей Комитета по премиям, и с напускной беззаботностью, но выжидательно поглядывали на него. Прикладывая руку к шляпе и любезно улыбаясь, он проходил мимо, давая понять, что решения еще нет. Но вот в один из таких вечеров он приостановился, улыбчиво поглядел на соседей и выразительно кивнул.

Новоиспеченные лауреаты тут же уехали в родное Внуково поджидать официальных подтверждений. Поутру через день они, как всегда, вышли на прогулку на заснеженную улицу, ведущую к местному внуковскому шоссе. И тут же увидели вдалеке свою машину, рано-рано отъехавшую в город за покупками и газетами. Шофер, на ходу открыв дверцу, высунулся из кабины и, потрясая газетой, заорал: «Поздравляю лауреатов первой степени!» И, не успев вывернуть руль, глубоко зарылся в кювет.

Легко назвать все это мелочной суетой сует — да и справедливо, наверно. Но, как сказано однажды, пусть первым бросит камень тот, кто без греха.

Стоит обратить внимание: в официальном сообщении было четко указано, за что дана премия. За «высокое кинематографическое оформление фильмов «Цирк» и «Волга-Волга». Последняя картина, таким образом, достойной премии не признавалась. Неизвестно, кто придумал эту неуклюжую — прямо сказать, топорную — формулировку (уж не Сам ли?!), но она красноречиво указует на мнение верховной власти. И кстати: картина Эйзенштейна «Александр Невский» была удостоена тогда же и точно такой же премии. И при всей несхожести картин, в подтексте этой равнозначной оценки кроется серьезный смысл. Все эти фильмы (в том числе и обойденный «Светлый путь») сделаны четко — и безупречно — по законам «Большого Стиля». Именно здесь — наиболее пафосно и органично сочетание самых разнородных традиций, откуда черпал этот стиль свою форму и энергетику. Сельский и городской фольклор, классическая и современная танцевальная мелодика, оперные конфигурации, античность и Ренессанс, русский живописный романтизм и реализм XIX века, русская сказка и героический эпос, «низкие» жанры (мелодрама, ревю, карикатура)... Часто прагматическое использование всех этих традиций приводило в советском искусстве к откровенному эклектизму, но Эйзенштейн, невольно следуя по тому же пути, что и Александров, гармонизируя эти разноречивые традиции, создал по-своему сильную и впечатляющую «вампуку» и тем положил начало парадному советскому псевдоисторическому фильму — столь же приметному и схожему явлению в нашей киноистории, как и комедии его выучеников Александрова и Пырьева.

...Зато сталинская реплика насчет «Светлого пути» имела словесное продолжение, достойное быть приведенным полностью. На приеме в честь новоявленных лауреатов Сталин, обращаясь к Александрову, произнес небольшую, поучительную речь — как обычно, адресованную всем присутствующим и отсутствующим. Вот она в пересказе Александрова:

«...Часто хотят угодить начальству, а угождением угодить нельзя. Вот Иисус Христос — всем хотел угодить. Когда били в левую щеку, он подставлял и правую. И его распяли. Если б мы угождали нашим врагам, нас бы давно всех распяли. С врагами надо бороться. Товарищ Александров раньше показывал нам, как он умеет бороться. А теперь он показал нам, как умеет угождать. (На этом месте вождь сделал паузу и слегка улыбнулся в мою сторону.) Я терпеть не могу, когда приходят творческие работники и говорят: товарищ Сталин, подскажите, на какую тему творить? Как будто хотят, чтобы на них надели уздечку и вели по правильному пути. Вот когда художник сделает свое дело, мы скажем, правильно это или нет. А подсказывать — только мешать. Интересно, согласен ли со мной товарищ Александров?»

«Целиком и полностью», — ответил товарищ Александров, ко всеобщему удовольствию, и маленькое облачко, возникшее было на светлом пути звездной пары, улетучилось без следа.

...Когда началась война, кому-то в ведомстве Мехлиса — Политуправлении армии — пришла в голову идея воскресить на экране любимых народом киногероев — Чапаева, Максима, Клима Ярко (из «Трактористов»),

Таню Морозову, дабы они от своего авторитетного имени призвали народ на борьбу с фашистами.

С этой идеи, как многие полагают, и родились «боевые киносборники» — скороспелые военно-патриотические агитки, к которым впоследствии приложили руку виднейшие мастера советского кино.

Да, вначале из всех александровских героинь была выбрана именно Таня Морозова. *Светлый путь* ее в боевую пору предполагалось продолжить так: во главе делегации ивановских девчат она прибывает на передовые позиции, передает бойцам подарки и, сказав несколько горячих напутственных слов, поет на новый лад «Марш энтузиастов»:

Нам ли
бояться фрицев?
До нас их били и отцы, и деды.
Смелость,
как говорится,
Залог дерзания! Залог победы!

Но Таню Морозову отставили — заменили на Стрелку. Взяв, по-видимому, в расчет более высокую репутацию последней в глазах вождя. В этом сюжете Дуня Петрова — по-прежнему письмоносица, только уже военная. Прибыв на позиции и раздав бойцам долгожданные конверты, она поет им задорные куплеты, пляшет с гармошкой, говорит положенные слова и завершает дивертисмент, как легко догадаться, песней о Волге...

Орлова здесь не очень похожа на свою Стрелку, да, в общем-то, и не старается быть похожей. Сама задача была выступить как бы в двух ролях: себя и лишь отчасти своей героини.

Сюжет сняли за неделю. Большаков вставил его в программу для очередного показа вождям и повез в Кремль. Сталин на этом просмотре отсутствовал. Когда дело дошло до орловской пляски, раздалась громкая реплика Берии (передаю ее в том виде, в каком она досталась мне от Татьяны Годовой — блестящей исполнительницы народных танцев, одной из недолгих любовниц всесильного палача): «Ого! А у нее, оказывается, есть «за что» и есть «во что»!»

Чтобы понять и по достоинству оценить эту хамскую реплику, надо сделать маленькое киноведческое отступление. И сделать это, бесспорно, стоит, поскольку реплика приоткрывает весьма занятную тенденцию в кинематографе сталинской эпохи. Антиофициальную. Стихийно-сопротивленческую. Не слишком, может быть, серьезную, а все же не вполне безопасную для тех, кто уличался в пристрастии к ней. Тем более что наша героиня имеет прямое отношение и к антиофициальной, и к противоположной (официальной) тенденции.

Давно отмечена — как характерная черта тоталитарного режима — подавленность женской (женственной) стихии практически во всех сферах искусства. В первую очередь, конечно, официозно-передового. Женщина здесь (разумеется, в положительной интерпретации) являла себя как надежный друг, помощник, соратник мужчины — почти равноправный с ним. Вполне самостоятельный член трудового коллектива. Энергичный строитель нового мира. (Кто лучше Орловой доказывал это?!) Даже в кинокомедиях женская привлекательность героини не должна была превалировать в сравнении с ее деловыми, творческими, социально-общественными способностями.

Соблюдение этого принципа обставлялось самыми вульгарными предписаниями. Разобранная супружеская постель, даже пустая — строго воспрещено! Женщина с «ногой на ногу», да еще с открытым коленом — не приведи бог! Женское белье на веревке — ни в коем случае. Не должна появляться в кадре легкомысленная картинка или фотография. Недопустимо вслух описывать женские прелести, любовные утехи.

И тем не менее все это было. Появлялось. Просачивалось. Даже в «передовом», официально поощряемом кинематографе. Стихия время от времени продиралась сквозь идеологический заслон. И тогда возникали на советском экране непривычные мимолетные впечатления — результат цензурного недогляда или случайной начальственной снисходительности.

Правда, в минимальных дозах женская соблазнительность допускалась в сценах, изображающих разврат уходящих классов, разложение западного мира и так называемых «врагов народа».

Но случались непредвиденные проколы и с положительными героинями. Зрители, особенно подростки, очень чутко реагировали на них. То актриса вдруг появлялась в легком платье, столь удачно просвеченном контражуром, что были видны все интимные детали ее туалета, то падала в воду, дабы вылезти в неприлично облепившем фигуру платье, то, демонстрируя спортивную стать, дефилировала по берегу в коротеньких физкультурных трусах и тесно облегающей пышную грудь майке. То героиня из героинь — Таня Морозова — садится на постель в ночной рубашке, с голыми коленками. То — уж совсем афронт! — сама Орлова пляшет с гармошкой перед фронтовиками, да так, что короткая юбка открывает края чулок с подвязками и выше. (Вот в этот момент циничный Берия и не удержался от своей «остроумной» реплики.)

Конечно, в мирное время такая накладка вряд ли проскочила бы, но в той тревожно-томительной кутерьме подобные мелочи уже не замечались.

КАК ЗАЖИГАЮТСЯ ЗВЕЗДЫ...

Послушайте, ведь если звезды зажигают,
Значит, это кому-нибудь нужно...
Владимир Маяковский

Феномен звезды в кинематографе Страны Советов тесно связан с другим феноменом — системой звезд.

Точное определение последнего я услышал в одной из американских киношкол. Не помню его дословно и не знаю его автора, но суть передаю.

«Система звезд» рождается, действует и процветает, когда неизменная (неизменяемая) личность звезды, создаваемая и фильмами, и рекламой — главный предмет зрительской увлеченности, — становится иконой и выгодным ТОВАРОМ. Становится отчасти планомерно (стараниями заинтересованных лиц), отчасти фатально (загадочно).

...Отстоялась «система» где-то к середине десятых годов в Голливуде и тогда же примерно получила распространение в кинематографических странах Европы, в том числе и в России.

Контракт, который голливудская студия заключала с перспективным исполнителем, был своего рода деловым проектом, призванным выявить «звездные» возможности данной персоны, закрепить их за нею — то есть зафиксировать ее экранное состояние и поведение — и максимально использовать его именно в такой образной форме. Суть типового контракта сводилась к тому, что актер становился фактически собственностью студии, разумеется, с определенными оговорками и на определенный срок. Чаще всего фигурировали пять или семь лет. Ингрид Бергман писала об этом: «В Голливуде актеры могли быть брошены в любой фильм, на любую роль, которые кинобоссы сочтут для них пригодными. Можно было потратить все семь лет, играя крошечные роли горничных или дворецких».

Понятно, что студия также брала на себя определенные обязательства перед исполнителем, прежде всего материальные. И естественно, чем выше был статус исполнителя (а на студиях, как водится, существовала «разрядная сетка»), тем эти обязательства были внушительнее. В очень редких случаях звезде давалось право выбора партнера, оператора, костюмера, право требовать частичных переделок в сценарии. Но в правилах взаимоотношений актера и студии доминировало беспрекословное подчинение первого интересам второй. Даже звезда первой величины могла лишь просить (не требовать) дать ей отпуск, передышку от бесконечных съемок. В воспоминаниях голливудских кумиров то и дело звучат жалобы на конвейерную систему, которая заставляла их работать буквально на износ.

В контракте могло быть не более пяти-шести пунктов, а могло быть до двадцати. Студия брала на себя обязательство оплачивать больничные счета исполнителя, травмы во время съемок, материальные нужды — разумеется, все в оговоренных пределах. С исполнителя, в свою очередь, бралось обязательство не выступать в прессе без предварительной консультации с пресс-агентом, представляющим интересы студии, не общаться с публикой без согласия на то студии и т.п. Случались, хоть и нечасто, и более экзотические предписания: избегать в одежде и вообще в повседневном облике всего, что нарушает имидж, рекламируемый студией; не переиначивать самостоятельно ни один из моментов своей личной биографии; обзавестись определенной маркой автомобиля и т.п.

Оценивать такую контрактную систему, как заведомо кабальную для исполнителя, было бы упрощением. Сколько бы ни было нареканий на нее со стороны актеров, журналистов, «киношной» публики, она доказала свою жизнеспособность и плодотворность. При всех ее видимых и невидимых издержках она стимулировала прогресс киноискусства, а главное, продемонстрировала свою способность к саморазвитию, достаточно гибкую приспособляемость к новым общественным ситуациям и здоровую конкурентоспособность.

Классическая голливудская «система звезд», разумеется, не лишена привкуса тоталитаризма — жесткого подчинения — актера идейно-художественной концепции студии. Но она же является оптимальной, наиболее честной формой решения многих профессиональных проблем. Она всегда готова проявить интерес и дружелюбие к незаурядной, сильной, а порой и строптивой личности (и ради нее внести коррективы в свой кодекс), если данная личность предвещает обострение зрительской активности, если она способна создать свою нишу, свою «загадку», свое никому не подвластное духовное поле.

В каждой стране «система звезд» проявляла себя поразному. Принципиальное отличие и преимущество голливудского варианта было только в том, что здесь компоненты «системы» были доведены до совершенства. Ни в одной европейской демократической, или полудемократической (Польша, Финляндия, Югославия), или даже слабототалитарной (Венгрия, Румыния, Италия первых лет диктатуры) стране не было такой дисциплинированной режиссуры, как в США. Даже та небольшая часть режиссеров, которая была наделена сугубыми привилегиями (класс «А») — выбирать сценарий, приглашать желаемых исполнителей, определять сроки и т. д., — редко шла наперекор интересам производства, редко доводила свои претензии до конфликтного противостояния. Можно по пальцам пересчитать действительно одаренных постановщиков, чья творческая судьба была сломана голливудской машиной.

И ни один из этих голливудских эксцессов не связан с противодействием «системе звезд» — разве что косвенно. Практически все американские звезды (коренные или приезжие) были достаточно выразительны, преданы своему делу, наделены драматическим талантом, исполнительны, и проблем с ними в процессе съемок у режиссера возникало, как правило, немного. Капризная звезда — это в значительной мере обывательский миф. Разумеется, возник он не из воздуха. Из мемуаров, слухов, журналистских дознаний, скандальных происшествий. Но повторю: все, что мы знаем о трудном характере иных звезд, об их ненормальных пристрастиях, слабостях и выходках — все это большей частью за пределами съемочной площадки. Режиссерам-звездам никто не мог навязать актера-звезду — «система» предполагала настолько широкий прейскурант, что всегда имелась возможность компромисса.

Хлопоты чаще всего возникали с начинающими звездами — с теми, кто, познав первый успех и все, что с ним связано, еще не вполне осознал и почувствовал свою безоговорочную зависимость от правил игры. Кто пытался самостоятельно афишировать свою исключительность, добившись подлинного звездного престижа.

Как всякая система, имеющая дело с живым творчеством, живым человеческим естеством, «система звезд» не была безотказной во всех случаях. Существовал определенный процент «отхода» — притом на всех этапах реализации (формирования) культа звезды.

Все начинали обычно с поиска «материала». Но в отличие от европейцев, у которых такой поиск носил более стихийный, более семейный характер, американцы вели его организованно. Разумеется, в Голливуде имел место и самотек — пробы по объявлению, случайность, неожиданное знакомство, приватная рекомендательная практика. Но был еще штат специальных агентов, которые буквально рыскали по городам и весям — и не только Нового, но и Старого Света, приглядывались к восходящим знаменитостям театра, очень точно докладывали о своих впечатлениях руководству и в случае начальственного одобрения очень красноречиво уговаривали потенциальную звезду переместиться в Голливуд.

Стоит заметить, что проколы случались не только у агентов, но даже и у всесильных магнатов. И не только с начинающими безвестными еще исполнителями, но и со знаменитостями. Наглядный пример — наша Анна Стэн. Она уехала за границу в 1929 году, когда находилась фактически в первой тройке отечественных женщин-звезд. На съемках в Германии актриса познакомилась с агентом «Метро — Голдвин — Майер», и он переслал ее данные (в том числе и фрагменты фильма) в Америку.

Легенда гласит, что в Германии был не агент, а сам Луис Майер, он-то и положил глаз на русскую кинокрасавицу. Доля правды была в том, что Луис Майер действительно загорелся желанием заполучить Анну Стэн, а заполучив, сделал все возможное и невозможное (то есть гораздо большее, нежели в обычных случаях), чтобы превратить актрису в голливудскую звезду первой величины.

Ничего не получилось. Причем никто не воспринимал старания Луиса Майера как каприз или сумасбродство — все были без ума от красоты и естественности русской актрисы, но на голливудской пленке все это не получало должной выразительности. Ее принялись шлифовать, пробовать разнообразную огранку и окончательно лишили какого-либо звездного очарования. Наблюдавший это Грэм Грин, бывший тогда кинокритиком журнала «Спектейтор», с горечью писал о ее загубленном муштрой и бесконечными репетициями таланте... Ничего не вышло у Голливуда и с Франческой Гааль — относительный успех ее ремейков не сделал ее американской звездой. Таких примеров немного, но они есть.

Слабое подобие голливудской «системы звезд» существовало в двадцатые годы и в СССР. Моисей Алейников, главный «продюсер» студии Межрабпом, был умелым хозяином и, судя по всему, порядочным человеком. Он не препятствовал своим звездам сниматься на других студиях (да и не мог бы этого сделать «в присутствии» советской власти), считался с их вкусами и нуждами, не донимал мелочной опекой, не заставлял работать на износ (да и не смог бы даже при желании — возможности студии были не таковы). Но все же и словом, и делом (договором) давал четко ощутить приоритет студийных интересов — прежде всего коммерческих.

О голливудской «системе звезд» и вообще о Голливуде советские кинематографисты судили в основном понаслышке. Точнее, по зарубежной прессе. И судили, естественно, через призму большевистских предубеждений. Голливуд рисовался им, как и прочей «охваченной культурой» публике, образцовым вертепом, где все поставлено на конвейер, где царит скупая и циничная расчетливость акул кинобизнеса, где задыхаются и погибают подлинные таланты, где только и есть заманчивого: кинотехника, да вышколенная обслуга, да еще то, в чем вслух не признаются, — безмерный и шикарный разврат.

Редкие эмиссары из Советской России — большей частью журналисты, — прикатив в Голливуд, видели своими глазами... то самое. И потом красочно клеймили увиденное в журнале «Советский экран» и популярных брошюрках «Теакинопечати».

Да что журналисты!.. Надеюсь, читатель не забыл посылку, которую отправили Эйзенштейн и Александров Шумяцкому вместо ответа на его вопрос о том, что представляет собой голливудское кинопроизводство. Понятно, что их отношение к американскому кино было несколько сложнее, чем эта шаловливая метафора, но по сути не противоположно.

В ноябре 1947 года в Доме кино состоялось политическое действо под названием «Американское кино на службе реакции». Главными докладчиками были Александров и Эйзенштейн — очевидцы и знатоки предмета. Отметив отдельные прогрессивные тенденции в прошлом и настоящем Голливуда — редкие, случайные и вообще нехарактерные, — бывшие друзья вдоволь поупражнялись в сарказме, презрении и критике. Досталось и «системе звезд».

Между тем не кто иной, как Александров, более всего заимствовал в своей режиссерской практике от этой «системы». Его отношения со студийным начальством, с актерами, с группой — даже и со своей преданной, любящей, на все готовой звездой — *стилистически*, пусть отдаленно, пусть поверхностно напоминали форму отношений в духе именно голливудской «системы звезд».

Беру на себя смелость сказать, что Орлова своим физическим и душевным складом была рождена для этой «системы». Ее тяга к дисциплине, к самоистязанию ради искусства, к работе именно на износ (она расцветала в работе и увядала без нее), к житейскому затворничеству, бережливой охране своей репутации и вместе с тем к умелому повседневному подпитыванию ее (прилюдным поведением) могла бы служить образцовым примером бытия голливудской звезды...

Безусловно, подчинение личности — и в творческой своей ипостаси, и в житейской — интересам предпринимательства всегда чревато драматичной ситуацией. Однако когда роль предпринимателя — гаранта успеха, карьеры, житейского благополучия — брало на себя государство (чаще всего это был тоталитарный режим), актер оказывался в положении гораздо более опасном и сложном. Государство не принимало на себя никаких обязательств перед звездой. Зато звезда была раз и навсегда приговорена к определенному статусу — воспринимать свою работу как государственную службу. Преуспеть на этом поприще, не расписавшись в полной и безоговорочной лояльности (точнее даже — преданности) режиму, было невозможно.

Ингрид Бергман, попав незадолго до войны в нацистскую Германию, очень метко и красочно описала это «своеобразие».

«...С самого начала работы в Германии я замечала, что там происходит нечто непонятное. Режиссер фильма Карл Фрелих жил в постоянной тревоге. Я очень быстро поняла, что для того, чтобы добиться успеха, надо стать членом партии... Карл Фрелих взял меня однажды на одно из нацистских сборищ. Громадный стадион, факелы, оркестры, солдаты в стальных касках. Гитлер, уходящий военным шагом, и десятки маленьких девочек, бегущих к нему с букетами цветов. Потом крик «Зиг хайль» и вытянутые в нацистском салюте руки. Я смотрела на это с невероятным изумлением. А Карл Фрелих едва не упал в обморок. В ужасе он прошептал мне:

— Боже, почему ты не салютуешь?

— А зачем, собственно, я должна это делать? У вас прекрасно получается и без меня.

— Ты просто идиотка! Ты должна это сделать. На нас все смотрят.

... Оставшись наедине с Фрелихом в его собственном кабинете, я сказала:

— Я ведь шведская актриса, приехавшая сюда на несколько недель.

— Это тебя не спасет. Ты наполовину немка. Эти люди жестоки и опасны. У них повсюду глаза и уши. И еще. Если ты получишь приглашение от доктора Геббельса на чашку чая — а ты наверняка получишь его, — ты должна сразу сказать «да». Ты должна пойти. Он любит молодых актрис, и говорить тут не о чем. Пойдешь!.. Если ты откажешься от встречи с ним, у меня будут огромные неприятности. Имей это в виду...»

Отношение к режиму у нашей звездной пары было, как известно, радужным — и отнюдь не лицемерно. Арест Берзина (уже фактически бывшего мужа) в конце двадцатых заставил, конечно, Любовь Орлову понервничать, но ни на какие крамольно-рискованные мысли ее не подвигнул. Если и было какое-то личное мнение, то сводилось оно к обыденному: не нашего ума дело!

Гибель Нильсена и Шумяцкого — главного покровителя Александрова — их тоже не потрясла, ни приватная жизнь, ни работа ни на мгновение не сбились с привычного уверенного ритма.

Сталин любил их, и они любили Сталина. Наверное, его смерть они перенесли не без душевной боли (как и большинство их зрителей). Однако разоблачение культа личности в 1956 году не преисполнило наших героев трагических настроений, — к этому времени уже окончательно оформился (отстоялся) стиль их общественного и житейского мировосприятия. Ничего близко к сердцу, кроме того, что близко, то есть искусства, общественной репутации и семейного благополучия.

Помянутый нами Б. З. Шумяцкий был главным инициатором внедрения в советскую кинопроизводственную структуру голливудских принципов и традиций.

В том числе и «системы звезд». Он мечтал о создании советского Голливуда, часто повторял: нам не нужны заокеанские звезды, мы должны иметь свои, своего завода — эти звезды будут символами нашей страны.

В его политике Александров и Орлова были сильнейшими аргументами «за»... Ни одна актриса не доказывала с такой наглядностью — вопреки всем лирическим и патетическим прокламациям, что художественный дар — редкостная, нерукотворная вещь, что артистизм, природное обаяние, острое чувство зала есть комплекс, неподвластный стахановскому рвению и показным рекордам, что искусство — область, где обитает героика особого свойства.

Ни одна актриса не демонстрировала с такой очевидностью свою уникальность, недосягаемость. И этим была особенно — вот парадокс! — дорога и притягательна. В любви к ней несомненно был оттенок благоговения.

«Орлова у нас одна». Собственно, что это значит — «одна»? Единственная? В каком смысле? Ну да, конечно, миловидная, жизнерадостная, веселая. А еще гибкая, озорная... временами более статная, чем изящная, временами наоборот. Мелодичная не только голосом, но и фигурой, улыбкой, походкой. Победительная. Все это настолько явно, а где-то просто обыкновенно для музыкальной звезды, что можно бы и не перебирать эпитеты. Но зритель верно чувствовал уникальную — единственную в своем роде — редкостность сочетания всех этих свойств.

Правда, ему чуть-чуть помогало то, что она практически не имела соперниц, — в ее жанре феерической музыкальной комедии в СССР работал один Александров. Уверен, впрочем, что подобное сопоставление нисколько не умалило бы любви к Орловой. Кто б не увидел, что женственность нашей звезды, при всей ее разносторонности, единственна в своем роде. И очень созвучна нашей во многом иллюзорной, квазилегендарной реальности. А про частности, про бодрость и жизнерадостность и говорить нечего. Ни в советском, ни в зарубежном кинематографе не было музыкальной звезды, способной так физкультурно шагать, так напористо отстаивать свой гражданский принцип, так зажигательно исполнить песню-марш, песню-призыв, песню-лозунг.

Да, именно в сочетании, в дерзостном и веселом смешении разномастных обличий, в самом избытке этих обличий была ее подлинная уникальность. Все ее лицедейство — вокальное, пластическое, комедийное мастерство, все ухищрения режиссуры были устремлены к тому, чтоб родить в душе зрителя детское изумление, ощущение небывалости. Ощущение «чуда»... невероятного и доступного (вот же оно!) вместе.

И эта же ее единственность с лихвой компенсировала ту «усеченность», которая характерна для данного явления в советском кинематографе. В СССР действительно не было фирм, делающих звезду, не было рекламной системы, на звезду работающей. Правда, и самотек в этом случае не всегда на пользу — Орлова снималась всего раз в два года, хотя нормально было бы в соответствии со спросом дважды в год.

Конечно, исключительность положения — крайняя заинтересованность в ней не только зрителя, но и самого государства — работала достаточно «фирменно». Была и какая-никакая реклама, и продолжительный прокат, и соответствующий общественный ранг (своеобразная номенклатура), как бы обязывающий к неизменному почитанию. (Заметим в скобках, что ни одна зарубежная звезда не уцелела бы при таких паузах, — стоило восхитительной Милице Корьюс, героине «Большого вальса», оказаться в простое — роковое стечение обстоятельств, — как фирмы скоро и бесповоротно потеряли к ней интерес. Запоздалое возрождение звезд было не в правилах «системы».) К тому же наш тогдашний зритель не был избалован обилием музыкальных звезд — он стойко пережидал разлуку, терпеливо питал надежду, был неизменно расположен к новому свиданию.

Сложилась своего рода «особая ситуация», при которой слава Орловой могла бесконечно расти, приумножаться. Конструирование образа совершалось как будто стихийно, но внутреннюю заданность уловить нетрудно. Покуда вдохновители и творцы великих эпохальных начинаний — от вождя до безвестного труженика — ощущали острую потребность в его зазывной, в его чудодейственной силе, Орлова могла быть и вправду спокойна за сегодняшний и завтрашний день.

Разумеется, она была не единственной, на кого работала подобная «особая ситуация», — просто ее привилегии, в силу множества обстоятельств, были первостатейными.

Конечно, читатель заметил, что ход рассуждений привел нас от «феномена звезды» к «феномену Орловой».

Да, действительно, первая советская музыкальная звезда очень долго оставалась первейшей звездой среди других звезд.

Страна учредила высшее отличие для своих героев — «Золотую Звезду». Принимая в Кремле летчиков — спасателей челюскинской экспедиции, первых кавалеров этого отличия, Сталин спросил одного из них:

— Нравится звездочка?

— Нравится, товарищ Сталин.

— Это хорошо, что нравится. За границей знаменитых людей часто называют «звездами». Вот и мы учредили такую награду, чтобы все видели наших «звезд».

Схоже говорил и герой популярной в те годы ленты «Великий гражданин», прототипом которого легко угадывался один из вождей партии Сергей Киров: «Ко мне недавно подошла девушка — красивая девушка, и сказала, что хочет быть такой же, как Надя Колесникова (советская выдвиженка, инженер. — *М.К.*). Вы только вдумайтесь в этот факт. Ведь раньше девушки стремились походить на кого? На Мэри Пикфорд или еще на какую-нибудь заграничную звезду. А сегодня они хотят быть похожими на Надю Колесникову». Этот пассаж — откровенное жульничество. Надю Колесникову играла одна из красивейших и популярнейших звезд советского экрана Зоя Федорова.

А помните диалог Татарова и Лели о гадком утенке и лебеде? «В России, — объясняла Леля, — стараются, чтобы гадких утят не было. Их тщательно выхаживают. В лебедей они не превращаются. Наоборот, они превращаются в прекрасных толстых уток».

Советская (но не без явственной иностранности) музыкальная звезда Любовь Орлова стала «лебедем» александровской «Кинолandии».

И еще одна тема не дает мне покоя... Мои экскурсы в эти исторические (назовем их условно так) сюжеты имеют подоплекой полудетское желание ощутить невозможное возможным: звездную ценность Орловой в ценностных категориях голливудской «системы звезд». Ведь ее часто обозначали (изобличали) в советской критике как советскую «американскую» звезду.

Что ждало бы актрису за границей, если бы она уехала из СССР?

Из отъехавших на Запад актрис российского происхождения в звуковом кино преуспели всего трое: Ольга Бакланова, Ольга Чехова и Милица Корьюс. Ольгу Чехову «по голливудскому» счету судить трудно, и не только потому, что преуспела она в Германии, в тоталитарной же политической системе. В тех редких фильмах Третьего рейха, которые отличались художественной выразительностью, она не снималась. Ольга Бакланова играла не музыкальные, драматические роли. Милица Корьюс... но, кроме «Большого вальса», принесшего ей всемирную славу, она нигде более не блеснула.

Не только для сравнения привожу я эти имена и не только из праздного любопытства («что было бы, если бы вдруг?..»). Вот уж и книга дописана до половины, а все не могу ни угадать, ни выверить: какова же все-таки реальная, безусловная цена музыкально-драматического таланта Орловой? Реальный масштаб ее своеобразия? Вкупе с ее внешностью, киногеничностью (во многом сделанной Александровым)? Без идеологической приправы? Без сугубой причастности к политической атмосфере? Без счастливого стечения множества житейских обстоятельств?

«Система звезд», будь она в СССР, могла бы дать на это более или менее объективный ответ. Но до нее, как известно, не дошло. И единственным непреложным фактом после всех раздумий и прикидок остается парадокс: из всех советских звезд «великой сталинской эпохи» она действительно наименее... советская. Невзирая на «Светлый путь», «Волгу-Волгу» и финал «Цирка». Ибо в этих картинах — если, конечно, смотреть «мимо деревьев» — особенно ощутима притворность ее маски. Мнимость ее советской характерности — иногда весьма располагающая своей маскарадной экзотикой, ухарской эксцентричностью, иногда несколько отталкивающая своей неумеренностью.

Но мнимость эта вовсе не оборотная сторона ее «зарубежности», ее американского отблеска. Этот отблеск так же на поверхности, как и ее *советскость*. Глубиной сердца зритель угадывал в ней иное — ее независимость, ее неподвластность силам притяжения. **Иноземность** в прямом смысле этого слова. И, улавливая, радовался, что это поднебесное создание выбрало для обитания его страну, живет где-то поблизости — похоже одевается, похоже говорит, похоже поет, похоже радуется жизни. И остается верной и этому разбитному просторечью, и этой шалой песенно-плясовой стихии, и этой гулевой, нелепой, недоступной рациональному объяснению стихии.

Велик ли, нет ли ее музыкально-драматический дар, не хочу судить. Но была в нем смелая и ничуть не вульгарная эксцентрическая жилка — особо редкостный подарок муз. Эксцентрика давала ей возможность работать на контрастах, на резких эмоциональных перепадах, выдавая искрами, вспышками то «героическое», то «ревнивое», то «жертвенное», то «весело-одержимое», то «нежно-грустное». Облик, голос, темперамент держали эксцентрику в рамках, не давая ей сорваться в грубо-чувственное, пошлое, шутовское.

И вот что хочу повторить напоследок. Может, оно и неплохо, что не выпало ей реального испытания «системой звезд». Кто знает, как бы оно обернулось? Но творила она и жила так, будто и впрямь суровый кодекс этой «системы» незримо присутствовал во всех ее поступках и свершениях. И руководил ими.

ПО ВОЕННЫМ ДОРОГАМ

От рубежа до рубежа
На каждом новом месте
Ждала с надеждою душа
Какой-то встречи, вести...
Александр Твардовский

Все предвоенные годы Любовь Петровна жила жизнью празднично-суетливой, благодатно-изнервленной. Съемки, концерты, разъезды, приемы, просмотры, торжественные вечера, юбилеи, письма, деловые встречи, выступления, звонки.

В советской «табели о рангах» Орлова имела статус и влиятельность едва ли не генеральские, и волей-неволей приходилось им соответствовать — хотя бы в свободном варианте.

А был еще дом, домашние заботы — квартирные, дачные... По письмам ее (их сохранилось немного, да и не очень любила она писать) можно судить, сколь неспокойным и хлопотным было ее счастье.

«...Только вчера кончила сниматься на натуре по «Очной ставке». Вышло, что снималась беспрерывно две недели. Жара ужасная. Под прожекторами и солнцем измучилась. Завтра еду в Ленинград. Сегодня ездила получать деньги в филармонию. Говорила относительно своих самостоятельных концертов в зимнем сезоне. Перевела вам тысячу рублей».

«...Съездили мы в Ленинград хорошо. Я спела за пять дней одиннадцать отделений. В комиссионном, от греха растратить деньги, была два раза. Купила рюмки, опять же графинчик и пепельнички и стакан из цветного стекла... 2-го еду в Курск. 7-го в Ярославле на три дня. (Те самые три дня, в один из которых она навестила дом своего детства. — *М.К.*) 26-го состоялись первые съемки «Золушки»... Смотрела «Очную ставку». Кажется, ничего...»

Это фрагменты из двух писем Миронову — он был болен в это время и не мог сопровождать Любовь Петровну, — разделенные двенадцатью днями. Событий достаточно, чтобы представить лихорадочную вибрацию ее жизни. А сколько неупомянутых...

Но тут читатель вправе остановить автора вопросом: что это за «Очная ставка»? И почему о ней не было упомянуто прежде? Ведь, судя по письмам, картина снималась раньше «Золушки», то есть «Светлого пути»?

Все правильно. Картина «Очная ставка» — экранизация популярной пьесы Льва Шейнина — была закончена буквально за неделю до начала новых съемок. В прокат эта картина вышла под названием «Ошибка инженера Кочина». Снимал ее не самый известный режиссер Александр Мачерет, зато в ролях, кроме Орловой, целый букет популярных, знаменитых и просто известных актеров: Жаров, Раневская, Дорохин, Петкер, Кмит.

Несмотря на столь впечатляющий состав команды, игры не получилось — если не считать одного-двух сольных «проходов» Раневской. Да и не могло получиться. Лента из тех, что прокатчики интеллигентно именуют «приключенческими», а публика и проще, и точнее — «про шпионов».

Шпионкой здесь была Орлова, правда не главной. Правда, шпионкой больше по нужде, чем по хотению.

Правда, не только шпионкой. Собственно, у нее три образные ипостаси. Она — соседка главного персонажа — авиаконструктора Кочина (коммунальный быт столь ценного «кадра» — явная драматическая подставка). Она же — его возлюбленная. Она же — орудие западных резидентов, охотящихся за чертежами нового истребителя конструкции Кочина.

Ипостасей много, но сводятся все они к одному банально-жалобному знаменателю — «попалась птичка». Никакой другой характерностью орловская героиня не обладает — как и вообще сколько-нибудь занятным личностным началом. Можно при желании уловить сходство героини с ослепительной Марион Диксон (та ведь тоже была попавшейся птичкой, тоже мучилась тщательно скрываемой роковой тайной) — тем более ощутимей и принципиальней разница. В «Ошибке» от Орловой требовался не ослепительный артистизм, не победная звездность, но милая, заурядная узнаваемость. Требовалось «не быть» Орловой.

Шпионы в картине выглядят как шпионы — гадко, мерзко и пакостно. Чекисты, напротив, — воплощение доброты, прямоты, красоты.

Наверняка Шейнин, юрист, сочетавший творческий опыт с активной работой на органы, прекрасно знал, что пьеса его — чистейшая липа. Но он знал и кругозор начальства, его конъюнктурные потребности, руководящие инструкции, общепринятые правила игры и взаимного обмана.

Известно, как придирчиво, как мелочно ратовал Сталин за бдительность, за сугубую секретность работ, связанных с военной инженерией. Когда ему ради шутки доложили, что в уборной конструкторского бюро Лавочкина вспыхнул пожар — от окурка загорелся ящик с бумажным мусором, — вождь рассерженно прервал рассказчика: «Что значит мусор?! Мне уже не раз докладывали, что Лавочкин — неряха и бросает где попало нужное и ненужное. Мусор нашли! Потом окажется, что этот мусор на столе у абверовских специалистов!» Собственно, фильм и был наглядной иллюстрацией этой верховной концепции.

Можно понять Любовь Петровну. Она хотела сниматься, хотела играть — и не только в музыкальных комедиях. Она считала себя способной играть и сложную драматическую роль, мечтала о такой. В роли, предложенной Мачеретом, брезжило что-то похожее. Жертва шпионских интриг — страдающая, любящая, гибнущая...

Любовь Петровна честно и грамотно «отпела» эту нехитрую мелодраматическую ноту, доказав лишь одно: что может быть на экране не только звездой, вызывающей замирание сердец, но и малозаметной, средней руки актрисой, способной разве что вписаться в ансамбль и не испортить общей картины. Зритель и не признал ее в этой картине — если и ходил на фильм, то не ради нее. Ради шпионской интриги, ради Раневской с Петкером, ради Жарова.

В общем, то было дежурное политико-развлекательное кино тех лет — одна из нужнейших «галочек» в тематическом плане студий, в разделе «Фильмы о советских чекистах» (или «К 20-летию ЧК-ОГПУ-НКВД»)...

...Мне не раз приходилось слышать от людей, хорошо знавших Любовь Петровну, что в ней погиб незаурядный, даже огромный драматический дар — в угоду музыкально-комедийному. Я видел ее в трех больших театральных ролях (речь о них впереди), в некомедийных картинах Александрова. И была она хороша — или, по крайней мере, впечатляюща — только там, где была настоящей Орловой — женщиной из женщин! В «Лиззи Маккей», во «Встрече на Эльбе». Ну, и в «Весне», где одна из двух ее ролей полусерьезна.

Григорий Львович Рошаль, чаще других снимавший Любовь Петровну, за исключением, естественно, Александрова, и также горячо разделявший упомянутое мнение, на практике скорее опровергал его. В «Петербургской ночи», мы помним, она играла не очень большую, но благодарную роль — маленькой водевильной актрисы, мимолетной подруги неприкаянного скрипача. Роль эта не требовала от Орловой чрезмерных творческих усилий: и водевильная часть, и драматическая (скорее мелодраматическая) вполне отвечали ее тогдашнему театральному опыту. Она и не вышла за его рамки.

Во второй раз она сыграла у Рошаля в «Деле Артамоновых» в 1941 году, прямо перед войной. Тут была совсем уж небольшая роль — певички, заезжей дивы Паулы Менотти, ублажающей своим легковесным искусством провинциальных толстосумов. В этой роли она, пожалуй, больше похожа на свое «Я», но столь бегл, мимолетен этот шик и блеск, что внимания всерьез не задерживает.

Ну, а третья роль у Рошаля — в «Мусоргском» (1952 г.) — столь невзрачна, что навряд ли помнится даже поклонникам этой картины.

...Нет, Александров не убил в ней, как думали и говорили иные ее доброхоты, большого драматического таланта. И все же кинематограф внес маленький негативный нюанс в ее грядущую театральную судьбу — слегка заледенил ее игру на сцене. А усилила этот нюанс ее концертная жизнь. Собственно, эта жизнь была частью кинематографической. С 1932 года Любовь Петровна уже не выступала на эстраде с экстравагантными скетчами, танцевально-музыкальными миниатюрами. Теперь это были обычные концерты — в двух отделениях: в первом классические романсы, вокал, во втором рассказ о себе, перебиваемый песнями из кинофильмов. Все затвержено, все отмерено, все отделано раз и навсегда.

Одно из главных условий ее согласия на поездку — не меньше двух концертов в день. До 1939 года артисты получали за такие выступления столько, сколько просили — или сколько давали. Что было, в общем-то, правомерно — хотя бы потому, что разные города отличались разными возможностями. Но незадолго до войны появились неудовольствия, случались перебранки, а то и просто скандалы — главным образом в стенах Гастрольбюро, распорядителя и контролера всех актерских вояжей.

Любовь Петровна скандалов ужас как не любила и потому сразу и четко оговорила свои права: шесть ставок за выступление. Как у Качалова, Образцова, Асафа Мессерера. Ставка высшей категории (а у нее, само собой, была высшая) — сто рублей. Итого: шестьсот рублей за концерт — сумма по тем временам немалая. Шуба, которую Любовь Петровна сшила незадолго до войны — первая шуба! каракулевая! «из своего меха» (как шутили тогда), — обошлась ей в целом в четыре тысячи. Правда, все по большому блату.

Часто в поездки с Любовью Петровной и Мироновым отправлялся какой-нибудь музыкант (скрипач или виолончелист), а иногда — чтец-декламатор, чтобы во время концерта иметь две-три передышки. Правда, до войны такое случалось нечасто. Передышку минут на восемь-десять делал Миронов — играл «легкую классику». В войну же с ними чаще всего ездил знаменитый Владимир Яхонтов, после войны Александр Глумов.

В предвоенные годы после «Волги-Волги» она зачастила ездить с Ильинским по большим городам — Харьков, Киев, Ростов-на-Дону. Выступали так: в одном конце города концерт начинал Ильинский, а на другом конце — Орлова. Затем в антракт оба менялись точками (на авто) и выдавали второе отделение.

Изредка брали с собой и ведущего. Любовь Петровна хотела, чтобы все в концертах было на высшем уровне. Местные ведущие часто ее раздражали, иногда доводили чуть не до слез. Образцовым ведущим она считала Александра Про, и он действительно был в своем роде неподражаем. Элегантен, статен, свеж. Пробор как «невская перспектива». Аристократ с головы до ног. Сильный баритональный голос... У него единственного в филармонии была такая же ставка, как у знаменитейших актеров. Всем своим обликом — каждым кивком, каждым жестом — создавал он на сцене академичную, неэстрадную атмосферу.

Слово «эстрада», как мы уже говорили, Любовь Петровна не любила (а «эстрадник» просто-таки ненавидела), и все, что отдавало ею, старалась от себя отодвинуть. Не любила поэтому и конферанса, и вообще всяческого заигрывания с залом. Однажды дирекция ЦДРИ попросила ее принять участие в общем предновогоднем концерте, она согласилась. Вечер вел популярнейший конферансье Михаил Гаркави. «Человек-гора». Его репризы-шутки так расстроили Любовь Петровну, что она хотела под предлогом недомогания поскорее уехать домой. Но сдержалась и пошла отбывать свой номер. Пока на сцену выкатывали рояль, Гаркави, заполняя паузу, прочел «сатирическую» басню про пижаму и халат, сварливо и дотошно выясняющих свои отношения. Бедная Любовь Петровна, на дух не переносившая подобных опусов, не хотела смотреть в зал. Сергей Юткевич после концерта допрашивал: «Почему пела с закрытыми глазами?»

Разъездная жизнь очень непредсказуема. Но такого разнообразия, какое выпало на долю Орловой, исколесившей страну (особенно европейскую ее часть) вдоль и поперек, не было ни у кого. Вот уж кому довелось воочию увидеть страну контрастов!

Многое она записала в свой дневник — полтора десятка разнообразных тетрадей. Несколько раз бралась его обрабатывать, даже наняла как-то человека в секретари, но, увидев первый результат, решительно отказалась от посторонней помощи. Жаль, что теперь все эти записи канули в безвестность, — многое, впрочем, уничтожила она сама. Кроме десятка крупиц, устных рассказов, мне нечего предложить читателю. Выбираю три — по принципу наибольшего контраста.

...Незадолго до начала работы над «Волгой-Волгой» Александров с Орловой во второй (и в предпоследний) раз позволили себе отдых на курорте. Отдыхали в Ессентуках, в санатории ВЦСПС. Ни знаменитостей, ни просто интересных собеседников там не оказалось. На террасе второго этажа, заставленной столиками, целый день стоял пулеметный треск — обитатели дома забивали «козла».

За несколько дней до отъезда из Кисловодска приехал Миронов — он гастролировал по южным курортам в составе одного из московских ансамблей. Заскучавшая от безделья Любовь Петровна позволила уговорить себя на один концерт, но только в самый последний день. На этот полуночной концерт сбежалась и съехалась вся отдыхавшая знать. Прибыл из Кисловодска целый взвод украинских наркомов во главе с председателем Шелестом.

После концерта наркомы зашли за сцену познакомиться — там в одной из комнат был накрыт чайный столик. Шелест насмешливо оглядел сервировку, покрошил в пальцах печеньице и повернулся к наркому пищевой промышленности: «На этот мусор надо наплевать и забыть! А теперь веди нас по своему ведомству!»

Нарком, как говорится, берет под козырек и ведет компанию в ресторан — прямо напротив театра. Однако время позднее и ресторан уже закрыт. Шеф ресторана, седоусый красавец грузин, оказался на месте. Нарком спрашивает: «Шашлыки есть?» — «Нет». — «Форель?» — «Нет». — «Плов какой-нибудь?.. Сациви?..

Икра?..» — «Ничего нет». — «Ну, а вино? А фрукты?» — «Это есть».

И он приносит вино «Кровь Грузии» (одно из самых скверных вин) и поднос крохотных яблок. Все стали смеяться над несчастным наркомом. Заставили выпить фужер вина и закусить яблочком. Он подошел к Любови Петровне и, повинно склонив лысую голову, сказал: «Прошу, в смысле умоляю: приезжайте завтра в Кисловодск с товарищем супругом! Я исправлюсь!»

И правда исправился. После прибытия в правительственный санаторий гостей усадили в самый большой автомобиль, хозяева расселись по другим машинам, и вся компания покатила в Храм Воздуха, знаменитейший ресторан в горах. Впереди ехал грузовичок с открытым кузовом. В нем сидели музыканты-грузины, с ходу начавшие озвучивать высокое мероприятие.

Валтасаров пир, на котором была представлена вся съедобная фауна Кавказа, длился до самого вечера. До отхода поезда, на котором гости отбывали домой.

Прощание происходило в Кисловодске, на вокзальном перроне. Было оно довольно долгим. И пока длилось, поезд терпеливо стоял, не реагируя на стрелки часов. Когда подошел главный кондуктор и, широко улыбаясь, возгласил: «Дорогие гости, прошу за мной!» — Любовь Петровна думала, что он просит пройти в вагон и занять, наконец, свое место. Однако он повел всю компанию к вагону-ресторану, где, не «снимая» улыбки, попросил провожающих остаться, а гостей провел внутрь. Посреди ресторана стоял отдельный столик, на котором вавилонской башней возвышался роскошный торт с кремовой вязью на вершинном пятачке — «Орловой».

Пока Любовь Петровна в легкой растерянности размышляла, что теперь надлежит делать — сесть ли за стол, разрезать ли кулинарное чудо, дабы одарить всех присутствующих и провожающих, или как-нибудь довезти его до Москвы, — к Александрову неслышно приблизился начальник вокзала и шепотом, доверительно спросил: «Товарищ Орлов, разрешите отправлять поезд? Или как?»

В 1939 году День физкультурника был впервые отмечен большим кремлевским приемом. Как всегда, в зале стояли столы для гостей, а на сцене — вот это было несколько необычно — стоял стол для членов Политбюро. Концерта на этот раз удостоились только самые избранные — не более двух десятков человек. И происходило это за сценой, в другом, меньшего размера, зале. Правда, кроме «богов» в зале находились и смертные — они стояли у дверей и у стен, глядя в пространство и всем своим мрачным видом показывая, откуда они. Артистов вызывали по мере надобности, правда предупредив заранее, кто за кем. (Обычно на приемах такого ранга заранее отпечатывалась концертная программка-складень на плотнейшей желтоватой бумаге.)

Орлова собиралась исполнить три песни из «Веселых ребят», «Цирка» и «Волги-Волги». Миронов не советовал ей петь знаменитую «пушечную» шансонетку — «диги-диги-ду!». Неуместно как-то, говорил он, да и Сталину вряд ли такое по душе. Действительно, Сталин сделал несколько равнодушных хлопков, зато когда Любовь Петровна запела припев песни о Волге, он улыбнулся, подхватил мелодию, сперва тихо, потом громче, а в конце просто запел в голос и предложил свите присоединиться к нему.

Но это был еще не триумф. Триумф начался потом, когда концерт кончился и гостей развели по столам. Как всегда, стол Орловой и Александрова был максимально близко от сцены, стол Миронова в дальней части зала. И вот в какой-то момент Любови Петровне захотелось выпить за Сталина, и она поднялась, чтобы подойти к нему. Однако то ли Орлова шагнула слишком решительно, то ли охрана ничего не поняла, но несколько человек одновременно метнулись ей наперерез. Она приостановилась, растерянная. Сталин приподнял голову, мигом оценил обстановку и, коротким жестом отправив ретивых церберов на место, поднялся с бокалом в руке.

— Говорите, товарищ Орлова! Мы вас внимательно слушаем. Говорите сколько хотите! Будем все стоять и слушать...

И, конечно же, все — и члены Политбюро, и зал — поняли эти слова, как должно было понять. То есть встали и слушали.

...Первый послевоенный год. Весна. Буквально за несколько недель до поездки правительством была объявлена амнистия уголовникам. В честь Победы. Указ об этом почему-то подписал политический выкормыш Сталина маршал Ворошилов. Потому народ и прозвал всю эту амнистированную братию «ворошиловцами»... Одной из главных точек гастролей был Саратов. Но когда Орлова с Мироновым и ведущей Марией Ананьевой прибыла в город, оказалось, что он буквально оккупирован «ворошиловцами». Люди сидели по домам и боялись высунуть на улицу нос. Магазины, учреждения, трамваи — везде было пусто. Рабочих и служащих особо важных объектов — в том числе и гостиницы, в которой жили артисты, — сопровождала охрана. Причем уголовникам настолько нравилось жить в парализованном страхом городе, нравилось свое всесилие, что они наслаждались им почти платонически, не особо зверствуя. Больше слухов, чем реальных эксцессов... Гастролерам надо было или немедленно уезжать, или терпеливо пережидать эту напасть. Прошли день и ночь. А наутро в город вошли войска. Неизвестно, то ли московские власти спохватились, то ли их подхлестнуло известие о пребывании в городе первой актрисы советского экрана.

Войска прочесали город, и жизнь восстановилась. Можно было выступать. Но поскольку от трехдневного срока гастролей в Саратове оставался всего один день — билеты были раскуплены задолго до того, как на город накатила «ворошиловская» волна, — приняли решение число выступлений спрессовать до упора и выдать подряд: с утра до вечера. Шесть концертов. С двенадцати до двенадцати. Без перерывов. И ничего, кроме бутербродов.

Когда подходил к концу последний, за кулисы пришел начальник местного МВД и весьма решительно, даже строго попросил дать еще один концерт — для сотрудников органов, которые только сейчас, в двенадцать ночи, освободились от дел (привет из Одессы. — *М.К.*). Любовь Петровна была без сил и без голоса. Сидя в маленькой, обшарпанной гримерной, она плакала, уронив голову на руки, и причитала: «Лева, что делать?!»

Но делать было нечего. На дебаты уже не осталось ни сил, ни смелости. И состоялся еще один полноценный концерт, ибо Любовь Петровна никогда не выступала, не пела вполсилы. Просто не умела это делать.

...Война застала их в Латвии, в Кемери. В доме отдыха для видных деятелей советской культуры, организованном буквально через неделю после сталинской оккупации страны. Когда первые слухи о войне подтвердились радиосообщением и странным гулом, изредка возникавшим где-то в отдалении, все отдыхающие кинулись в Ригу и плотно заселили одну из лучших гостиниц «Рома».

И почти сразу же начались воздушные тревоги. Все спускались в импровизированное бомбоубежище — красивейший подвал, стены которого были увешаны охотничьими трофеями: рогами оленей, кабаньими головами, чучелами птиц. Александров успокаивал встревоженную компанию: он-де звонил Молотову, разговаривал с ним (телефон к ближайшему секретарю Молотова у него действительно был), и тот уверил его, что конфликт будет улажен в ближайшие же дни, что уже ведутся переговоры.

Незадолго до войны Орловой и Александрову подвернулся случай купить сравнительно небольшой портативный ламповый радиоприемник в виде черного чемоданчика. Штука в те годы и редкая, и дорогая, и, конечно, заграничная. В Риге приемник почему-то неважно ловил Москву, зато Германию брал более чем охотно. Каждый вечер можно было послушать раскаленный от свирепого торжества голос Гитлера и попурри из военных маршей.

На третий день войны Рига огласилась воем, гудками, криками людей — все суетились, куда-то бежали, прятались. Оказалось, над Межа-парком шел настоящий воздушный бой. Деятели искусства — более сорока человек — кинулись к Орловой и упросили ее (не Александрова) в самом деле позвонить в Совнарком, к Молотову — узнать, как и что? Секретарь Молотова отослал ее к Большакову. Большаков дал указание московским и ленинградским кинематографистам немедленно разъезжаться по своим городам и явиться на студии. Из этого краткого разговора всем сорока стало ясно, что надо бежать.

На вокзале был форменный ад. Людское месиво, одуревшее от жары, отчаяния, неразберихи, покрыло собой всю вокзальную и привокзальную поверхность. Было много военных — пограничники, летчики (почему-то в унтах) — с женами, с детьми, зачастую без вещей, но с домашней живностью. Стало ясно, что всем сорока сразу уехать не удастся, однако тут же договорились держаться вместе. Все понимали, что авторитет группы зависит прежде всего от нескольких киношников (ни Гаук, ни Вирта, ни Кирсанов, ни Кальцатый, ни Рахлин особой цены в глазах железнодорожного начальства, само собой, не имели), что положение оставшихся будет нелегким...

Любовь Петровна без разговоров двинулась на поиски начальника вокзала. Оператор Аркадий Кальцатый и режиссер Семен Тимошенко сопровождали ее. С начальником она объяснялась наедине и не более пяти минут. Вышла от него с сорока билетами.

Едва счастливая троица выскочила на перрон, как в ноги Орловой бросилась какая-то женщина — оказалось, она — директор Выборгского Дома культуры, где актриса не так давно выступала с концертом. Женщина уже сутки не могла выбраться домой — ночевала с малышом прямо на перроне. Любовь Петровна приказала спутникам: «Стойте здесь и ждите, пока не вернусь!» Снова пошла к начальнику и вынесла еще два билета.

До отхода поезда оставалось почти два часа, но все поспешили рассесться по своим купе и уже не дергаться. Все, кроме Любови Петровны. Еще накануне в городе она приметила в одном из магазинов симпатичную шляпку с пером. Достаточной суммы с собой, как назло, не оказалось, и она попросила отложить ее до завтра. В отъездной панике и суматохе она на момент забыла про шляпку — теперь спохватилась. Бросив Александрову: «Гриша, сидите в купе и никуда не выходите!» — она помчалась в город. Не сразу нашла магазин, не сразу добралась назад — в вагон влетела за двадцать минут до отхода, но со шляпкой. Потом всю дорогу боялась сломать перо.

Поезд, однако, не отходил еще час. Пассажиры дергались, поминутно приникали к окнам, пугали друг друга всякими предположениями. Вдруг над головами послышался гул. Прямо над вокзалом проплыл немецкий бомбардировщик — отчетливо были видны черно-желтые кресты, голова летчика. По-видимому, он уже отбомбился — летел спокойно и ровно, прогулочно...

Поезд шел не торопясь. На каждую станцию приходил с большим опозданием, и это трижды оборачивалось удачей — встречные города перманентно бомбили. Среди ночи — никто, естественно, не ложился спать — Любовь Петровна вдруг сказала: «Мне надо ненадолго выйти в другой вагон. Не волнуйтесь, я скоро вернусь». И ушла. Прошло пятнадцать-двадцать минут, Александров нервничал. Тогда Кальцатый пошел ее искать. Вышел в соседний вагон — все проходы забиты людьми: сидят на полу, ребятня на коленях у родителей. В другом вагоне то же самое. В третьем... Но вот опять купейный, и тут Кальцатый услышал знакомый голос: «Граждане! Товарищи! Вы меня знаете, в соседних вагонах много женщин — это все жены наших командиров, они без вещей, дети полуголые. Давайте оденем их! Кто что может...» Так она прошла по всему поезду — и свой вагон тоже не забыла. Тоже подвигла на доброе дело.

...И еще одно воспоминание, связанное с началом войны. Мимолетное, но очень точное. Известный сапер-подрывник, герой испанских событий, полковник Сорин, пишет, что, вернувшись в Москву летом 1938 года, никак не мог понять той веселой беспечности, которая царила в воздухе и в которой купались все: и низы, и верхи. Его предупреждений никто не хотел слушать. Его предчувствий никто не хотел разделять. Его то и дело ставили на место. Его горечь, боль и обида в конце концов сосредоточились на гигантском рекламном щите, зазывающем народ в кинотеатр «Метрополь». Женское лицо, беспечно растрепанные белокурые пряди, комическая гримаска, капитанская фуражка, лихо сдвинутая набекрень. ЛЮБОВЬ ОРЛОВА.

Щит висел на «Метрополе» вблизи того самого места, откуда Юрий Пименов брал перспективу для своей знаменитой картины «Новая Москва». Мы не видим лица девушки, так уверенно ведущей машину по умытой летним дождем столице, но внутренним взором легко узнаем его. Аккуратная прическа слегка позолочена солнцем. От шеи, открытых рук, легкого платья веет здоровьем и свежестью. Впереди площадь Свердлова, Охотный ряд... Впереди война. Война!.. Но без паники! Улыбка Орловой царит над городом, излучая веселье, задор и беспечность. Фуражками закидаем! Война, как известно, будет недолгой и на чужой территории. Как в популярных фильмах. Как в популярных песнях.

И даже когда война разразится — не такая, как пелось, как думалось, — не сразу хватит воли и сил стряхнуть с себя обаяние этой улыбки. Киножурналы, сделанные в первые месяцы войны, извещают всех о спокойной, почти безмятежной московской жизни. В одном из эпизодов мы видим — кого же? Ну конечно, Любовь Орлову. Она — в кафе. Нарядная, изящная. Ест мороженое. Улыбается. Все та же неотразимая успокоительная улыбка — возможно, более желанная в эти дни, чем слова страшной правды.

...В Москве поначалу было довольно спокойно. Налеты, воздушные тревоги в июле—августе еще не казались опасными, да и случались они только по ночам День проводили в Москве — Александров снимал свой «Боевой киносборник», помогал делать хронику, заседал в комитете.

Орлова снималась, выступала по радио — радиостудия помещалась тогда в здании телеграфа, — произносила положенные слова, пела. Вечером уезжали на дачу. Перед отъездом со студии пленку полагалось отнести во двор и поместить в землю, в специальную траншею.

Как правило, каждый день захватывали с собой кого-нибудь из друзей — чаще всего чету Вильямсов, ну и конечно, Миронова. Зажигали камин. Выпивали. Вильямс (знаменитый художник) был мастер составлять коктейли. Любовь Петровна особенно любила его «Маяк» (снизу шартрез, над ним яичный желток, сверху коньяк — пить надо сразу). Заводили патефон. Танцевали. Если гостей было больше, Григорий Васильевич играл на гитаре, пел шутливые песенки. Бывало, что прямо над головами пролетал немецкий самолет на Москву. Вечером на горизонте виднелось зарево. Однажды ночью самолет сбросил бомбу во Внукове. Утром все побежали смотреть воронку...

В октябре стало ясно — грядет эвакуация. В это же время Миронова дважды призывали в ополчение. В первый раз отпустили быстро: спросили про специальность, он ответил: «Музыкант». Уточнили: «На чем играешь?» Он ответил: «На рояле». — «А на трубе не умеешь?» — «Нет». — «Ну, иди — до особого распоряжения!» (Полагаю, что и облик маленького, худенького крохотули Льва Николаевича тоже изрядно охладил желание военкоматчиков видеть его «под ружьем».)

Однако через две недели его вызвали снова, и на этот раз, казалось, снисхождения уже не будет. Будущих ополченцев построили во дворе, и «кто умеет стрелять — направо! кто не умеет — налево!». Лев Николаевич честно отошел налево. «Левых» вывели за ворота и скомандовали: «По домам! До особого распоряжения».

Миронов стал ждать третьего вызова. Однако на другой день позвонила Любовь Петровна и сказала: «Немедленно приезжай к нам на Дмитровку!» Миронов приехал, дверь открыла домработница — хозяев не было. Вскоре раздался звонок: «Дожидайтесь!» К вечеру они появились. Были в комитете, целый день выясняли и обсуждали ситуацию. С порога она объявила ему: «Лева, мы должны эвакуироваться. Немедленно! Тебя мы записали как члена нашей семьи — можешь с нами! Можешь?» Растерявшийся Миронов даже чуть-чуть перепугался: «Как же так? Надо же сняться с учета, меня же сочтут дезертиром...» На это Любовь Петровна ответила устало и сердито: «Не городи чепухи! Какой там учет?! Где?! Иди и собирай вещи! Мы тебя ждем».

Так началась их новая — военно-дорожная — жизнь. Не такая, конечно, как у рядовых россиян — без крови и слез, — но все же, все же, все же...

Никогда жизненные тонусы Орловой и Александрова так не отличались, как во время войны. Александров, искони склонный к размеренно-благостному образу жизни, не то чтоб впал в прострацию и бездействие — все-таки снял фильм, в конце 1943 года занял пост худрука на «Мосфильме», — но как-то сразу настроился на пассивное выжидание. (По-своему, возможно, был прав — с королями плохо не случается.) Орлову же с самого начала завело, как мотор. И хотя мотор время от времени уставал и давал небольшие сбои, все же трудно отделаться от впечатления, что ее душевное естество — за сознание не ручаюсь — немного соскучилось по остроте таких переживаний.

Подробней о том, как происходила их эвакуация, — в ее стихах, в маленькой, бойко-дурашливой поэме. Признаюсь, я не сразу решился ее опубликовать. Свои стихи Любовь Петровна не предназначала для посторонних глаз и ушей. Но два резона меня сподвигли. Во-первых, портрет «Чарли» было бы грешно и глупо лишить столь красочной детали, а во-вторых, стихи ее столь милы, добродушны и остроумны, что никак не могут «оцарапать» репутацию Орловой.

Положенье ухудшалось,
И опасность приближалась...

Но мы ездили на дачу,
Танцевали кукарачу,
Пили водку и коньяк
И не думали никак,

Что назавтра, в день осенний
Мы получим повеленье,
Строгий, стало быть, приказ:
Покидать Москву тотчас.

В десять начали укладку,
И, представьте, к четырем
(Ну, ей-богу, не соврем!)
Было все у нас в порядке...

Как иначе? Ведь укладкой
Всею ведала тогда –
Всемогущая звезда!

Вещи быстро паковали
В чемоданы и вьюки,
Чемоданов не хватало –
Зашивали мы в тюки:

Шубы, валенки, ботинки,
Платья, лифчики, картинки,
Трости, удочки, весы,
Лампу, вилки и часы,

Чайники и статуэтки...
Ба! горшок забыли, детки,
В левом ящике! Оттуда
Захватите, кстати, блюдо!

Там на кресле плед лежит,
В спальне зеркало висит...
Да! А галстуки, галоши,
Надо взять с собой их тоже!

В этот маленький тючок
Положить бы утюжок,
Две моих еще перины...
«Что ты корчишь, Дуглас, мины?
Теперь ковриком покрыть,
Вот тогда и тюк зашить!»

....

Вещи быстро мы грузили,
В восемь рейсов отвозили.
На девятый — сами сели,
И «гуд бай», родные ели!

Мокрый таял снег на крышах
И на порванных афишах...
Мы с концертами Орловой
Попрощались на Садовой.

Прикатили на вокзал
И вошли в перронный зал.
Нас как будто оглушило:
Все кругом стонало, выло.
Рой киношников жужжал,
Гвалт неслыханный стоял!

Много было тут артистов,
Академиков, джазистов,
Были тут профессора,
Дирижеры, доктора,
Математики, плясуньи,
«Заслужённые» певуньи,
Это — сущий винегрет!
Пробу ставить — места нет!

Вот посадка началась –
И толпа вся понеслась:
Впереди бегут, как кони,
Леня, Моня, Шоня, Оня
(Прямо к мягкому вагону),
А за ними — хвост трубой! –

Мы несемся всей толпой

Чтобы из-за мест не драться,
Уж хотели мы остаться,
Но потом все разместились
Так, что даже удивились!
Поезд громкий дал гудок
И понесся на восток.

Долго из окон торчали
И всех встречных удивляли
Руки, ноги и тюки,
Чемоданы и вьюки.

Наконец, угомонились,
Все как будто разместились.
Можно, значит, отдохнуть,
Предстоит нам долгий путь!

……………………………………

Леня, Моня, Шоня, Оня –
Едут в мягком все вагоне;
А на третьей полке в жестком –
Без белья, на голых досках,
Между двух больших мешков –
Академик Каблуков.

Он в волненье, возмущенье
Рассуждает сам с собой:
«В моей жизни вычисленья
Лишь имею за спиной!

Мне бы джаз какой создать!
Самому б там станцевать,
Уж тогда б, как Леня, Оня,
Ехал в мягком я б вагоне!»

Наш старик так размечтался,
Что на полке разметался.
Когда ж ножкой застучал,
С полки на пол он упал...

Маленький комментарий: в мягком вагоне, кроме «Лени» (Л. Трауберг), «Мони» (М. Алейников), «Шони» (А. Столпер), «Они» (И. Прут), кроме Орловой и Александрова, ехали Эйзенштейн, Пудовкин, Донской, Петров, Лебедев-Кумач, кто-то еще из корифеев-лауреатов и, между прочим, Елена Сергеевна Булгакова. В соседнем же (жестком, плацкартном) разместились члены семей (там был и Миронов), менее видные кинематографисты (вроде Барнета, Юдина, Коварского) и «приблудные» (вроде знаменитого математика Каблукова). На этом же поезде эвакуировался весь балет Большого театра, — его, как и многих других «некиношников», высадили в Куйбышеве.

Как-то так получилось, что руководителем киношной группы стал Леонид Трауберг. Скорей всего потому, что быстрее других брал на себя переговоры с поездными, станционными и всеми прочими начальниками. И лучше других с этим справлялся. Несколько раз ему приходилось прибегать к помощи Орловой — водить ее напоказ к начальству. На одной из станций, уже за Волгой, он договорился с местными бабами, что они принесут к поезду несколько ведер вареной картошки. Надо было минут на двадцать задержать отправление. Усталый комендант и слышать не хотел ни о какой задержке: «И так опаздываем!» Однако предложение познакомиться с Любовью Орловой воспринял благосклонно, хоть и недоверчиво: «А что, она здесь?»

Трауберг кинулся «по Орлову». Однако Орловой на месте не оказалось — «гостила» у кого-то в другом вагоне. Зато на месте была Галина Сергеева, жена Козловского, пышнотелая красотка, звездных высот, правда, не достигшая, но все же памятная довоенному зрителю по нескольким фильмам, по кинооткрыткам. Медлить было нельзя. Трауберг схватил Сергееву и поволок к коменданту. «Вот! Сама Орлова — прошу знакомиться!» Увидев в чадном полумраке что-то очень красивое и смутно знакомое, комендант моментально изменился, стал смущенным и покладистым: «Ладно, задержим чуток».

В Алма-Ату прибыли ночью. Всю дорогу Трауберг напоминал, что в гостинице не должно быть никакой самодеятельности — он и комиссия, выбранная еще в поезде, будут все по справедливости распределять. «По справедливости» вышло так, что Трауберг и комиссия заняли «люксы», а Любовь Петровну с Александровым, Мироновым и Дугласом (Васей) сунули в однокомнатный. Правда, через два дня последних отселили.

Жизнь в гостинице была убогой. Продуктов в городе почти не оказалось — все расхватали эвакуированные. В конце концов, киношников прикрепили к столовой оперного театра. Кормили здесь сносно, только порции были очень маленькими. Одна Любовь Петровна получала полной мерой, но не в силу особых заслуг — просто повар влюбился в нее. Однажды их столик почему-то долго обносили вторым. Никто не мог понять, в чем дело. Наконец, Любовь Петровна не выдержала, стала звать официантку, и тут появился повар — запыхавшийся, красный от волнения. В руках у него был поднос с тарелками: жареный картофель, предназначавшийся актрисе, имел вид распустившихся розовых бутонов. Чудо кулинарной фантазии!

Не прошло и месяца, как Любовь Петровну разыскал представитель Гастрольбюро и предложил поездку: Фрунзе—Ташкент—Самарканд. Любовь Петровна чуть не заплакала от радости — так надоело сидеть в безделье, без денег, на тощем пайке, в унылой грязноватой городской сырости. Правда, в самой Алма-Ате ей уже доводилось выступать — в лазаретах. Само собой, благотворительно, хотя нередко перепадало скромное подношение в виде нескольких бутербродов с маслом или колбасой.

Поездка оказалась удачной. Весь гонорар ухнули на продукты — в комнате запахло копченым мясом, корейскими специями, дыней.

Вскоре для лауреатов был отведен отдельный дом в три этажа. Дом потом прозвали «лауреатником», а чуть позднее еще и «скорпионником». Каждой семье полагалась отдельная квартирка. Орлова с Александровым получили двухкомнатную, а в соседнем подъезде на том же этаже поселился Эйзенштейн. Квартиры оказались смежными, разделенными одной стеной. И тогда ради взаимной пользы было решено использовать одну домработницу на два дома. Собственно, тетя Паша — так звали домработницу — служила у Эйзенштейна, но и ей, и хозяину было выгодно подключить к ее хлопотам, прежде всего кухонным, еще одно семейство. Пробили стену, сделали окошко — через него тетя Паша подавала еду в александровскую квартиру.

Ситуация получилась довольно занятной. Сама жизнь, казалось, подталкивала людей к миру и дружбе. Но нет. Пробежавшая однажды кошка уже назад не возвращалась. Александров и Эйзенштейн на миру держались взаимно корректно, могли даже перекинуться парой слов, старались не афишировать дистанцию. Любовь же Петровна этот вопрос для себя решила раз и навсегда, и решила бескомпромиссно.

В феврале 1942 года Миронов был отправлен в Уфу за матерью Любови Петровны. Та вместе с Нонной и ее семейством эвакуировалась на месяц раньше. Жилось им в Уфе, видимо, несладко, да к тому же мать сильно скучала без Любы. Миронова снарядили в дорогу сверхосновательно. Продуктами, деньгами, специальным мылом (уже начались тифозные дела) и целым чемоданом четвертинок спирта (на преодоление дорожных затруднений). Эти четвертинки в Алма-Ате продавались в обычных уличных киосках. На студии ему оформили солидный документ, это он-де командируется за матерью народной артистки, орденоносца и лауреата Сталинской премии.

По меркам того времени Миронов обернулся быстро — без малого за месяц.

Сидение в Алма-Ате нельзя было назвать невыносимым, но уж тягомотным — точно. Раз-другой в месяц случалось куда-то поехать, а в казахской столице чуть ли не каждодневно — лазареты, лазареты, лазареты...

Григорий Васильевич взялся болеть, не вылезал из простуд и в конце концов угодил в больницу. Консилиум врачей решил, что корень зла — гланды. Пустяковую операцию Александров перенес очень болезненно, с каким-то непонятным осложнением на... слух.

И тут, на счастье, пришло предложение из Баку: поставить фильм о «дружбе народов» (конкретнее — двух) с непременной ролью для Любови Орловой. Инициатива исходила не от кого-нибудь — от самого Багирова, одного из легендарнейших по части жестокости и самодурства сталинских сатрапов.

С переездом в Баку жизнь изменилась почти волшебно. Все семейство поселили в роскошных апартаментах гостиницы «Интурист». Каждую неделю меняли белье. Еду приносили в номер. Посуда и сервировка превосходили кремлевскую роскошь. Вот только сама еда... С этим было куда как скверно: водянистый суп, комковатый — из плохой муки, хлеб, мизерный кусочек мяса, иногда масло. И даже без намека на какие-либо деликатесы типа яиц, рыбы, колбасы, сыра. И это выглядело тем более странно, что город не казался беднее Алма-Аты — скорее наоборот.

Но все это было сущей мелочью, поскольку начались интенсивные поездки с концертами. Ездили по Кавказу: Тбилиси, Ереван, Сочи, Сухуми, Махачкала, Краснодар, Грозный. Потом начались более дальние путешествия — в Сталинград, Куйбышев, Свердловск, даже в Москву (однажды). Никогда разъездная жизнь и работа не была для Любови Петровны более тяжкой и более приятной, чем в военную пору. Тяжкой — потому что надо было смиренно сносить и лазаретные запахи, и пропыленные поезда, и тряское, вязкое, грязное бездорожье, и самолетную болтанку, и риск подхватить какую-нибудь заразу, и загаженные сортиры, и бесконечные слезные исповеди офицеров, разлученных с женами, невестами и подругами, и шаткие подмостки, на которых было страшно сделать лишний шажок, и огромные холодные залы с отвратной акустикой. Для ее выступлений администраторы всегда старались найти помещение пообъемистей, что, в общем-то, было выгодно всем (и актрисе, и публике). Но Любови Петровне порой приходилось буквально надрывать голос, понимая, что в дальних рядах ее почти не слышат.

Под Грозным водитель машины, в которой она сидела, опоздал с поворотом, и «Виллис» свезло по откосу в неглубокую каменистую речушку. Его развернуло и накренило так (слава богу, не опрокинуло), что ноги пассажиров по колено и выше оказались в ледяной воде. Потом больше часа обсыхали на берегу под мелким весенним дождем — ждали, пока прибудет помощь...

В Ереване, спеша на концерт, выскочили из машины, неожиданно забарахлившей неподалеку от театра, и в полной темноте (город был хорошо затемнен) побежали через площадь к смутно черневшему на фоне неба зданию. Бежали, не вглядываясь в темноту, и налетели на ограду огромной клумбы. Перелетев через низенькую решетку, оба — и она, и Миронов, — плашмя упали на ссохшиеся колючие, жесткие, как проволока, стебли. Миронов закричал в темноту: «Люба, как лицо?!» Она ответила с досадой: «Что — лицо! Вот чулки... И туфли одной нет...»

Потом все это вспоминалось со смехом. Но был среди этих бесчисленных и несмертельных передряг случай, о котором вспоминать было наверняка и тяжко, и страшно. Произошел он в Сталинграде. Уже после концерта офицеры части, где она гостила, попросили ее сфотографироваться с ними. Сделали несколько снимков, и кто-то вдруг предложил ей попозировать на обломках немецкого самолета, торчавших неподалеку. Обломки были очень выразительные, и Любовь Петровна — все же актриса! — соблазнилась поиметь эффектный снимок. Встала на крыло, потом у хвоста. Один из офицеров увидел, что какая-то железяка перекрывает кадр, и стал оттаскивать ее в сторону. И только успел сделать два шага, раздался взрыв. Он наступил то ли на мину, то ли на небольшой снаряд. Товарищи бросились к нему. Бросилась было и смертельно испуганная Любовь Петровна, но кто-то схватил ее за руку и приказал не двигаться с места... Офицер, как потом ей сказали, остался жив — «отделался» потерей ноги...

Но никогда — ни до войны, ни после — Любовь Петровна не ощущала в своих гастрольных разъездах такого прилива физических и моральных сил, как в эти четыре года. Никогда не чувствовала себя так разудало и молодо. В мирные годы она представала перед публикой только парадной, только витринной, везде и всегда четко обозначая дистанцию. В «боевую пору» все было проще и веселее. По-походному. Выступать приходилось и в холод, и в сырость, и в палящий зной: иногда с ватником на плечах, иногда с полушубком, иногда в плащ-палатке, иногда в легоньком летнем платьице. И общаться с публикой зачастую приходилось по-свойски — отведать каши из солдатского котелка, хлебнуть водки, потолковать «за жизнь», «за любовь».

И первой своей заграничной поездкой Любовь Петровна также обязана войне. (Довоенная Латвия, захваченная Советами, была, конечно, тоже заграницей, но уже как бы ненастоящей.) Поездок, собственно, было две — обе в Иран. Устроило их политуправление Закавказского округа. Именно этому округу подчинялся воинский контингент, введенный СССР в Иран по известному соглашению с союзниками.

Первая поездка случилась летом 1942 года. Но о ней лучше начать со стихов. Приведу лишь фрагмент из этой довольно длинной — и очень самоироничной — поэмы.

...О забавном приключенье
Мы забыли рассказать –
Что родило в нас решенье:
«Всем приметам доверять!»

Сели мы в аэроплан,
Полетели в Тегеран.

Всю дорогу мы икали,
Наши беды вспоминали:
Мух зловонных и жару
И несвежую икру.

Подгоревшие котлеты,
Деньги были — денег нету!
Тут — бакшиш и там бакшиш.
А артистам только шиш!

Самолет наш так мотало,
Что желудок разболтало.
Лева вроде ничего,
А вот Люба — не того...

Долго ль, много ль мы летели.
Наконец, мы и у цели.
Вышли на аэродром,
Где-то будет стол и дом?

Я поставила клистир,
Чтоб скорей сходить в сортир,
Наконечник был стеклянный,
Стул был рядом деревянный.
В довершение всего
Я споткнулась об него.

Леву я скорей позвала
И про горе рассказала.
Он осколки подобрал
И с улыбкой так вещал:

«Стекла бить — всегда к удаче!»
И действительно, на даче
При советском при посольстве

Встретило нас хлебосольство.
Все концерты удались
И туманы[1] завелись.

Хоть без денег трудно жить,
С черным хлебом чай лишь пить,
Но и с деньгами забота –
Ух... кошмарная работа!

С утра раннего до ночи
По жаре, ну что там Сочи!
Мы по улицам шагали
И карманы облегчали.

Туфли, шляпки, перья, ленты,
Золотые позументы,
Хлородонты, зажигалки,
Для волос завивки палки,
Шлемы, лезвия, резинки
И бумага для подтирки,
Наконец, фантазий взлет
Прекратил наш самолет.

В Тегеран они прилетели из Тавриза. Это был первый пункт их первой поездки. В Тавризе, большом, но изрядно захолустном городе, они жили в армейской гостинице — иранской. Здесь было много военных, но больше штатских. У многих имелись радиоприемники. Хотя советское командование требовало от властей изъять у населения приемники, власти на это не шли. Люди слушали заграницу и громко — в кофейнях, на базаре, на улицах — обсуждали военные события. Каждое положение Красной Армии вызывало в городе оживленную и подозрительную суету. По городу постоянно дефилировал кавалерийский эскадрон, ездили «Виллисы» с пулеметами. Когда Любовь Петровна выступала с концертами, на сцене театра с двух сторон стояли два автоматчика — следили за залом. Публика

[1] Туманы — персидские деньги.

была самая разношерстная — горожане двух десятков национальностей (порой совершенно экзотических) и доброго десятка конфессий. Многие, особенно выходцы с Кавказа, хорошо понимали русскую речь.

В Тегеране публика стала еще колоритней. Первые три ряда в Концертном зале — выступления проходили там — неизменно занимали самые богатые люди страны. Это были действительно богачи! Баснословные, по-восточному щедрые, не таящие своего богатства, гордые своим семейным благополучием, своей приобщенностью к западной цивилизации и истовой религиозностью. Удивительная была элита...

С двумя представителями этого «высшего общества» Любовь Петровна слегка сблизилась. Один оказался... Коганом — армянским евреем, страстным любителем кино. В Иран он попал в 1938 году, когда всех армян, имевших в прошлом иранское подданство, выдворили из советской Армении в Персию. Среди выдворенных оказалось несколько сотен армяно-еврейских семей. В Иране Коган развернулся — стал владельцем целой сети кинотеатров, причем во многих из них шли только советские фильмы.

Он пригласил Любовь Петровну с Мироновым погостить у него день. Гастролеры справились у посла, в квартире которого проживали (а заодно наезжали к нему на дачу), не выйдет ли тут какой-нибудь политической промашки. Но посол отнесся к предложению Когана не только спокойно, но даже поощрительно. «Общайтесь, общайтесь! Эти люди нам сейчас вот как нужны!»

Другой бизнесмен, прилепившийся к Любови Петровне, был иранцем и в некотором роде конкурентом Когана. Не менее страстный киноман, он специализировался на американских фильмах. Он присылал за гостями «Бьюик», сажал их в ложу лучшего своего кинотеатра и крутил по их выбору все, что было в его распоряжении.

Вот когда Любовь Петровна посмотрела чуть ли не пять комедий с Диной Дурбин. Посмотрела и «Волшебник изумрудного города», и диснеевскую «Белоснежку», и, наверное, что-то еще. Но самый большой восторг испытала от «Унесенных ветром». Уже потом, после войны, путешествуя по европам и америкам, она еще два раза пересматривала эту картину.

Вторая поездка состоялась в декабре того же года. Опять раздался звонок из политуправления, и какой-то высокий чин осведомился у Любови Петровны, не может ли она завтра выехать на машине (из-за нелетной погоды вылет был невозможен) в Тегеран? Послезавтра у шаха большой прием — будут послы, вся верхушка союзных войск, — и присутствие великой актрисы, а заодно и выступление ее были бы очень и очень желательны...

В Тегеран приехали после двенадцатичасового — почти беспрерывного! — путешествия — за несколько минут до начала приема. Миронов (как выяснилось, он не был в списке гостей) поехал в гостиницу, а Любовь Петровна, в темпе переодевшись на каком-то КПП, отправилась на прием. И пробыла там до двух ночи. Лишний раз приходится удивляться ее выносливости. И ведь не просто продержалась, но — с блеском, улыбчиво, оживленно. И даже спела романс, довольно бойко аккомпанируя себе на рояле.

Все лучшие номера в гостинице были заняты американцами, поэтому Любовь Петровну поместили в квартиру одного из посольских работников. Все тот же Коган устроил ей два концерта. Еще один она дала в воинской части. И тем же «путем» на машине отбыла на родину...

Незадолго до второй иранской поездки Любовь Петровна побывала в Москве. Этот сюрприз ей преподнесло все то же Гастрольбюро. Впрочем, не бескорыстно. В Колонном зале она дала большущий концерт — то есть пела на бис лишних полчаса. Можно представить, как подействовало ее присутствие на оставшихся в городе москвичей — и на тех, кто попал на ее концерт, и на тех, кто слышал о нем. На квартиру к себе она не поехала — там временно поселился Борис Тенин с женой (первой женой Григория Васильевича).

Орлову и Миронова поместили в гостинице «Москва», отведя каждому роскошные и холодные апартаменты — с альковами, коврами, подлинными картинами Рылова и кучей одеял. (Замечу, что была Любовь Петровна изрядной мерзлячкой.) Ей захотелось взглянуть на дачу.

Поехали втроем — в Москве оказался один из бывших водителей их машины. Дачу они застали в ужасающем состоянии: почти все двери исчезли, большинство окон было разбито, по комнатам гуляли ледяные ветры, на террасе намело сугробы. Пол в одной из нижних комнат был прожжен почти насквозь — в досках зияла огромная дыра. Какие-то вещи пропали, какие-то — непонятно почему — пребывали в целости и сохранности, всюду валялось грязное, обгоревшее тряпье. Видеть все это было тем более горько, что соседняя дача — Лебедева-Кумача сохранилась в относительном порядке.

Долго горевать Любовь Петровна не умела, махнула рукой — «после войны разберемся!» — и больше про дачу не вспоминала. И Миронову заказала ничего Александрову не говорить.

Возможно, как раз в это время (сроки вполне совпадают) произошло небольшое культурно-историческое событие, косвенно связанное с ее судьбой. Сталин — впервые за время войны — затребовал для своего персонального киносеанса «Волгу-Волгу». Факт, означавший, что он окончательно оправился от «медвежьей болезни», не отпускавшей его в течение первых месяцев боевых действий. На просмотр он пригласил Гарри Гопкинса, представителя миссии в Москве, которому в течение всего сеанса пытался объяснять смысл происходящего на экране. Переводчиком был, видимо, новичок (так показалось Гопкинсу). От волнения он запинался и никак не мог поймать должный уровень шепота. В другое время это, возможно, дорого обошлось бы ему. Но Сталин был благодушен — тем более что Гопкинс постоянно кивал и понимающе улыбался.

«Понравилось?» — спросил Сталин после окончания фильма. Гопкинс вежливо сказал, что картина замечательная и остается пожалеть, что американцы с ней незнакомы: они многое поняли бы в русском характере и в русской реальности. «Я хотел бы, чтобы это понял прежде всего самый главный американец — господин Рузвельт, — сказал вождь советского народа. — Я дарю ему эту картину! Надеюсь, она доставит ему удовольствие и будет правильно понята».

Гопкинс доставил картину в Белый дом и в точности передал президенту слова Сталина. Рузвельт внимательно посмотрел экзотическое «русское шоу с плясками и песнями», поулыбался и дал несколько неожиданную, но не лишенную проницательности оценку сталинскому подарку: «Я, кажется, понял, почему он прислал мне это. «Америка России подарила пароход»?» Здесь явный намек на то, что наша помощь по ленд-лизу и мала, и не очень качественна...»

...Дирекция Колонного зала упросила Любовь Петровну дать еще один концерт, и она было согласилась, но вечером в гостиницу прозвонился какой-то крупный чекист и передал настойчивую просьбу Багирова немедленно вылететь в Баку: положение таково, что присутствие Орловой в городе (и разумеется, выступление) необходимо позарез. Резко ухудшилась военная ситуация — Закавказье ожидало наступления немецких войск. В Баку, несмотря на драконовские порядки, началась легкая паника. Багиров запретил даже разговоры об эвакуации. И больницам, и школам, и детским садам, и культурным учреждениям — не говоря уж о промыслах — всем было предписано функционировать как ни в чем не бывало. Однако представители городской элиты, с которыми «наместник» иногда по-свойски общался, осмеливались негромко вопрошать: что же будет?! И надо ли уже собирать вещи?

Однажды Багиров не выдержал и громогласно пристыдил паникеров: «Любовь Орлова живет у нас и ничего не боится. И разговоров об отъезде не ведет. И концерты свои отменять не собирается». Кто-то, знавший об отсутствии Орловой, робко поинтересовался, о каких концертах может идти речь, если человек в Москве? «Сегодня в Москве — завтра будет здесь!» — отрезал Багиров.

Любовь Петровна немедленно вылетела в Баку, но «Дуглас», сделавший промежуточную посадку в Куйбышеве, неожиданно понадобился кому-то из главных наркомов — лететь в Москву по вызову Сталина. Других самолетов «под рукой» не было. Узнав о задержке, Багиров немедленно вызвал к себе командующего воздушными силами округа и приказал направить в Куйбышев истребитель, потом все-таки спохватился и заменил истребитель бомбардировщиком.

Экипаж «Петлякова», сознавая ответственность и деликатность «боевого задания», постарался обустроить нутро своей машины как можно комфортнее — раздобыли даже мягкое кресло. Любовь Петровну и Миронова обрядили в летные куртки, унты, на головы надели шлемофоны и в таком виде доставили в Баку. За этот вояж Орлова была удостоена боевой медали(!) «За оборону Кавказа».

В начале 1944 года для Орловой эвакуация кончилась. Теперь в поездки она уезжала из Москвы и возвращалась в Москву. Прибыли вещи, приехала мать. А в мае уже закипела работа во Внукове, и к осени дача имела почти довоенный вид.

Последний военный концерт Любовь Петровна дала в Праге в июне 1945 года. Зрелище, по рассказам очевидцев, было триумфальное. Восторженные пражане, еще не остывшие от радости освобождения, от избытка благодарности русским солдатам, упоенно внимали русской речи, русским гармошкам и песням, целовали актрисе платье, приподнимали и качали машину, подносили детей.

Началась жизнь, исполненная новых контрастов, доселе еще не испытанных ею. В 1946 году она впервые отправилась в Париж (притом самостоятельно) — на какое-то помпезное культурное мероприятие, устраиваемое советским посольством. В сентябре 1947 года — на кинофестиваль в Венецию. Обратная дорога — опять же через Париж. Новые знакомства: Луи Арагон, Сартр, Эльза Триоле, Пикассо, Пальмиро Тольятти, Луиджи Лонго, Эдуардо де Филиппо, Ренато Гуттузо, Дзаваттини, Жерар Филип... итальянские аристократы с громкими княжескими и графскими именами... дипломаты...

Если б я сочинял сценарий о ее жизни, то период послевоенного десятилетия, вплоть до первой поездки в Штаты в 1956 году, наверное, изобразил бы в виде краткого, темпового, рекламно-броского — в духе расхожего приема кинематографа тридцатых годов — монтажа перелетов и переездов своей героини. Двойная экспозиция: волнообразная, чуть размытая по краям карта мира и на ее фоне наша звезда, то входящая, то сходящая с самолетов, поездов, автомобилей. Очень эффектно могло бы получиться. Париж, Берлин, Венеция, Рим, Женева, Берн, Лондон, Вена, Краков, Варшава, Прага,

Сопот, Мадрид, Барселона, Будапешт, Белград, Канны... И наконец, Мехико-Сити и Штаты.

Только вот... пришлось бы опустить кое-что из других путевых впечатлений того же времени. Вологду, где на окрестных полях никто, кроме баб и девчонок, не работал. Рязань, где на черной лестнице городского театра оказалось целое лежбище грязных, болезненных и наглых беспризорников. Киров (Вятку), где ражие собаколовы на глазах у прохожих цепляли крюками-приманками ошалелых от ужаса бездомных псов. Крыс в Свердловске. «Ворошиловцев» в Саратове.

Вот несколько фрагментов из гастрольных дневников, которые мне однажды удалось бегло проглядеть и которые я поспешил потом перенести на бумагу. Выписать Любовь Петровна мне разрешила только даты и названия мест, но все же я слегка посвоевольничал.

1949 год, 28 февраля — Ленинград. («Ляля принесла парик, большой, цыганский, я насадила его по самые брови, подбородок в шарф и в таком виде прошвырнулась в Гостиный, ничего — проехало!»)

1949 год, с 30 января по 12 февраля — Минск, Брест и Вильнюс; с 1 июня по 1 июля — Ялта, Южный берег Крыма; с 25 июля по 13 августа — Харьков, Сталино, Днепропетровск, Запорожье; 12 октября — Ростов, потом Кисловодск («в Ростове несусветная жара, а в Кисловодске холод, туман, холодище — говорят, сто лет такого не было»); с 27 октября по 2 ноября — Сочи, Сухуми, Батуми, Тбилиси...

1950 год, март — Ленинград («Ленинград все так же хорош, концерты проходят с давкой, ревом, воплями»), в апреле в Петрозаводск («Дожди. В зале каждый раз у кого-то приступы кашля. Все головы в ту сторону»).

Летом 1950-го в Симферополе актриса едва не попала в скверную историю, о чем подробно рассказала в дневнике. Прогуливаясь вечером недалеко от гостиницы, она увидела за оградой удивительно красивый палисад. Любовь Петровна всегда питала слабость к цветам, особенно к розам, а здесь они были просто на загляденье. В глубине маячил большой деревянный дом, но калитка была приоткрыта, и Любовь Петровна рискнула зайти — полюбоваться поближе. Не успела сделать и пяти шагов, как навстречу ей выскочили две огромные кавказские овчарки. Любовь Петровна не меньше, чем розы, обожала собак и умела их успокаивать — и голосом, и взглядом. Собаки неохотно притормозили и стали кружить рядом, как бы в неспокойном размышлении. Размышляла и Любовь Петровна, не решаясь начать отступление. И вдруг от дома к ней устремилось с криками несколько женщин в белых халатах. Оказалось, что актриса ненароком зашла на территорию дома умалишенных, где собаки были натасканы кусать и рвать любого постороннего.

Был еще один инцидент с участием собаки — пожалуй, не менее занятный — также нашедший отражение в ее дневнике. В 1944 году Орлова поехала выступать перед бойцами южных армий — от Краснодара до Махачкалы. Поезд останавливался на каждой станции, где заранее были сооружены эстрадные подмостки. Орлова выходила и выступала. В Махачкале перед выходом на сцену ее встретила собачка, и Любовь Петровна не удержалась, приласкала ее... Идет концерт. Актриса допевает романс: «Все слушал бы, слушал бы, слушал тебя...» — и слышит дружный смех аудитории. Она замолкает, недоуменно озирается и видит: около нее стоит на задних лапах собачка и действительно внимательно слушает. Она подняла ее, «вместе с нею» допела романс, отнесла за кулисы и отдала уборщице театра — хозяйке собаки. На следующий день уборщица призналась: «Меня увольняют за вчерашнее». Любовь Петровна немедленно отправилась к коменданту и уладила проблему.

1956 год, 19 июня — Омск и районы. Вечером 20-го в Новосибирск. Из Новосибирска в Свердловск. В дороге «ели бифштексы, курицу, цены за порцию всего три-четыре рубля и хорошо приготовлено». «В Новосибирске в гостинице хозяйничают тараканы, но это — мелочь, ибо в Свердловске по гостиничному коридору бегают крысы».

С гостиницами вообще отношения были сложными. Из-за болезни Любовь Петровна не выносила ярких штор, желтого бархата, резкого света, ковров и картин кричащих цветов. Сразу начинались головокружения, рвоты. Тогда она требовала перемены номера. Если не удавалось найти подходящий, просила убрать, вынести то, что вызывало приступ болезни. Допускаю, что при всей любезности Любови Петровны, при всем ее таланте и мастерстве очаровывать людей кому-то из гостиничной обслуги она в такие моменты казалась просто привередой, капризной звездой.

Можно было, конечно, сократить поездки, но ни экран, ни сцена не давали таких стабильных, скорых и крупных денежных сумм. Ими в основном и оплачивалась повседневная жизнь — домработница, шофер, ремонты дачи, счета, сторож, покупки, подарки, приемы. Последнее особенно влетало в копеечку, так как и Александров, и Орлова любили принимать дорогих (не в поэтическом, но самом натуральном смысле этого слова) гостей — таких, от которых нельзя было отделаться дежурным чаем.

Единственным камнем... нет, маленьким камешком преткновения в отношениях между Орловой и Александровым была ее концертная работа. Любовь Петровну слегка, но все же болезненно задевало полное равнодушие мужа к этой стороне ее жизни. Он никогда почти не ездил с нею (по-моему, только дважды или трижды до войны), хотя случались, и много раз, очень выгодные условия для совместной поездки. Раз-другой она просила его посмотреть режиссерским глазом на ее эстрадную программу, дать совет — может, что выкинуть? может, что сократить? обновить? Он снисходительно прослушивал, просматривал, делал мелкие замечания и спешил отойти в сторону...

Иногда она даже чуточку взрывалась — за его спиной, разумеется. Говорила Миронову, или Шаховской, или сестре (самым-самым «своим») что-нибудь в таком роде: «Ну, что это? Работаешь на износ, а он все планы строит, полеживает да заседает где-то — за мир борется». Но если и была в ее невольных и очень редких выпадах какая-то злость, то не... злобная. Злость Чарли на Спенсера походила на раздражение матери на любимое, обожаемое чадо, которое иногда все-таки донимает шалостями или бездельем.

Разъездная жизнь была трудна для нее не только физически. Волей-неволей приходилось знакомиться и общаться с чужими людьми, против желания открывать себя. А было это для Любови Петровны с ее характером подчас поострее всякого ножа. Известно, была она человек «на замке», в свою личную жизнь впускала только четыре-пять человек, даже в семейном клане кое-кого держала на жесткой дистанции (мужа сестры, пасынка, его жену). Однако на ее дружеское, максимально щедрое гостеприимство могли рассчитывать довольно многие — по преимуществу люди сильного и авторитетного (непременно авторитетного) таланта, не обделенные при этом светским обаянием. Образцов, Тихонов, Дунаевский, Завадский, Капица, Кончаловский, Алексей Толстой, Юткевич...

Любовь Петровна любила изредка отвести душу в бесшабашно-веселом разгуле. Под новый, 1946 год они с Мироновым вернулись из очередной и сильно изнурительной поездки в разоренные, израненные войной Курск и Белгород. Вернулись за два дня до праздника.

Тут бы и на дачу, но 31 декабря в Зале Чайковского ей предстояло дать предновогодний вечерний концерт — первый в послевоенной Москве! Публика, что называется, висела на люстрах. После концерта Любовь Петровна с час боялась выйти на улицу, казалось, что до машины не добраться.

Наконец, едут во Внуково. По дороге забирают сестру Нонну и где-то в двенадцатом часу заявляются — разбитые, полусонные, несвежие. Встречает их Григорий Васильевич с сестрой, Ираидой Васильевной, гостившей у них тогда, торопят скорее помыться, переодеться... стол уже накрыт. За столом Любовь Петровна чуть-чуть оживляется, потом все больше и больше, сыплет анекдотами, рассказами про поездку, пробует показать фокус, которому обучил ее какой-то высокий чин, подшучивает над Александровым, сама хватается открывать шампанское — заливает стол и себя пенистым потоком («Вот радость-то! Наконец звезда искупалась в шампанском!»). В два ночи женщины-гостьи впадают в сонливость и удаляются в свои комнаты, а хозяева и Миронов остаются и веселятся так, что дым коромыслом. Пляшут вокруг елки. Хохочут до колик в животе, до слез. Любовь Петровна заставляет мужчин меняться одеждой — надо знать разницу габаритов Александрова и Миронова, чтобы представить всю гомерическую смехотворность этой затеи. Потом затевает жмурки. И так до утра. А утром — в валенки, в шубу и в лес.

Но это все с близкими, ближними. Поездки же постоянно сводили с чужими и часто чуждыми ей людьми. Особенную неприязнь вызывали у нее администраторы. О, эту касту она презирала воистину до глубины души. И правда, столько попадалось среди них барственных, развязных, шикарно одетых жуликов, что казалось, иными они и не могут быть. Она всегда держалась изысканно-вежливо и этим быстро ставила их на место. Даже самые прохиндеи боялись ее как огня. Поэтому в тех городах, где ей приходилось бывать повторно, никаких проблем с администрацией не возникало.

Ее уже знали. Любовь Петровна все хорошо замечала, и если что не так, то никаких компромиссов. Однажды села в машину — надо было ехать на выступление в район. Шофер обернулся к ней и весело спросил: «Ну, что, вперед к победе?» Она моментально учуяла запах водки, открыла дверцу и вышла. «Я с вами не поеду, вы пьяны». Повернулась и — в номер. Администратор в панике, стучится к ней: «Вы что?! Вы что это?! Там же публика, там же начальство... Вы подумайте, что будет?!» Она ему спокойно: «Ничего не будет. Вы достанете другую машину, и мы поедем».

Обедая с Мироновым в гостиничном или каком-нибудь городском ресторане, Любовь Петровна ни разу не сажала за свой стол администратора. Случалось, что она принимала приглашения местной власти отметить ее пребывание банкетом, ужином, посещением местного театра, прогулкой на катере, небольшим пикничком на лоне природы. Но случалось такое очень нечасто, ибо никогда ей это не было в охотку — всегда против желания.

Она никогда не стремилась к случайным знакомствам, не стремилась обозреть место, в котором пребывала, очень редко оставляла себе что-то из тех подарков и сувениров, которыми щедро одаривал ее каждый город. Ну, ясное дело, она не отказывалась взять на Кавказе бутылку хорошего вина, коробку хороших конфет какой-нибудь местной фабрики («всесоюзного значения», как говорилось некогда), банку фирменной икры. Иногда ей случалось приметить в каком-нибудь провинциальном магазинчике нужную вещь: симпатичный фонарь для дачного крыльца, изящные дверные ручки — изделия местных кустарей, домашние тапки, отделанные красивым мехом, красивую ткань. К последнему она питала особую слабость. Увешивала, покрывала, декорировала, драпировала, обивала тканью все, что возможно. И все, как правило, своими руками. Не терпела кожи, пластика, крашеного дерева, лакированной и вообще оголенной поверхности. Не ощущала в этом уюта. Ткань, разумеется, всегда была неярких расцветок: бежевая, палевая, бледно-розовая, бледно-оранжевая.

Как ни странно, но в ее гастрольных маршрутах я только однажды нашел Иваново, ткацкую столицу, где Таня Морозова была героиней из героинь и где уж точно ее сверх меры одарили бы желанной тканью. Я мимоходом спросил ее об этом — она резко сказала: «Самый запущенный город!»

В традиционном наборе ее заграничных покупок (духи, косметика, чулки, белье, перчатки, сумочки, шляпки, туфельки, что-нибудь «по хозяйству» — красивое и не слишком габаритное) ткань занимала всегда не последнее место. Был период в первые послевоенные годы, когда из каждой поездки она привозила какое-нибудь растение — посадить на даче. Говорила в шутку, что была бы не прочь завести у себя свой ботанический сад...

Если выдавалось свободное время в этих поездках и не очень тянуло ко сну, читала. Это занятие она любила, хотя отдавалась урывками — по-другому не получалось. Любовь Петровна не отличалась какими-то изысканными или оригинальными пристрастиями по этой части. То был кругозор и вкус столичной курсистки начала века: хрестоматийные классики и чуть-чуть сверх того. Из классиков самый любимый — Лев Толстой. Его она и читала, и перечитывала, и упивалась им. Сверх того — это Гамсун, Сенкевич, Фейхтвангер, «Агасфер» Эжена Сю, Золя. И Достоевский, которого она в зрелые годы перечитывала, как и Толстого, — *всего*. Вполне возможно, она почитывала и современную советскую литературу. Поскольку в светских беседах так или иначе «обмывались» модные имена, модные названия — от панферовских «Брусков» до эренбурговской «Бури», — ей приходилось хотя бы ради фасона знакомиться с этой продукцией.

Читатель согласится, что из этих мозаичных частиц складываются очертания характера весьма четкой огранки. Характера твердых и немного архаичных (консервативных) правил. Характера, не любящего заходить за край, рисковать уже завоеванным, уже *приохоченным*. Ради «своего» искусства, ради вящего артистического эффекта она могла рискнуть чем угодно — хоть здоровьем, хоть самой жизнью. Но лишь в пределах... Также и в жизни. Когда случалось попасть в опасную передрягу, она держала марку и виду, что трусит, не подавала. Напротив, старалась выглядеть сугубо раскованной и веселой. Но от сомнительных предложений любого сорта всегда уходила в сторону.

Даже новаций в своей концертной программе она старалась избегать. В любом таком соблазне она подозревала вероятность каверзы. Вольной или невольной — без разницы. Многие композиторы предлагали ей свои романсы, предлагал Дунаевский (уж кажется, кто ближе, роднее?) — она решительно уклонялась. В 1942 году Сурин, тогдашний председатель Комитета по делам искусств, буквально навязывал ей «Вечер на рейде», уговаривал Александрова (уговорил!) — Любовь Петровна даже пробовать не захотела.

Точно так же она не любила новаций и в личной жизни. «Чарли» не могла допустить в свой мир другого мужчину, другое сердечное чувство.

ДУНОВЕНЬЕ ВЕСНЫ

Эй, сердце, стучи по-весеннему!
Стучи же, стучи, строптивое!
Смерть всему тускло-осеннему!
Да здравствует все красивое!

Павел Коган

Война не пометила творческую биографию Александрова — и соответственно Орловой — каким-то серьезным творческим свершением. Единственный полнометражный фильм, снятый ими в Баку, оказался настолько бесцветным, что его не выпустили на экран. Положили на полку. Казус, надо признаться, редкостный. Класть фильм на полку из-за одной лишь художественной несостоятельности не практиковалось — разве уж уровень исполнения откровенно компрометировал идею. Если у начальства складывалось такое впечатление, фильм могли объявить незаконченным, неперспективным и как бы снять с производства — «списать»!

Думаю, что фильм Александрова, будь он сделан в мирное время, вполне мог бы дойти до кинотеатров. Может быть, не главных... может быть, немногих... Но тут, как говорится, не было бы счастья (фильм и вправду никудышный), да несчастье помогло. Пленки на тираж в Баку не оказалось, надо было хлопотать об отправке в Алма-Ату, заручаться высоким ходатайством — в декабре же 1942-го бакинскому начальству было не до того. Да и фильм начальству тоже не глянулся — мягко говоря.

...Произведение это называлось «Одна семья». Вначале по сценарию Орловой предстояло играть молодую женщину, которую военное лихолетье забрасывает в милую-дружную-добрую азербайджанскую семью. Здесь она живет в ожидании любимого — сына хозяев дома, фронтовика. Здесь находит сочувствие, радушие и, естественно, личное счастье. Потом последовало малоприятное указание «верхов», и все переиначилось. Теперь фронтовик-азербайджанец попадал в русскую семью, где его ждала любовь дочери хозяев. Идея оказалась той же.

Этой бесцветной ролью Любовь Петровна наглядно показала, что «плавать баттерфляем в унитазе», как говорила великая Раневская (и которая умела это делать), она не способна.

...Во время войны у Александрова оживилась идея продолжения своих знаменитых комедий. В конце 1943 года еще в эвакуации он набросал сценарий под названием «Голубая звезда», и было это ни больше ни меньше, как продолжение... «Цирка».

Набросок, видимо, не сохранился. Попробую пересказать его по памяти со слов автора.

Начинается все с пролога. Послевоенное время. В ложе огромного циркового зала (явно зарубежного) сидят Орлова и Столяров (Марион и Мартынов). Они — почетные гости (а может, и члены жюри) международного фестиваля циркового искусства. И вдруг в ложе напротив они видят... Массальского (Кнейшица). И Мартынов, изумленно вглядываясь в него, спрашивает вслух: «Неужели я промазал? Не может быть!»

Начинаются воспоминания. Война. Цирковая бригада едет на фронт. В бригаде Марион и подросший негритенок. Они направляются в часть, где служит

Мартынов, в воздушно-десантный полк. По дороге их перехватывают немцы и отвозят в Калугу. Комендант Калуги — Кнейшиц. Он, естественно, обрадован встречей. «Будете выступать за нас! Дадите три представления, а после последнего вас расстреляют». Циркачи готовятся к последнему представлению. Все они решают погибнуть, но, как говорится, с грохотом. В буквальном смысле. У Орловой — завершающий и самый эффектный номер. Она исполняет его с сыном. Улетев на ракете под купол цирка и покувыркавшись там, они бросают сверху муляж бомбы — взрываясь, она выбрасывает фонтан конфетти. С помощью старика сторожа, местного партизана, они подменяют муляж настоящей бомбой.

Но Кнейшиц на этот раз оказался хитрее. Раскусив замысел циркачей, он еще раз подменяет бомбу. Циркачи ждут настоящего взрыва, а бомба взрывается конфетти. Не зная, в чем дело, они думают, что Марион их предала. Кто-то кричит ей оскорбительные слова. В отчаянии героиня и сын хотят броситься вниз. Но тут, предупрежденные партизанами, появляются десантники во главе с Мартыновым. Кнейшиц преследует Марион и ее негритенка. Они кружат по каким-то подкупольным колосникам и креплениям. Мартынов преследует Кнейшица, и, когда тот, уже догнав звезду, изготовляется проткнуть ее каким-то цирковым аксессуаром, герой стреляет. Кнейшиц падает на... трапецию. Вроде бы бездыханный.

И вот — встреча. «Неужели промазал?» Они выходят в фойе, видят Кнейшица — тот вежливо раскланивается. Он понимает недоумение Мартынова и, скосив глаза на свой пустой рукав, говорит с легкой усмешкой: «Попал! Попал!»

... В 1944 году, уже по возвращении в Москву, один из сценаристов «Звезды экрана» Михаил Слободской сочинил — опять же по подсказкам Александрова — что-то вроде либретто второй серии «Веселых ребят». Суть фабулы, насколько я помню, сводилась к тому, что знаменитый джаз, гастролируя по стране, попадает в Сталинград — там его и застает война. В фильме, кроме Орловой и Утесова, предполагалось занять и Ильинского — в роли главного администратора джаза. Будущее зрелище мыслилось как героическая комедия в духе примерно таком: дом, куда герои и музыканты спрятались от обстрела, оказывается бывшим кинотеатром, в проекционной валяются коробки с пленкой, это — «Веселые ребята». Герои хватают коробки, поджигают их и бросают в немецкий танк. Танк загорается. Звучит веселая реплика: «Ну вот, а говорили — никчемный фильм!»

А в 1947 году Александров начал снимать долгожданную «Весну».

И ведь какая весна?! Вторая послевоенная. Еще чернеют руинами города и села, не восстановлены многие вокзалы, даже в Москве, в центре — против самой Третьяковки — покалеченная бомбой школа. Целое крыло как срезало — на улицу со стен смотрят классные доски.

Еще в силе карточки. Еще пятнают быт неотвязные следы военного лихолетья: коптилки, буржуйки, примусы, котелки, самодельные зажигалки... Еще роятся на толкучках, вокзалах, по пригородным поездам искалеченные мужики. Еще на станциях и полустанках видны надписи — черным по желтому или серому — «Кипяток».

И потому, наверно, так хочется весны — настоящей, мирной, беспечной. Так хочется «зеленого шума», теплого «холодка за ворот», майских гроз. Так не терпится поскорее отбросить в прошлое «холода-тревоги», «огни-пожарища», «желтые дожди», «пыль да туман»... Да когда же она, наконец, настанет — эта хорошая жизнь?! Красивая — как в кино? Разве ж не пора? Разве ж не заслужили?

Весенние ветерки загуляли тогда по театральным сценам, по вернисажам, по стихотворным изливам. И в кино у его «Весны» были предтечи и «созвучия»: «Близнецы», «Здравствуй, Москва», «Далекая невеста». И конечно же, «Девушка моей мечты», имевшая у исстрадавшегося душой и изболевшего телом народа оглушительный успех.

А все же Александров отозвался на этот позыв и тоньше, и остроумнее всех — я бы сказал, несравнимо интеллигентнее, — не потеряв при этом «ни грамма» простодушного, увеселительного настроя. Он снял кино про кино. И не только в прямом смысле (главный герой картины — кинорежиссер, главная пружина сюжета — съемки фильма). Он снял кино про киношное видение, киношное ощущение жизни — наивное, романтическое, забавное... исконно глуповатое и трогательное вместе. Про киношную Москву. Киношную любовь. Киношный театр. Киношный научный мир. И киношное кино.

Как сейчас помню **первый** для меня фильм Григория Александрова «Весна», который шел в нашем «Ударнике», что напротив «Болотки» — знаменитой Болотной площади. На фасаде — рекламный щит, да не один, а что-то вроде триптиха. Орлова справа — в очках, с неприступно-строгой миной, очень похожая на моего школьного завуча. Она же слева — веселая, юная, круглолицая. И обе шутливо подмигивают друг другу через голову Черкасова.

А еще на рекламном щите — самые зазывные, самые дорогие для нашего брата, городского военного пацанья, лица: Раневская и Плятт. Причем Раневская («Муля, не нервируй меня») узнавалась сразу, несмотря на очки и перманент.

А еще в памяти строки. Из того же детства:

Весна, весна на улице,
Весенние деньки,
Галдят грачи на дереве,
Гремят грузовики.
Шумная, веселая,
Весенняя Москва.
Еще не запыленная
Зеленая листва...

Именно такой Москвой 1947 года и открывается фильм. Галдящей, звенящей, поющей. Девушки-маляры обновляют коней на фронтоне Большого театра. Проезжает эскадрон военных музыкантов. За ними мимо Большого театра шагает колонна физкультурниц. Звенит-громыхает марш. Кровельщики посвистывают на крышах, катки ровняют свежий асфальт. Поток машин. Пешеходы с шарами. Девушки меж цветов в кузове грузовика. Смех.

Весенней радостью вошел в мое детство кинематограф Александрова и Орловой, чтобы остаться в нем навсегда...

Все сюжетные перепады, вся фактура ленты состоит из бродячих примет и мотивов, бытующих в кинематографе со времен Мельеса. Но это отнюдь не коллаж цитат, не вариация набитых голливудских схем — не «что-то» в духе «чего-то». Тут получился некий органичный гибрид лирики и пародии (в том числе и самопародии) — жанр, лучше всего удававшийся в кинематографе великому Рене Клеру. Разумеется, в любой комедии, даже сугубо бытовой, есть элемент условности пародийного толка. Но ту пародийность, что в крови александровского кинематографа, не спутаешь ни с какой другой. Каждый аттракцион, каждый образный нюанс, в котором он чувствует возможность патетического (прежде всего патетического) эффекта, он расцвечивает и полирует до блеска почти ненатурального, почти абсурдного. А временами и не «почти», и тогда шлюз открывается, и пародийность изливается самопроизвольно и в некотором роде самоубийственно — уже как в «кичевой» стихии. (Как в «Светлом пути», «Встрече на Эльбе», «Русском сувенире».) Но в лучших лентах Александров не теряет контроля над своими рефлексами и фантазиями, не преступает коварной черты, и пародийность его не заходит дальше безобидного, благодушно-снисходительного, а порой и почтительного шаржа.

Помню анонсы в каждом номере «Вечерки»: «Весна» идет!» «Весне» дорогу!» И коллаж из трех лиц: две Орловых и Черкасов. А в «Крокодиле» (любимом журнале) такой дружеский шарж: Черкасов, Сидоркин, «обе» Орловы и подпись: «Весна» хоть и запоздалая (намек на то, что фильм был обещан еще в 1946-м. — *М. К.*), но дружная и веселая».

Сначала в фильме мы видим дневную, потом ночную Москву. Умытую, чистую, дружелюбную. Речную гладь, просторные мосты, уютные огни окон и фонарей, облитые лаком автомобили, беспечные и счастливые полуночники...

Это не парадная и не придуманная Москва. Это — одно из ее состояний, хорошо знакомых коренным москвичам, особенно москвичам былых времен, слыхом не слышавшим ни о каких микрорайонах, знавшим только чудесные московские окраины. Это Москва кинохроник предвоенных и послевоенных лет — будничная и праздничная одновременно. Весна — ее время.

Но вот появляется Орлова. Сперва та, что с левой стороны триптиха. Молодая артистка столичного музыкального театра Верочка Шатрова. Племянница «дяди Володи», ассистента известнейшего кинорежиссера Громова, которому позарез нужна актриса, похожая на прототип главной героини его будущей картины — гениальной ученой, укротителя солнечной энергии Никитиной. Верочка, как легко догадаться, очень даже похожа, и потому ей «светит» попасть в кино и сделаться звездой экрана (первый вариант сценария так и назывался — «Звезда экрана»).

Театру здесь Александров отдает меньше вдохновения, чем «научно-фантастической сказке» и кинематографу, но вниманием не обделяет.

До смешного похожий на Чарли Чаплина, директор театра не хочет отпускать в кинозвезды молодую талантливую артистку и потому придумывает «хитроумный» ход — дает ей долгожданную главную роль в новом спектакле (к всеобщему восторгу всей труппы — от статистов до примадонны). Попутная деталь: свои «коварные» планы директор строит в присутствии актера по фамилии Овечкин, одетого... волком, то есть в волчью шкуру. (Нехитро, но, как и все прочие вкрапления, отыграно легко и мило и толику юмора в общую топку подбрасывает.)

Директор ведет закулисную игру, но дядя Володя тоже не дремлет. Всеми правдами и неправдами — в духе доброй старой «комической» — он пробирается за кулисы, потом на сцену, чтобы сообщить Верочке важную новость. Это дает возможность кинематографу «посмотреть» и показать нам кусочек представления, где выступает Шатрова. Она — «ледяная невеста» в одноименном балете-сказке. На сцене — на фоне северного сияния — целый выводок балетных танцорок, черти, рыцарь с мечом. Искони дразнимое «киношкой» театральное действо: поединок рыцаря с чертями... мармеладно-лирический танец рыцаря и невесты... мерцание сполоха... круженье аппетитных сильфид... сладкоголосый хор... Зрелище, не лишенное забавности, но ни в какое сравнение с кинематографом не идущее (что и будет наглядно доказано впоследствии).

Ясное дело, что теперь артистке Шатровой надо раздваиваться — дабы успеть и на репетицию театральной роли, и на кинопробы.

Тут настает очередь другой Орловой — знаменитой ученой, женщины строгой, принципиально одинокой, ничего, кроме науки, не признающей. «Сушеной акулы», как за глаза называют ее в научном мире. Вряд ли эта роль потребовала от Любови Петровны сверхсложных артистических усилий, и вряд ли стоит вторить нам угодливой критике тех лет, на все лады восторгавшейся ее мастерством перевоплощения. Все, что создает она в этой роли, элементарно — и вполне достаточно для нужного эффекта. Ходит мужским шагом, деловито и резко покрикивает на окружающих, колюче поглядывает сквозь очки, руки в карманах. Незамысловатая пародия на «синий чулок», ученую мымру. При всем при том ни грим, ни прическа, ни одежда, ни деланая суровость не скрывают от нас Орловой. Мы все равно не теряем ощущения игры, маленького притворства, не способного, да и не должного скрывать красоту и обаяние героини.

Начинается водевильно-киношная путаница с двойниками. Никитина подменяет Шатрову, Шатрова — Никитину. Первая наводит порядок на студии, решительно и властно выправляя проект будущей картины — чем сначала шокирует, потом подкупает, а потом и влюбляет в себя знаменитого кинорежиссера. Вторая вносит веселую, заразительную сумятицу в среду седовласых и лысых ученых мужей, побуждая их распевать легкомысленные куплеты про пень, в котором весной пробуждается желание сделаться вновь березкой.

Мотив «золушки», «гадкого утенка», «ледяной невесты» здесь отдан только одной из Орловых — Никитиной. Это характерный нюанс: актриса уже не в силах сыграть (обыграть) тот перепад общественных состояний, что был главной приметой судеб ее прежних героинь: от безвестности, обделенности, униженности к сияющим высотам. В первом (довоенном) варианте сценария Верочка Шатрова вступала в действие именно такой безвестной маленькой музыкальной актрисой, третируемой дирекцией и капризной примадонной (невольный и правдивый отзвук прошлого самой Орловой). «Ледяная невеста» — ее театральный триумф — фактически завершает сюжет.

Однако представить Орлову конца сороковых молодым и безвестным дарованием, бьющимся за свое место под солнцем, совершенно невозможно — иная стать, иной взгляд, иная улыбка. Да и сценический триумф ей было бы не осилить наглядно — это посерьезнее цирка, самодеятельности, эстрады.

В «Весне» ее Верочка сравнительно молода (самое большее тридцать с небольшим хвостиком), не очень известна, но и статью, и взглядом, и улыбкой это уже звезда. Ну, разве что «без пяти минут»... И в личной жизни у нее без проблем — никому не надо себя «доказывать», никого не надо завоевывать. Одиночеством она ничуть не тяготится, неразделенной любовью не мучается. Возлюбленный возникает мимоходом. Не бог весть какой красавец и удалец (не Столяров, не Самойлов), да и молодости, скажем прямо, не первой (малоизвестный вахтанговец Сидоркин), но не без шарма — плотноват, но подтянут, подвижен, глаз веселый и неробкий...

«Золушкой» представлена Никитина. Правда, своеобразной. Карьера ей не нужна — ее положение и без того на вершине. Ее ущербность только в одном — в ее антиженственности, в ее нежелании любить и быть любимой. И преображение, следовательно, тоже в одном: «сушеная акула», влюбившись, становится обаятельнейшей из женщин.

Ей Александров «отпустил» два триумфальных выхода (как бы «за счет» Верочки). Первый — в ее институтской лаборатории, где она в присутствии синклита научных светил проводит решающий опыт по конденсации солнечной энергии. Этот эпизод — впечатляющая пародия (разумеется, не слишком нарочитая) на научную и ненаучную кинофантастику. А если поискать более конкретных ассоциаций, то тут явней всего лаборатория Франкенштейна из голливудских лент тридцатых годов. (Я не утверждаю, что Александров цитировал это сознательно — с ним часто бывало такое совершенно спонтанно. Слабость, хорошо знакомая и Дунаевскому, который, случалось, звонил среди ночи Александрову и браковал уже принятую музыку, потому как вспомнил, какой классик ему ее подсказал.)

Разница, правда, существенная: лаборатория Франкенштейна — сплошной мрак, лаборатория Никитиной — море белизны, воздуха, света. Научным консультантом картины был не кто иной, как Петр Леонидович Капица, великий физик и замечательный человек. Он не был строгим наставником и хорошо понимал, с каким кинематографом имеет дело. Ни сценарий, ни черновой материал, который ему однажды показали, не вызвал у него никаких негативных эмоций — он ласково улыбался и благосклонно все разрешал...

В опытах Никитиной, впрочем, кроме чистой фантастики, имелось кое-что злободневное. Американская атомная бомба уже два года тревожила сознание советских вождей. «Холодная война», правда, еще только начиналась, но грозные раскаты ее уже слышались. Научный «мотив» «Весны» отдавал осторожным и успокоительным политическим намеком: они укрощают атомную энергию, а мы солнечную, и это будет куда посильнее. Целое скопище ученых мужей, один киношнее (типажнее) другого, красноречиво являло собой — своим количеством и качеством — советскую научную непобедимость. Все ученые выглядели как нельзя более по-ученому: в «ученых» шапочках, с «учеными» бородками, с «учеными» манерами, иные в орденах и золотых погонах. Конечно, все подкрашено легкой пародийностью, но в то же время разбавлено — и не совсем бессознательно — политическим воздухом советской реальности. Воздухом короткого, полного весенних надежд и радостных предчувствий послевоенного времени.

Но главный триумф Никитиной, естественно, в конце картины. К нему и стянуты все пути и тропки сюжетного лабиринта. В том числе и та, о которой мы еще не говорили и которая единственная не содержит никакой специфической пародийности — это чистая юмористика. Не сказать о ней нельзя, хотя линия вроде бы побочная, поскольку без нее картина не имела бы того сногсшибательного успеха — особенно у юного поколения. Эта линия хороша и сама по себе, и оттеночный ее эффект чрезвычайно велик. Ее представляют Раневская и Плятт. Первая играет компаньонку Никитиной — Маргариту Львовну, второй — ее ухажера, одного из институтских администраторов, Бубенцова.

Все мальчишки страны были влюблены в эту пару. В Маргариту Львовну с ее нелепой шляпенкой, с ее игривыми «барашками» на голове, с ее басовитым мурлыканьем про нежные чувства. И в Бубенцова с его наглой рожей, с его развязными ухватками и ухмылками, с его поминутным ржанием (помню, как восторгались мы, когда до нас дошел смысл его фамилии).

Народ знал наизусть все его остроты и словечки: «где бы ни работать, только бы не работать», «в крематорий я всегда успею», «гарантиру́ю», «ну, ты смотри!». И реплики Маргариты Львовны тоже вживились, тоже «осели» в тогдашней городской речи — особенно словесные перлы ее помешательства: «Скорую помощь! Помощь скорую! Белая горячка. Горячка белая... Кто больной? Я больной! Маргарит Львович. Лев Маргаритыч...»

И финалом фильма для нас, мальчишек, долгое время оставалось не счастливое соединение пар, а уморительная сценка, где Бубенцов, укравший из института пробирку с «солнечной» жидкостью, прибегает к отвергнувшей его Маргарите Львовне и предлагает ей «солнце с неба». Клятвенные заверения жулика завершаются ударом по левому нагрудному карману — жидкость взрывается. Дым и пламя заволакивают Бубенцова, но... рассеивается дым, стихают вопли Маргариты Львовны, и откуда-то, чуть ли не из-под земли, одна за другой лезут на поверхность полуголые, в лохмотьях долговязые конечности Бубенцова. И вслед за ними горестное причитание: «Боже, как я погорел!»

Перебираю в памяти комедийные (и полукомедийные) фильмы, снятые после «Весны» до начала «оттепели» — их буквально с десяток, — и не могу вспомнить ни одной столь же смешной, столь же мастерски отделанной комедийной коллизии, как та, о которой только что говорилось. Разве что в «Шведской спичке» Юдина.

Но вернемся к финалу — к тому эпизоду, которым не могло не завершиться все это действо. Барабанно-фанфарная, огнистая, пенисто-карнавальная кода — фирменный знак кинематографа Орловой и Александрова — предстает здесь романтическим, полусказочным путешествием Никитиной в страну «Кинолландию». Принц (Громов) показывает своей избраннице, уже преображенной, уже невыразимо прекрасной Золушке, свои владения.

Весь этот проход живописует парадный, простодушно-волшебный образ кинематографа — единственно любимый Александровым, единственно его вдохновляющий. И если в этих «картинках» вдруг возникает тень пародии, то совершенно непроизвольно. Просто от чрезмерности, от перебора «красивости» и наивной восторженности.

Но тень эта нисколько не помеха нашему удовольствию — даже напротив, не дает нам выпасть из общего комедийного тона. А главное, сам перебор, пережим здесь по-своему органичен. Сказочный облик всей этой истории, ее житейская невероятность предполагают такое же «бликованье» ее языка, ее формы. Особенно в финале.

И надо сказать, срежиссирован пережим так, что хочется снова впасть в детство, в наив и поверить в манящие и дразнящие кинематографические миражи.

Вот Пушкин на мостике старого Петербурга, в мареве пышного увядания природы звучно, по-актерски читает седьмую главу из «Онегина» — меланхоличная музыка вторит великим строфам... Вот Глинка (уже в другом павильоне) сидит за роялем, поет романс про «чудное мгновенье», а рядом она — та, о которой слова романса. И Глинка встает и подходит к нашим героям и ведет их наверх, на балкон, откуда виден красивейший зал и пары, порхающие в мазурке... А вот уже Маяковский — на фоне физкультурного парада — чеканит под звуки марша последние строки из «Хорошо!»... А внизу героев поджидают два Гоголя, чтобы спросить Аркадия Михайловича (Громова), как надо произносить: побасенки или побасёнки?

И все, кого ни возьми, — и Пушкин, и Глинка, и Маяковский, и оба Гоголя — такие прекрасные, такие похожие! Такие близкие нашему книголюбному и книгочейному детству. Будто только-только сошли со страниц школьных хрестоматий, библиотечных портретов, «огоньковых» репродукций. И не хочется задаваться неуместными вопросами вроде того: «Ну зачем, к чему Пушкину, стоя на петербургском мостике, громогласно декламировать своего «Онегина»? И что это будет за фильм, в котором нарядные Глинка и Анна Керн картинно позируют за роялем?» И уж совсем трудно вообразить картину о таком Маяковском — тяжеловесном подобии еще не поставленного памятника...

Это все — «из другой оперы». Не должно искать в его, александровских, видениях художественной многомерности, исторической точности, эстетической безупречности. Его «Кинопландия» — воистину производитель грез. И не только для массового зрителя, но и для него тоже. Недаром его так мало задевали студийные склоки, скандалы, неурядицы, издержки и накладки производства. Да, бесспорно, прежде всего потому, что он умел устранять себя от всякой омрачающей жизнь напасти. Но и потому еще, что в глубинах его души всегда сохранялось детское — восторженное и робкое вместе — почитание царства кино. И радость своей к нему причастности.

Каждый обитатель этого царства, от которого хоть в малой малости зависел успех его начинания — декоратор, гример, пиротехник, хореограф, помреж, монтажницы, — работал с ним не за страх, а за совесть, ибо чувствовал себя главнейшим, самонужнейшим движителем дела. Так были поставлены отношения в «его кинематографе». Крики, угрозы, брань, насмешка, гонор — все, что чревато обидой и отместкой, здесь даже случаем не случалось. Только любезность и обходительность. Обходительность и любезность. Именно то, что и рождало у каждого из его сотрудников и помощников лестное ощущение своей значимости, своей крайней необходимости. И это же было «законом жизни» для Любови Петровны.

В его кинематографе, даже позднем, бродили токи первозданного, детски радостного энтузиазма, невольно обращающего нашу память к магическим зрелищам великого кудесника Мельеса. И пока эпоха не слишком сопротивлялась этим позывам Александрова — а порою охотно и подыгрывала им; пока усталость, вельможное благополучие, честолюбивое желание идеологически угодить режиму не взялись делать погоду в его кинематографе, все было в порядке — более или менее. Все, что ни делал он от души, от сердца, еще не закосневших в сытости и амбициях (даже и «Светлый путь»), исполнено такого откровенного и бесхитростного упоения кинематографом — делом исконно чародейным и клоунадным, — что рука не поднимается ковыряться в огрехах и изъянах.

И недаром ведь так долго говорят в «Весне» о побасенках, настойчиво цитируют знаменитый монолог из «Театрального разъезда». Александрову явно дорого это страстное и авторитетное слово в защиту своего жанра.

«Побасенки... А вон протекли века, города и народы исчезли с лица земли! Как дым унеслось все, что было, а побасенки живут и повторяются поныне... Побасенки! Но мир задремал бы без таких побасенок. Отяжелела бы жизнь, плесенью и льдиной покрылись бы души!»

Ясно, что и сама «Весна» предлагалась публике как забавная и чуть-чуть поучительная побасенка **«о некоторых немного излишне сухих работниках науки и о некоторых немного излишне поверхностных работниках кино, и о том, что очень плохо, когда человек сам обедняет свою жизнь, когда считает, что «вся эта весна ни к чему, что песня не нужна никому»** (из послесловного эпилога фильма. — *М.К.*) — и далее уже в песенной форме.

Нельзя сказать, что текст, которым завершается фильм, отличался высоким литературным качеством, но согласимся, в этой его «немного излишней» топорности есть что-то симпатичное... как бы нарочито наивное. Такой последний пародийный штрих.

...Но вот в чем фокус: побасенка, «рассказанная» Александровым — как всякая подлинная побасенка (притча), — оказалась умнее самой себя. Оно и не удивительно. Особенно если сообразить, что это вторая — и последняя после «Веселых ребят» — картина Александрова, нимало не замешенная на идеологии. Не берущая ее ни в основу, ни вообще в расчет. Ну, верно, капля-другая ее стихийно просачивается — как, например, в «немного излишне» боевитой музыке марша, воспевающего весну, или в «немного излишне» патетической сцене научного эксперимента, — но к сути дела это имеет далекое отношение.

А суть здесь — весна. И не только в природной, погодной своей ипостаси. Но тот благословенный дурман, в котором свободно дышится и думается, в котором замолкают сирены предубеждений и предрассудков, сбывается самое невероятное. Когда оживают надежды. Когда жизнь вновь поднимает голову.

В той весенней путанице, что так витиевато закрутила и раскрутила судьбы героев, ощущалась волшебная путаница самой жизни, ее праведная неисповедимость. «Но верь весне!» — изречено некогда Фетом, и Александров — баловень и фаворит жесточайшей эпохи — повторил в 1947 году тот же символ веры:

> Журчат ручьи,
> Слепят лучи,
> И тает лед, и сердце тает,
> И даже пень в апрельский день
> Березкой снова стать мечтает.
> Веселый шмель гудит весеннюю тревогу,
> Кричат задорные, веселые скворцы.
> Кричат скворцы
> Во все концы:
> «Весна идет! Весне дорогу!»

...Увы, это была не весна, если считать по строгому историческому счету. Это была лишь первая проба оттепели. Мимолетная, торопливая, едва-едва успевшая быть подмеченной и отраженной искусством. Десятка три стихотворений, несколько задушевных повестей и рассказов, пара-тройка веселых пьес, четыре фильма. Один из этих четырех — «Весна»...

Для Орловой «Весна» стала прощанием с музыкально-комедийным кинематографом. Прощанием достойным и отнюдь не безвременным. Никто из музыкальных звезд Голливуда, да и Европы, недотягивал в своем жанре до сорока пяти. Только фантастическая Марика Рёкк не сдавалась чуть ли не до шестидесяти.

В сороковые-пятидесятые еще можно было потягаться с нею на равных. Одна осторожная подтяжка — и нет морщин. Три десятка лечебных процедур в Цхалтубо — и явное облегчение суставам. Умелый грим, макияж, идеальный (под цвет волос) парик — и кто скажет, что ей в «Весне» далеко-далеко за сорок? Каждодневный станок (15 минут) и гимнастическая палка (30 минут) — и фигура на загляденье.

Не все всегда, разумеется, было гладко. Странная болезнь, сильно перепугавшая окружающих (кажется, в 1948-м), свалила ее с ног на целый месяц. Она лежала «на Грановского» (как тогда выражались) в больнице для партийной элиты. Александров, правда, уверял всех, что это была диверсия. Что Орлову пытались отравить... розами. Ей-де прислали после выступления букет роз без бумаги, шипы же были намазаны ядом — укол таким шипом чуть ее и не погубил... (Ну, Александров, как всегда, был в своем репертуаре.)

Еще одно тяжелое испытание ей пришлось пережить на «Весне». Картина делалась на «Баррандове» в Чехословакии. «Мосфильм» был еще не вполне восстановлен и не мог обеспечить должный размах в павильонных съемках — а размах предполагался серьезный. Посольская машина, в которой ехали Орлова, Александров и Черкасов, столкнулась с чешской. Пострадали все, кроме русского водителя. Чех попал в больницу с мозговой травмой. Черкасову сбило набок челюсть. У Александрова оказалась сломанной ключица (его потом заковали в гипс), а у бедной Любови Петровны порвалась уздечка между губой и десной.

Врач сказал: «Надо пришить немедленно, а то ткань омертвеет! Но вы должны перестать плакать и замереть лицом!» Однако боль, испуг и отчаяние выбили Любовь Петровну из колеи — она никак не могла справиться ни со слезами, ни с лицом. Но подошел Григорий Васильевич и укоризненно зашелестел: «Чарли, я не представляю, чтоб вы не смогли! Чтоб вы и не смогли! Вы же все можете, все!» И действительно, она смогла. Перестала плакать и твердокаменно замерла лицом...

Неприятность стряслась с нею и во время «Встречи на Эльбе»: растяжение обеих рук. Александров говорил потом, что был перелом и сильнейший ушиб бедра — домашняя травма. От болей она не могла спать, во Внуково вызывали «неотложку». Ей бы вылежать пару суток, но Александров, у которого пропадали съемочные дни, уговорил встать и работать...

Один из приступов все той же «болезни Миньера» вынудил ее однажды бросить все дела и отправиться в санаторий «Сосны» под Звенигород. Те немногие, кто навещал ее там, заставали плачевную картину: маленькая, бледная до желтизны женщина, с трудом передвигающая ноги, с перевязанной полотенцами головой...

Случалось всякое. Уходили из жизни близкие... Возвращение на сцену в конце сороковых, несмотря на дежурно-похвальные рецензии и комплименты друзей, триумфом явно не стало. Театральная публика не ахала, а Симонов (Орлова играла Джесси Смит в его «Русском вопросе») так просто покривился, и это стало общеизвестно...

Умер почти на руках у нее симпатичный человек, ее партнер по «Весне» — артист Коновалов. Он был одинок. Она сама варила ему домашний бульон и приезжала в больницу кормить...

Марина Ладынина получила в пятый (!) раз звание лауреата Сталинской премии за «Кубанских казаков»...

Зато дом — полная чаша. Зато лучшие портнихи Москвы — к ее услугам. Зато «Карвен» — любимые французские духи — всегда теперь под рукой. Зато Эмма Давыдовна, расторопная и аккуратная домработница — бывшая «управительница» в английском посольстве, — держит хозяйство в таком порядке, что в любой час не стыдно принять хоть Вышинского (нагрянул-таки однажды). Зато на участке за час-другой можно набрать корзинку отборных белых. Зато самый дорогой человек — Спенсер всегда рядом — с шуткой, с какой-нибудь очаровательно-глупой мистификацией, с гитарой. Зато у ног, близ уютно мерцающего камина, в позе египетского Анубиса любимая «девочка» Кармен, умница и красавица, черно-серая немецкая овчарка...

Вообще собаки в ее жизни значили много. Поэтому автор книги может чуть-чуть гордиться, что «по собакам» он и Чарли со Спенсером оказались в близком родстве (да простится мне эта неуклюжая острота!). Они взяли щенка у Суркова в 1946 году, а мой отец, друживший с поэтом с фронтовых лет, в 1948-м. О, это была та еще порода! Сурков привез свою Марту из Германии, из питомника самого Геринга. Это не блеф, ее родословная пестрила гербами знатнейших германских фамилий. Огромная, желто-палевая, с черным седлом — я больше никогда в жизни не видал таких великанш. Дети были чуть помельче — и Кармен, и мой Бушуй.

Кармен прожила около полутора десятков лет. Одну из ее поздних дочек, Кору, оставили при ней — она и сменила мать... Бывали на даче и кошки. Одного кота Любовь Петровна выдрессировала — научила изображать воротник, горжетку, муфту. Перекидывала через шею, через плечи, через руку.

И кино — самое главное дело ее жизни, самая главная радость — тоже еще не совсем изменило ей.

Рубежное состояние ощутил и Александров. Начались поиски новой «своей стези».

Житейские и политические обстоятельства подсказали выход, и надо признать, вполне органичный для нашей счастливой пары.

Итак, весна 1947 года оказалась последней по-настоящему мирной весной. Уже началась «холодная война» — прелюдия к третьей мировой. «Мир будет сохранен и упрочен, — сказал великий вождь, — если народы мира возьмут дело мира в свои руки и будут отстаивать его до конца». Как всегда, мудро и крылато. Народы, однако, как всегда, «умыли руки» и доверили дело мира рукам своих политиков. Начались гонка вооружений, пропагандистская истерия.

Газетно-журнальная периодика — передовая линия фронта — запестрела карикатурами на «поджигателей войны». Эйзенхауэр, Трумэн, Ачесон, Леон Блюм, Рейно, Даладье, де Голль, Бевин, Бидо, Эттли, Черчилль, Монтгомери, Франко, Аденауэр, Чан Кайши, Трюгве Ли, Элеонора Рузвельт, Форрестон, Тито, Ранкович, Цалдарис, Хирокито... Все сбилось, свилось в замороченном сознании советского обывателя в некий гигантский змеиный клуб, откуда шипело, брызгало ядовитой слюной, смердило и тянулось к родным границам...

Поэты изощрялись в эпиграммах и куплетах. Почему-то «лучше» всего получалось у детских поэтов — Михалкова и Маршака. Политическая злободневность была их коньком.

Приснился Трайчо Костов Тито:
«Я уличен! Что делать, шеф?!»
«Не знаю, сгинь и пропади ты!» –
Шеф прошептал, позеленев...[1]

Театральные сцены заполнили спектакли о происках заокеанских недругов в Западной и Восточной Европе... Это была поистине «золотая жила». То, что сотворялось в этой сфере, охотней всего поощрялось официальными знаками одобрения: лауреатскими званиями, максимальными гонорарами, солидными общественными постами.

[1] Это — михалковское. Это — о забитом в застенках госбезопасности Трайчо Костове, одном из лидеров Болгарской компартии, министре иностранных дел.

Детски самолюбивые амбиции Александрова всегда побуждали его быть передовее самых передовых. Не быть на виду — у народа, у власти, у друзей и коллег — было для него мучительным переживанием (даром что виду не подавал). К тому же и положение обязывало.

Так родился один из самых броских, самых непримиримых политических фильмов эпохи «холодной войны» «Встреча на Эльбе». Это был фильм-памфлет, фильм-плакат, сконструированный, в общем-то, по расхожей схеме: «Два мира — две системы». Советский мир, разумеется, чист и светел, его обитатели красивы, умны, добры и, разумеется, миролюбивы. Западный мир продажен, грязен, развратен, развязен и, разумеется, агрессивен. Правда, есть и в их темном царстве некий лучик света — прогрессивные американцы, которые симпатизируют Советской стране, ненавидят своих генералов и капиталистов, с грустью вспоминают покойного Рузвельта и дружат с неграми.

Все это представало в различных драматических вариациях, оснащенных и оживленных любовной, приключенческой или детективной интригой. Как правило, за всем идейно-политическим антуражем стояли расхожие каноны популярных жанров: мелодрам, вестернов, триллеров и детективов.

Сюжет «Встречи на Эльбе» также имеет основой шпионско-детективную интригу. Дело происходит в небольшом германском городе, ставшем после войны пограничьем между двумя зонами — советской и американской. Американцы пытаются переманить в свою зону, а стало быть, и в Америку видного немецкого ученого-инженера — на худой конец, если ученый не согласится, похитить его научно-технические патенты. Эту акцию должна осуществить супершпионка Джоан Шервуд. Орлова.

В этой картине актриса вновь предстала как бы в двух лицах. Большую часть сюжета она — обаятельная красотка, изысканно-светская партнерша двух представительных офицеров, двух майоров — комендантов зон. Причем если американец явно неравнодушен к ее чарам, то советский офицер твердокамен и неподатлив, чем сразу призывает и нас, зрителей, к благоразумному недоверию.

...Когда Любовь Петровна рассказывала публике о своем творческом пути, то, дойдя до «Встречи на Эльбе», говорила следующее:

«Впервые мне довелось играть отрицательную роль. Я к этому не привыкла. Но роль была интересная, сложная, и я изо всех сил старалась перевоплотить себя в эту отвратительную особу. Старалась не только на студии, но и дома. Я пробовала на родных мои актерские задачи. Они были очень огорчены переменой моего характера — говорили, что я стала резкой и глаза у меня злые и что кино окончательно меня испортило. Словом, надо бросать кино. Потом уже я призналась в своем коварстве. Ну, они, конечно, меня простили, и все кончилось благополучно».

Публика умиленно внимала этим стандартным актерским откровениям про сложную роль и технику перевоплощения, меж тем роль была простенькая и никакого особого перевоплощения не требовала. Почти весь фильм, как уже было сказано, героиня Орловой шикарна и обаятельна — ее отрицательность лишь подразумевается. Никто не удивился бы, если бы вдруг выяснилось, что она — советская шпионка (то есть разведчица) и все ее действия по вызволению нацистов и похищению патентов — хитроумная игра советских всевидящих органов. Возможно, финал в этом случае был бы не менее эффектным. Хотя эффект того финала, который есть, перекрыть трудно.

...Сюжет кончается, как легко догадаться, полным разоблачением новоявленной «Мата Хари». Похищение патентов не выгорело, как и все прочие происки, ее секретная миссия провалилась — ей предстоит вынужденный отлет в Соединенные Штаты.

И вот тут-то и настает главный триумф Орловой. Ее завершающий традиционно-победительный выход к публике.

Казалось бы, карьера Джоан Шервуд позорно кончена. Казалось бы, от нее должны отвернуться теперь и друзья, и покровители в генеральских погонах. Казалось бы, ей надо тихо и незаметно убраться восвояси. Ничуть не бывало. Все наоборот.

Одетая в элегантную военную форму (американскую, но с маленькими художественными поправками), она стоит у трапа персонального самолета. Вокруг нее целый строй провожающих: офицеры, генералы... Они почтительно и восторженно едят ее глазами. Она медленно поднимается по трапу — холодная, высокомерная, прекрасная. У открытой дверцы оборачивается и прикладывает руку к изящной каскетке. «Да хранит Господь Бог господина президента, Америку и нас!» Генерально-офицерская камарилья зачарованно внимает ей, приложив руки к фуражкам. Она входит в самолет (самолет — явный «пунктик» александровского кино) и возносится в ночное небо. Бедный американский майор, ничего не ведавший о ее шпионских проделках (и уволенный за нежелание в них соучаствовать), провожает лайнер грустным и растерянным взглядом...

Это был не последний фильм, где Орлова выступила в звездной роли — были еще «Русский сувенир», «Скворец и Лира». Но это был последний фильм, где ее звездная роль имела успех. Не тот, конечно, что прежде, но все же... Этим успехом она обязана Александрову более, чем себе. Себе, разумеется, тоже — прежде всего своей прекрасной физической форме, которую она экспонирует здесь достаточно непринужденно (чего никак нельзя сказать ни о «Русском сувенире», ни тем более о последней картине). Но самоигральность роли в этой картине уже резко ослаблена — Орлову вполне могла бы заменить другая типажно подходящая актриса (Кузьмина, Алисова, Сухаревская, Жизнева). Картина, безусловно, от подобной замены проиграла бы — одно имя Орловой стоило много больше, чем любое из упомянутых, — но сути дела это не изменило бы.

Успех картины в отличие от предыдущих был обеспечен в первую очередь добротной александровской режиссурой. Надо отдать ему должное. В каждой сцене есть ощутимая крупица драматизма, есть эксцентрическая изюминка, события перемежаются в хорошем темпе, сюжетные обстоятельства и текст дают актерам возможность играть живую, занятную типажность... Слабоват главный герой, но это не вполне вина исполнителя (Владлена Давыдова) — он выбран за красоту лица, за молодость, статность. Его функция здесь — нести себя, держать спину, смотреть в упор и неулыбчиво улыбаться. Униформа сидит на нем, как модный костюм. В финале Александров одевает его в ослепительно-белый, зауженный в талии китель совершенно неуставного покроя и «сажает» на его юные плечи аж полковничьи погоны. Для красы не жалко!

Однако сюжет ленты расцвечен не только шпионскими страстями. В Александрове еще не совсем угас комедийный пыл — здесь его жертвой становится американская сторона. Все американцы этой картины (за исключением прогрессивного майора) — почти «дословные» вариации карикатур Кукрыниксов, Б. Ефимова, Ганфа, Сойфертиса, Бродаты, наводнявших тогдашнюю прессу: наглые, спесивые, поминутно орущие «о'кей!», ржущие, пьющие, попирающие ногами столы. Раневская, формально играющая жену американского генерала, явственно загримирована под Элеонору Рузвельт — эдакая лошадь с искусственной челюстью и постоянным оскалом... Но, как всякая грубая и пошлая издевка, это могло отвратить только очень выдержанный вкус. Грубость и пошлость в гротесковой интерпретации, как известно, способны завораживать. И запоминаться.

Можно по-всякому толковать жанр, в котором сделана «Встреча на Эльбе». Здесь очевидно присутствие и «шпионской драмы», и сатирического памфлета, и банальной политической публицистики. Но если говорить о стиле, связующем все начала, то его, как ни верти, придется истолковать однозначно: это ближе всего к лубку. Лубку-агитке. Лубку-листовке. Агрессивному, хвастливому, слащавому — в меру забавному, не в меру лживому... Картина имела большой успех у народа. Со вздохом признáем: заслуженный.

...Никогда еще Александров не работал столь интенсивно. Не прошло и двух лет, как он выпустил новый фильм. И опять успешный — благосклонно принятый и властью (еще один лауреатский знак), и публикой. Первоначально фильм назывался «Славься!».

Но Сталину название не понравилось — надо опять же признать, законно, — и он предложил более спокойное: «Композитор Глинка».

По идее слово «композитор» здесь не совсем уместно — звучит по-школярски. Как правило, подобные ленты — о жизни замечательных людей — назывались просто их именами (и в СССР, и за границей), но один «Глинка» до Александрова уже был. И притом сравнительно недавно — в 1946 году — фильм Льва Арнштама. Александровский вариант имел отношение к одному из последних пожеланий вождя — довольно примитивному, но обсуждению, как всегда, не подлежащему. Сталину вдруг захотелось увидеть в новом цветном воплощении все наиболее памятные ему исторические и историко-биографические сюжеты (разумеется, из отечественной истории), в том числе и те, что уже были некогда сняты и даже продолжали идти на экранах. Программа была намечена широчайшая, но смерть вождя не дала ей осуществиться. Только два проекта и были реализованы: «Адмирал Ушаков» и «Композитор Глинка».

Фильм вышел фактически следом за «Мусоргским» Григория Рошаля, где Орлова сыграла небольшую и не очень внятную роль певицы Платоновой. В концертном репертуаре Любови Петровны была пара-тройка очаровательных вещиц из «Детской» Мусоргского, — что-то из них она и спела в фильме.

Роль, которую ей поручил Александров в «Глинке», была фактически того же облика и качества. Только чуть-чуть побольше. Здесь она сестра великого композитора, его добрый и верный ангел, Людмила Ивановна Шестакова. Ее главный «выход» — с романсом на стихи Пушкина: «Я вас люблю, хоть и бешусь — хоть это стыд и труд напрасный...»

И все же не должно говорить об этой картине мимоходом. Она была последним успехом Александрова и — пусть в небольшой мере — Орловой. Она внесла в их тогдашнюю жизнь много радости — и платонической, и практической. Умножила их славу и достояние. Ее реальные плюсы сегодня кажутся минимальными — картина до нитки пропитана лживой конъюнктурой своего времени. Но именно это последнее обстоятельство представляет для нас определенную ценность: я знаю лишь две картины, которые с равной четкостью и умелостью (подчеркиваю последнее слово) излагают художественные критерии предзакатной поры «великой эпохи». «Тарас Шевченко» и тот же «Мусоргский».

То, о чем мы могли по предыдущим лентам Александрова и Орловой лишь догадываться — я имею в виду их эстетический кругозор, эстетические предпочтения, — здесь обозначено с предельной конкретностью. Нигде больше они не высказывались столь полно и откровенно о своих познаниях и пристрастиях в музыке, поэзии, живописи.

Тот эпизод, что мелькнул некогда в «Весне» (Глинка и Анна Керн), вполне мог бы стать анонсом к данной работе. Он точное стилистическое предвосхищение ее. И идейное тоже.

Фильмы, подобные этому, иногда именуются «историко-биографическими». Особенно много их появилось в тридцатые годы в США, Германии, Италии. И в Советском Союзе. Тогда же, в предвоенные годы, отстоялись незыблемые каноны такого фильма. Неизменно его герой — сверхобычная и сиротливая личность, противостоящая консервативному и корыстолюбивому большинству. Его характеру присущи упорство, подвижническая одержимость, его помыслам — величие и чистота. Он как бы солирует на экране — он чаще других в центре кадра, в центре внимания окружающих, ему отдается большая часть крупных планов, за ним, как правило, последнее слово в каждом эпизоде с его участием — и разумеется, в финале.

Фильм Александрова призван был рассказать о жизни великого композитора в соответствии с официозной установкой, утвердившейся в конце сороковых годов. Установка эта — применительно к данной личности — звучала примерно так. Глинка — борец за самобытность русской музыкальной культуры, за ее народность, за ее первенство в ряду других культур, в противовес всем инородным влияниям. Фильм изображает эту борьбу, постоянно подчеркивая неприязнь композитора к иностранщине, к «безродным космополитам» типа Мейербера, к поклонникам «чужой» музыки — и ответную неприязнь к нему этих великосветских поклонников во главе с царем.

Само собой, представители враждебного композитору лагеря обрисованы с резкой недружелюбностью, подчас просто карикатурно. Зато композитор и его единомышленники подчеркнуто привлекательны, одухотворены. Факты биографии Глинки, которые не отвечают упомянутой установке и способны бросить маломальскую тень на его личность, здесь или отброшены, или истолкованы в соответствии с общей тенденцией.

Пребывание молодого Глинки в Италии не имело, по мысли авторов, никакого иного смысла, как бросить кость светским недоброхотам, попрекавшим его нехваткой музыкального образования, и доказать свою несовместимость с иноземной культурой. Одобрение царем оперы «Жизнь за царя» трактуется как коварная политическая акция, имеющая целью исказить социально-общественное значение данной вещи. Сложная, запутанная личная жизнь композитора удостоена лишь мимолетного упоминания. Мы слышим две реплики: одну о предстоящей женитьбе, другую (вскорости) о семейном разрыве. В дружеском окружении героя мы видим лучших, знаменитейших людей той эпохи, хотя в реальности они не только не дружили, но даже и не встречались. Зато напрочь отсутствуют многие действительные друзья композитора — те, что не вписываются в ореол, создаваемый ему авторами. В том числе и Нестор Кукольник.

Даже знаменитое петербургское наводнение, с которого эффектно начинается фильм, передвинуто во времени — в эпоху Николая Первого, дабы именно он, наиболее хрестоматийный символ царского произвола, сказал общеизвестную фразу своего предшественника: «С Божьей стихией царям не совладать!»

При всем этом картина сделана опять-таки уверенной режиссерской рукой — динамично, с невольно впечатляющим постановочным размахом. Каждый эпизод, подобно маленькой новелле, имеет свою интригу, завязку и развязку. Изобразительный ряд не лишен чувства стиля — близкого, с одной стороны, олеографии, с другой — русской живописи романтического периода.

Работа актеров отдает видимой театральностью в традициях российского императорского театра, но это в принципе даже уместно, поскольку хорошо сочетается с картинно-изобразительным фоном, с декоративно-изысканной, парадной атмосферой.

Да, роль у Любови Петровны невелика и не шибко выразительна, но краснеть за нее, во всяком случае, не приходится. Ее малозаметность несколько компенсировалась рекламой: почти на всех щитах кинотеатров, на киноплакатах, страницах газет, где объявлялось о «Глинке», Орлова присутствовала. Как-никак, при всей своей невеликости, это была самая большая женская роль в картине.

Причин для грусти, а тем более для расстройства не было. Успех картины был так или иначе ее успехом. Звезда все еще оставалась на должном месте. Сияла уже не так ярко, не так притягательно, но все еще была звездой не прошлого — настоящего.

И СНОВА ТЕАТР

Была пора, театра зала
То замирала, то стонала,
И незнакомый мне сосед
Сжимал мне судорожно руку,
И сам я жал ему в ответ...

Аполлон Григорьев

Последние два десятилетия главным местом творческой жизни Орловой была сцена. И не концертная — театральная. Сцена Театра имени Моссовета, куда она пришла в конце сороковых. Играла актриса мало — за двадцать с лишним лет всего шесть ролей. Из них две первых оказались вообще малоприметны и малопамятны.

Я с трудом отыскал нескольких более или менее авторитетных очевидцев, — из тех, кто видел «Русский вопрос» и «Сомов и другие», — но никаких острых наблюдательных суждений, достойных быть приведенными здесь, мне не досталось. Не нашел таковых суждений и в газетно-журнальных рецензиях. Знаю, что Симонову, автору «Русского вопроса», ее исполнение не пришлось по душе. Более всех театральных постановок ему понравился фильм Михаила Ромма и, стало быть, Елена Кузьмина как Джесси.

Можно понять Орлову, страстно желавшую заполучить эту роль: пьеса была бойкая, шла чуть не во всех театрах страны и даже «соцлагеря». Героиня была «иностранна» и светски неотразима — красива, умна, женственна, шикарно одета и даже чуть-чуть порядочна. Это «чуть-чуть» создавало видимость психологической глубины. Нравственно шаткая, падкая на комфорт, на маленькое мещанское счастье, Джесси в конце концов оказывалась в лагере, враждебном ее возлюбленному, просоветскому американскому публицисту. Легко представить Орлову в этой нехитрой тенденциозной пьеске, в этой нехитрой, в общем-то, роли.

Легко представима она и в горьковском «Сомове» (естественно, Лидия). Но ни тот, ни другой спектакль, как мы уже сказали, театральный мир не всколыхнули. Что может показаться даже странным, поскольку в конце сороковых одно имя Орловой на театральной афише должно было бы вызвать ажиотаж.

То, что ажиотажа не было, наводит на два немудреных умозаключения. Первое: театрально-зрительская реакция все же отлична от кинозрительской — даже если обе мирно сосуществуют в одной персоне. И публика заведомо предпочитала Орлову экранную (волшебную, поднебесную) Орловой сценической (прозаичной, заземленной). Эстрадная Орлова, конечно, была ближе к первой. Публика шла на чудодейственную Орлову — что в кино, что в театре, — но эффект явно разнился.

Увы, роль, которую актриса играла на сцене, была интересна публике в последнюю очередь. В Донецке случился казус: во время гастролей театра заболевшая Любовь Петровна неожиданно вышла из строя, пришлось срочно заменять ее другой актрисой. И зрители потребовали вернуть деньги: «Мы пришли смотреть Орлову, а не ваше представление».

Второе умозаключение: сама по себе сценическая ипостась Орловой и не могла рассчитывать на чрезмерный ажиотаж. Играла она порой недурно, но все-таки без того победительного звездного блеска, к которому приучила, приохотила кинозрителя. (Исключение — Лиззи Маккей.)

Любовь Петровна отлично учила роли. Отлично выглядела в большинстве случаев, — недаром этот всегдашний шепоток-шелест после открытия занавеса: «Сколько ей лет?» Правда, двигалась она несколько... не то чтоб скованно, но как-то не очень свободно, выверенно. Было известно (по крайней мере, ее партнерам), что любая маленькая накладка на сцене, любая неожиданность заметно смущает ее, сбивает с настроя. Это касалось и тех мимолетных импровизаций, которые нередко позволяют себе опытные театральные актеры — от озорства ли, от усталости, от невольной оговорки, ошибки, от желания подыграть залу и т.д. Она и сама этого не умела (разучилась?!), и не терпела в других.

Случалось ей выходить на сцену чувствительно нездоровой, но публика ничего не замечала — актриса собиралась и играла как по нотам. Последнее, то есть «по нотам», даже слегка удивляло завзятых мастеров сцены. Орлова была не из тех, кому дано вольготное, домашнее чувство театральных подмостков (возможно, так было в двадцатые — когда она начинала свою театральную карьеру), кому ничего не стоило непринужденно обыграть свой кашель, неверное движение, застрявшее платье, забытую реплику, не к месту уроненную вещь...

К тому же ей очень мешала постоянная внутренняя забота: как она выглядит? С годами эта забота становилась все более навязчивой, почти маниакальной — не забываемой ни дома, ни в гостях. Ни на сцене. Это был ее «стопор», как выражаются актеры.

К этому надо добавить еще один горьковатый нюанс. Ее положение в театре вообще и в Театре Моссовета в частности было изначально не то чтоб сомнительно или щекотливо, но малую малость ущербно. Среди ее современниц, московских театральных актрис, всегда было полтора, а то и два десятка действительно больших, знаменитых актрис — при тех же примерно внешних данных, — на которых «ходили», о которых говорили и спорили. Так получалось, что любая ее роль (исключение Лиззи Маккей) оказывалась невольно сопоставленной с другими вариантами исполнения, гораздо более впечатляющими. В Малом театре, к примеру, Джесси играла Дарья Зеркалова, актриса, способная самую банальную коллизию облагородить силой переживания и возвысить до откровения. Горьковский «Сомов» ставился реже других его пьес, но эти другие были всегда на виду у театралов. Горьковских эффектно мятущихся красавиц «второй молодости» (один из непременных персонажей его драматургии) вы могли видеть и в Малом, и во МХАТе, и у вахтанговцев.

В «Милом лжеце» Орловой невольно пришлось соревноваться сразу с несколькими известнейшими актрисами — в том числе и с Ангелиной Степановой, — и рассчитывать на предпочтение она могла только у самых влюбленных в нее поклонников... Норой она поделилась с молодой Ией Саввиной, поделилась достойно, то есть без малейшего прекословия, хотя по театру гулял слушок, будто на нее надавила дирекция. В этой уступке сказалась щепотка драматизма — публика отреагировала на Саввину более чем благожелательно, зал бывал полон только на ее «Норе». Дабы пресечь или, по крайней мере, смягчить кривотолки, Любовь Петровна послала Саввиной в день ее премьеры огромную корзину цветов... Ну, а «Странная миссис Сэвидж» «пересекла» ее сразу с двумя громкозвучными именами — Раневской и Марецкой. Первенствовать на сцене вблизи этих актрис было, конечно же, невозможно.

Последняя роль была подарком Раневской — коронной «миссис Сэвидж». Любовь Петровна очень тосковала без работы, жаловалась Фаине Григорьевне, с которой давно дружески общалась (хочу, чтобы читатель обратил внимание на то, что отношения были свойские, но в доме Орловой и Александрова Раневская гостевала крайне редко). В этих жалобах сквозило неназойливое желание приобщиться к роли миссис Сэвидж. Раневская, любившая и почитавшая Любочку, как немногих, услышала это желание...

В чем-то Орлова повторила рисунок Раневской, но в оттенках сыграла нечто свое — исконное и душевное. Гляделась она в этой роли прекрасной дамой ушедших лет. Светлым и трогательным воспоминанием о полузабытом мире безупречных манер, царственной скромности, неподдельной, несуетной красоты. (Если б кто-то, знающий подноготную ее повседневной жизни, осмелился сказать ей: «Дорого же вы заплатили за свою вечную и безупречную женственность!» — она ответила бы, не задумываясь: «За это нельзя заплатить слишком дорого!») Наверно, по сравнению с Раневской, да и с Марецкой, в ней было меньше трагизма (и трагикомизма) и больше благости, но что ж... можно утешающе сказать, что наверно, имелся свой зритель и у такой миссис Сэвидж.

Ту же горделивую и одинокую женственность играла она и в «Норе», но роль явно не хотела, сопротивлялась такой упрощенной интерпретации. Было ощущение чрезмерной сдержанности исполнения. Чтоб не сказать — сухости. Когда же требовалось дать выброс эмоций — впрямую или какой-то эксцентричной, аттракционной выходкой, — получалось нечто не совсем уместное. Натужное. Ученически-старательное (это у Орловой!). Временами ее игра выглядела вполне культурной, в хорошем смысле старомодной, грамотной, но какой-то... тщетной. Породниться, сблизиться, даже просто перекликнуться с подсознательным миром зрителя, пронзить его хоть на момент болью сочувствия и понимания, этой прохладной, этой картинно-женственной женщине было уже не дано.

Публика принимала спектакль спокойно. Были уходившие после первого акта, были и после второго (это с Орловой-то!). И вот еще какая маленькая странность: казалось бы, в этой роли у Любови Петровны был максимум возможностей выглядеть молодо и свежо. Эффектные длинные платья, изящно облекавшие фигуру, рукавчики с манжетами удачно прятали руки, стоячий воротничок скрывал морщины и уже чуть-чуть тяжеловатую посадку головы, но почему-то именно здесь внятно прочитывался ее возраст — сильно за пятьдесят.

Мне кажется, что она и сама догадывалась, что с Норой у нее не все в порядке, — разумеется, Саввина этой догадке поспособствовала. Недаром про этот спектакль она никогда не рассказывала публике — только мимоходом упоминала. И не слишком рьяно зазывала на него своих знакомых. Вот «Милый лжец» — другое дело. Тут она точно чувствовала, что способна понравиться именно как театральная актриса.

«Милый лжец»... Возможно, ни одна из актрис, игравших героиню пьесы, не знала о ней столько, сколько знала Любовь Петровна. В то время на русском языке еще не было сколько-нибудь серьезных публикаций о знаменитой Стелле — королеве лондонской сцены конца XIX и начала XX столетия. Александров — постановщик спектакля — обзавелся английскими книжками, нанял переводчицу — она выборочно переводила Любови Петровне избранные места.

В один из очередных приездов к Чаплину, в Швейцарию, Орлова и Александров подробно расспрашивали своего именитого друга о Патрик Кемпбелл. Он был с ней хоть и не коротко, но знаком, встречался в Голливуде, видел в «Пигмалионе». Чарли Чаплин, как всегда, очень точно изображал виденное — показывал гостям, как Кемпбелл в «Пигмалионе» нюхала цветы, как держала корзину, как плакала.

Более того. На одном из приемов в английском посольстве, куда Орлова и Александров ходили почти регулярно, оказалась восьмидесятитрехлетняя дама весьма бодрого вида, мать (или теща) какого-то видного дипломата, завзятая театралка, которая видела чуть не все спектакли с Патрик Кемпбелл. И хорошо все помнила.

Да, наверное, эта роль была у Орловой не из худших. Внешняя, заведомо обусловленная сюжетом статичность персонажа, статичность мизансцен, всей композиции спектакля — вариации литературного театра — оказались как нельзя более уместными для ее сценического самочувствия. Ей не нужно было демонстрировать живость движений, взрывчатые перепады настроения, резкие лицедейные приемы. Здесь она могла с начала и до конца оставаться «парадно-портретной». Женщиной прекрасной во всех отношениях. Она и оставалась. Со вкусом экспонировала аристократизм, ухоженность, остроумие, женскую проницательность и остаточный артистизм. Последнее особенно хорошо давалось ее голосу. Он был звонок, певуч, без напряжения переходил от «высот» к «низинам», не фальшивил ни в шепоте, ни в капризном недовольстве, ни в игривой насмешке, ни в утешающей грусти.

Все было бы хорошо, если б... Если б образ, предложенный пьесой, не взывал к подтексту — достаточно сложному и драматичному. Если б в той реальной житейской ситуации, что отчетливо отражена в переписке Шоу и Стеллы, не было приметной страдальческой ноты.

Два великих творца, два умудренных жизнью всеведа, красивых, честных, нетерпимых к лицемерию, способных понять друг друга до самой сокровенности, — и два одиночества. Какой уникальный, какой заурядный парадокс! Два несгибаемых эгоиста, бессильных переступить через свой эгоизм, ибо он — часть их сознания, их таланта, их символа веры. Дружба с Шоу была для Патрик Кемпбелл и радостью, и душевным отдохновением, и творческим действом. Это все Орлова без особого блеска, но не без шарма передавала. Но она не сумела передать процесс духовного самоутверждения героини— трудный, водоворотный, порой глубоко противоречивый процесс.

Изучая жизнь своей героини, Любовь Петровна не могла не заметить, что Патрик Кемпбелл состоялась как актриса далеко не вполне, — вознесясь на вершину славы, очень скоро, в сущности, с нее сошла. И виной тому в сильной мере был ее нелегкий, неуживчивый, совершенно неугомонный в своих амбициях нрав. Ее мятежная страсть к независимости и болезненная неприязнь ко всякого рода дисциплинарным ограничениям.

Вот этого внутреннего излома, вносящего в образ трагическую смятенность, старательно скрываемую горечь, Любовь Петровна уловить не смогла, да, похоже, и не пыталась. Ее влекло другое...

Сдается, и Плятт мог бы, наверное, сыграть поглубже, позадумчивей, не облекать тайную скорбность бытия великого378 ирониста в столь элегантную, светски-непринужденную форму. Тут он явно пошел навстречу партнерше (с помощью Александрова, разумеется). В спектакле не было дисгармонии. Только уравновешенная, взаимно предупредительная — джентльменская — игра. На ничью. На мирную радость себе и публике.

Естественно, Александров не удержался, чтоб не усилить общественно-обличительные оттенки диалога героев, но звучали они практически вхолостую, хотя и не слишком раздражая. Этаким досуже-риторическим, высоколобым трепом.

Не следует преувеличивать широту и смелость сценических притязаний Орловой. Ни Федры, ни Гедды Габлер у нее и в мыслях не было — можно ручаться.

Роль, о которой она мечтала в последние годы — «посол Советского Союза», то есть Александра Коллонтай в бездарной, но довольно популярной драматической поделке «застойной» поры. Те, кто знает содержание пьесы, легко догадаются, почему так желала сыграть в ней Любовь Петровна. И так завидовала Юлии Борисовой, «блеснувшей» в этой роли и на сцене, и на экране. Воображаю, как эффектно — и как фальшиво — выглядела бы Орлова в киношной версии этой пьески. Как привычно ослепительна она была бы в придворном платье с орденской лентой через плечо и звездой на груди! Как элегантно и светски-остроумно общалась бы она с монархом! Как восхищенно смотрел бы на нее монарх, окружающие аристократы и все именитые персоны!.. Несбыточная мечта еще об одном триумфе.

...Но была у Орловой на сцене и действительная удача, неоспоримая. Лиззи Маккей. Собственно, эта роль и являлась ее настоящим дебютом в Театре Моссовета в 1956 году. После нее она стала официально числиться в актрисах этого театра. Любовь Петровна могла бы стать таковой и раньше. Завадский несколько раз зазывал ее. Она медлила.

И тут неожиданно возник Сергей Юткевич. Отношения у них были дружеские и давние — еще с Алма-Аты. Он любил величать ее при встречах: «Моя дорогая звезда». Тоскуя по сцене, она то и дело взывала к его эрудиции: «Сереженька, дорогой, неужели в вашей умной, всезнающей головке нет ничего подходящего для меня?» И вот однажды в Париже он увидел фильм Марселя Пальеро по пьесе Жана Поля Сартра «Респектабельная проститутка». Он тут же позвонил Орловой, кратко описал впечатление и сказал: «Это роль для тебя! Лучше не придумать. Если благословляешь, буду действовать».

В те времена (как, впрочем, и в предыдущие — сталинские) Юткевич был на короткой ноге почти со всеми корифеями французской культуры. А с теми, кто симпатизировал «красным», — особенно. Для Сартра тогда центр социально-политической справедливости еще не сместился в Китай. Как и большинство французских интеллектуалов, он с увлечением и оптимизмом наблюдал за оттепельным процессом в Советском Союзе. Поэтому, когда Юткевич приехал к нему и попросил дать пьесу, чтобы перевести ее на русский, опубликовать в Москве, а заодно предложить лучшим московским театрам, Сартр немедленно согласился.

Осторожный Юткевич спросил, каким образом будет возможно произвести расчет в случае успеха, — оплачивать валютой иностранных авторов в те годы было еще не принято (по крайней мере легально). Сартр благодушно махнул рукой: «Давайте вашими, советскими! Сколько сможете. Приеду в Москву, отдадите». И действительно, когда через несколько лет он приехал на юбилейный, 450-й спектакль, деньги ему выплатили «по максимуму».

Юткевич перевел пьесу, сделав при этом свою сценическую редакцию, явно ориентируясь на сценарий фильма. Пьеса получилась откровенно «синематографичной» — даже несколько боевиковой. И для той поры (хотя и оттепельной) достаточно смелой — героической проститутки на советской сцене еще не было («перекованные» погодинские, разумеется, не в счет). И хотя Юткевич вкупе с Завадским авторитетно доказывали меднолобым управленцам — от моссоветовских до цековских, — что пьеса разоблачительная, прогрессивная, что Сартр — почти коммунист и не меньше нас ненавидит буржуазное общество, цензура сдалась не сразу и в конце концов разрешила постановку только в одном театре. И только с Орловой.

Завадский хотел, чтобы Юткевич и ставил спектакль, и оформлял его как художник. Но тот был в работе над фильмом «Отелло», и постановку осуществила Анисимова-Вульф — ведущий после Завадского режиссер театра. С нею Любовь Петровна уже работала и в театре, и в кино. Во всех послевоенных фильмах Александрова она была режиссером-педагогом, занималась с актерами и более всего с Орловой.

В своих самостоятельных театральных работах Анисимова-Вульф не была слишком изобретательна и смела — скорее аккуратна, академична. Если «Лиззи Маккей» и производила впечатление довольно лихой постановки, то это прежде всего благодаря пьесе и Орловой.

Любовь Петровна была здесь истинно хороша — ветром носилась по сцене, легкая, свежая, открытые плечи, шея, коленки. Голос звенел бубенцами, колоратурными трелями, кажется, еще момент-другой, и она запоет, затанцует... Удивительно: от актрисы исходила такая откровенная чувственная (эротическая) энергия, какой ожидать от нее, честно говоря, было трудно.

Это сегодня задним числом Любовь Орлову пытаются окрестить «секс-символом» сталинской эпохи, но, право же, подобный комплимент — неуклюжая натяжка. «Секс» как таковой ее героини выдавали в очень и очень умеренных дозах — недаром женщины обожали Орлову куда активнее, чем мужчины. Серова, Макарова, Федорова, Окуневская были по этой части гораздо более впечатляющими.

Думается, подсознательное удивление столь необычным, непривычным эффектом — Орлова, и вдруг такое! — действовало на зрителей вдвойне интригующе. И возбуждающе. В иных местах зал чуть замирал от незнаемой до той поры (1956 год!) откровенности — тем более обольстительной, что физические очертания проступали зыбко, полускрыто, ненароком. Пеньюар, в котором Любовь Петровна играла почти пол-акта, превращал ее временами в ожившую статую несколько легкомысленного, салонного вида. Создавалось впечатление, что надет он, как и положено в жизни, прямо на голое тело, что под ним вообще ничего. Материю для этого пеньюара — типа креп-жоржет — она привезла из Парижа.

Играть добродетельную проститутку — распутство «с человеческим лицом», вариацию Кабирии (а такая тривиальная перспектива отнюдь не противоречила сюжету Сартра) — Орлова, конечно, смогла бы, но... если б очень захотела. Но она удержалась — звездный статус уже намертво прилип к ней (или вошел в нее) и не позволил резко переиначить привычный образ. Иногда это мешало ее театральным воплощениям, но в «Лиззи Маккей» это как раз и сработало на успех. Кое в чем благодаря Юткевичу: уже одна смена названия показательна. Когда вещь получает имя героя или героини, содержательность образа невольно меняется.

Орлова играла Лиззи не распутной, не распущенной, но — как бы сказать поточнее! — вольной особой. И самовольной. Если бы старомодное прозвище «дама полусвета» не скрывало вульгарного смысла, то это определение вполне подходило бы к орловской героине. В ней сразу, с первых минут чувствовалось нечто... дорогостоящее. И не только телесное — личностное. Некая независимость и загадочность — вот как можно это определить. Притом что *«это»* смотрелось у нее неким стихийным началом, бессознательным и придавало житейскому переплету, в который она попадает, фатальный характер. Героиня Орловой не могла не поступить так, как поступила — благородно и жертвенно, — даже если б вдруг возжелала для себя спасительного выхода. В ситуации выбора достоинство взяло верх, и притом без душевного надлома, без малейшей рисовки, без высокопарного побуждения.

...Не знаю, была ли у нее в эти годы глубокая, детски страстная любовь к театру, — наверно, кинематограф в какой-то мере атрофировал это чувство. Но к работе, к публичному лицедейству она тяготела неодолимо.

Орлова делала все, чтобы в театре ей было хорошо и удобно, чтобы все любили ее. И надо сказать, что тут, за кулисами, она преуспела не меньше, чем на экране: ее любили, обожали, боготворили. Она доставала лекарства гримершам, помогала пожарникам с путевками для детишек, устраивала больницу престарелому отцу помрежа, одаривала женщин нужными мелочами (грим для себя она привозила из-за границы и часто делилась им с партнерами — особенно с «Пляттиком»).

Она никогда не ходила по театру с хмурым лицом, никогда никому не кивала мельком, любой мог остановить ее и перекинуться парой приветливых слов. Она знала все про личную жизнь своих костюмерш, парикмахерш, гримерш и в задушевной болтовне тоже не была молчаливой: делилась воспоминаниями, женскими секретами (четко блюдя меру откровенности) и почти всегдашним признанием в любви к Грише.

Изо всех обитателей театрального закулисья душевней всего общалась она не с актерами (Раневская и Плятт — исключение), а с теми, от кого в первую очередь зависел ее сценический облик, кто обшивал и одевал ее. С портнихами — что в театре, что вне — Любовь Петровна позволяла себе быть придирчивой, даже въедливой, но никогда не раздраженной, не сумрачной. Никогда не мелочной. Самое резкое, что могла услышать от нее портниха: «Вы тут себе чего-то слишком напозволяли».

Перед спектаклем Любовь Петровна обычно распевалась в гримерной. На сцену шла очень сосредоточенная, но почти всегда с улыбкой — про улыбку не забывала. Во время спектакля ей приносил кто-нибудь чашечку чая или кофе. Иногда этот «кто-нибудь» предлагал: «Любовь Петровна, хотите конфет?» — «Да ну их! Конфеты... шоколад... Не хочу! Хочу леденец!»

По окончании спектакля она стояла за кулисами, считала, волнуясь, сколько раз открывается на аплодисменты занавес. Большую часть цветов тут же раздаривала, но особо красивые букеты увозила с собой — цветы обожала.

...«Красота — это страшная сила!» Как известно, эту фразу впервые бросила великая Раневская (Маргарита Львовна) в «Весне», когда, примерив перед зеркалом шляпку великой Орловой (Никитиной), окончательно уверилась в своей непобедимой красе. Казалось бы, столь смехотворный фокус мог случиться только на экране. И только в комедии.

Меж тем реальный случай, породивший данную коллизию, был хорошо известен во Внукове. То ли во второй, то ли в третий послевоенный год в приятнейший летний вечер на дачу Алексея Суркова слетелась компания друзей-соседей — были и Александров с Орловой. Любовь Петровна явилась в прелестной соломенной шляпке, украшенной вдоль тульи бело-голубыми цветами. Дамы, конечно, тут же схватили ее и принялись разглядывать. Наконец, ею завладела хозяйка дома, утащила к себе в комнату, там надела и торжественно вернулась на террасу. Вид ее был таков, что невольно заставил одних гостей смущенно спрятать глаза, других выразительно переглянуться. Никто не сказал ни слова, только Клементий Минц внятно промурлыкал как бы про себя: «Да, красота — это страшная сила».

Уже много позже Александров рассказал этот случай во вгиковской аудитории, но рассказал чуть-чуть неточно и, конечно, не называя имен. Я сознательно поступаю наоборот — называю все имена. Однако вспомнить крылатую фразу (и все, что с ней связано) меня подвигло в первую очередь одно серьезное и, пожалуй, щекотливое обстоятельство. До сих пор я остерегался называть эту «вещь» своим именем, но вот... решился.

Дело в том, что Любовь Орлова, общепризнанная звезда номер один, в обыденной домашней среде — той, что могла лицезреть ее по-свойски, — совсем не считалась красавицей. Да и не была таковой. Милая, прелестная, обаятельная — пусть даже временами красивая... но не красавица. И уж тем более не sex-appeal.

Ей было уже далеко за шестьдесят, когда некий эстрадный администратор задумал с ее подачи осуществить эффектный сценический проект — сделать с нею одноактный спектакль «на выезд». Были найдены пьеска на три персонажа (перевод с французского), режиссер. Художником же пригласили молодого, но уже приметного выпускника ВГИКа Михаила Карташева. Войдя впервые в ее дом (до этого ему не приходилось встречаться с актрисой), он воистину обомлел. И отнюдь не от восхищения. Его встретила маленькая, очень пожилая женщина с желтовато-серым лицом, с крашеными жидковатыми волосами.

Любовь Петровна никогда не встречала гостей, тем более незнакомых, неприготовленной. В этот раз она, видимо, просто забыла о визите художника, — он застал ее врасплох. Актриса, естественно, догадалась о впечатлении (играть-то она должна была молодую пикантную дамочку — героиню любовной интриги), но нимало не смешалась. С легкой улыбкой попросила гостя подождать пару минут и вышла к себе в спальню. В стене напротив двери был маленький шкафчик-ниша, где всегда в полной боевой готовности сидели на головках-болванках три парика. Два «выходных» — коричневых, один домашний — серый. Здесь же около кровати был туалетный столик с набором любимой косметики и парфюмерии. Вернулась она почти моментально. Неузнаваемая. Совершенно преображенная. Красивая и молодая.

И однако же — даже в самые лучшие, самые «звездные» свои годы, — Любовь Петровна пользовалась в престижных кругах (которые, правда, не очень-то и жаловала) не столько женским успехом, сколько бескорыстным восхищением, нежностью, дружеским расположением. Причем женщины, повторю, выражали эти чувства заметно чаще и охотнее, нежели мужчины. Среди тогдашних куртизанов, молодых и молодящихся светских львов (романтические мальчики не в счет), записных волокит она не порождала эпидемии воздыхательства — ни тайного, ни явного.

Так же спокойно-приветливо относилась эта публика к Марине Ладыниной, Валентине Серовой (правда, она была безусловной фавориткой армейской среды), Татьяне Окуневской, Лидии Смирновой — разве что с большей игривостью и меньшим благоговением. Их внешность обсуждали без придыхания, любовались ими без волнения. Из кинозвезд той поры более всех «тянули» на *влекущих* красавиц Зоя Федорова и Тамара Макарова. И все же их считали только... красивыми. Явно недобравшими в изыске, в «породе». Ослепительно хорошенькой была Людмила Целиковская. Ее внешностью любовались с восторгом, но с восторгом несколько легкомысленным и не слишком почтительным. Схожую реакцию, только более умеренную, вызывала и Галина Сергеева.

Что же считалось эталонной (как сказали бы сегодня — фирменной) красотой тогдашней женщины, что имело не только «спрос» (смягчаю эту грубость кавычками), но и высокую эстетическую цену? Прежде чем ответить, должно сделать небольшое разъяснение. Кто, собственно, судил и рядил в то время об этом? Конкурсов не устраивалось, опросов тем более. Реклама была столь убогой, что подсказок от нее ждать не приходилось. На экранах сплошь мелькали «девушки нашей страны» — «веселые подруги»...

И тем не менее проблема обсуждалась, и притом вполне профессионально. В компаниях. Прежде всего в литературно-театральных (с приметным представительством эстрады и оперетты) — наиболее живых, остроумных и безалаберных очагах той части советского истеблишмента, которую составляла так называемая творческая интеллигенция. В знатоках этого вопроса, составлявших «первые тройки», «первые пятерки», «первые десятки», ходили и братья Тур, и Николай Эрдман, и Виктор Типот, и Арго (Гольденберг), и Виктор Ардов, и много иных. (Я намеренно называю тех, кто косвенно — в качестве сценаристов и либреттистов — приложил руку к карьере Орловой.) Не отставала от мэтров и молодежь — ифлийцы, зубастые и завистливые мальчики-журналисты, молодые, набирающие силу (и наглость) эстрадники.

Если схематично суммировать витавшие в воздухе мнения, то оптимальный вариант (красавицы) являл собой довольно своеобразное сочетание: статность — некая телесная вальяжность, вескость (не отвергалась и спортивная атлетичность, не убивающая эротического акцента, — «девушка с веслом»), правильность черт, легкая надменность взгляда и чисто мещанская «симпотность», миловидность. Царица и горничная одновременно. Идеалом такого сочетания была, вероятно, в лучшие свои годы Екатерина Вторая — если верить, конечно, портретам.

И все-таки первыми красавицами тех лет считались не кинозвезды, а другие женщины — малоизвестные массовому зрителю. Почти все они были театральными актрисами — далеко не всегда заметными, зато почти всегда удачливыми в замужестве. То есть имели мужей, способных обеспечить их домашним комфортом: квартирой, дачей, машиной, домработницей, лучшими ресторанами, спецмагазином и, конечно, частными портнихами.

Эти красавицы были не менее сиятельными звездами «света» (московского и отчасти ленинградского бомонда), чем кинозвезды. Во время приемов в Кремле или ВОКСе, на банкете в «Метрополе», на престижных театральных премьерах, на вечерах в ЦДРИ мужской суеты вокруг Нины Голицыной, Раи Кирсановой, Надежды Никулиной, Валентины Вагриной, Гарэн Жуковской было нисколько не меньше, чем вокруг Орловой.

В принципе между двумя этими элитами (звезды кино и звезды «света») нет китайской стены. Они близки, сродственны, говорят на одном светском наречии. Конечно, «свет» — явление более пестрое и бесформенное, чем любая сфера искусства, где в числе первостатейных критериев были талант, мастерство, культура. Вот женский престиж — другое дело! Но так или иначе, оба звездных персонала призваны выражать собой лицевую, витринную фактуру общества и в этом смысле быть главными выразителями моды.

Однако в советской реальности, особенно сталинской, где все традиционные общественные понятия (из тех, что сохранились) были чудовищно исковерканы, не было «системы звезд», подлинно светского «света», не было государственного доверия к моде. Быт элитарной публики, ее будни и праздники представали нередко в трагикомической форме. Особенно в двадцатые годы — нищенские и амбициозные вместе, — когда решался вопрос «советского стиля» (в быту, в одежде). Стиля, который стал бы «инструментом закрепления советской психики», который был бы «противовесом парижским, венским «шикам» и «крикам моды» (цитирую журнал «Искусство в массы» за 1930 год).

Но как ни старались идеологи, как ни подыгрывала им художественная интеллигенция, все было так, как повелось исстари: хорошо одетой женщиной была женщина, одетая в иностранное. Ведь вот и Любовь Петровна, еще не будучи кинозвездой, но имея спутником жизни австрийского «спеца», вполне открыто, хотя и не вызывающе, одевалась с тем самым пресловутым венским (а заодно и парижским, и берлинским, и лондонским) шиком, который так коробил носителей передового мировоззрения. В этих туалетах она и снималась в своей первой, еще немой ленте.

Разумеется, кинозвезды тридцатых, а тем более послевоенных сороковых годов, получавшие довольно весомые гонорары — и не только «киношные», но и концертные (чего совершенно не было в двадцатые годы) — и почти все имевшие обеспеченных мужей, могли многое себе позволить. В том числе и шикарные туалеты. Но лишь немногие из них позволяли себе это с легким сердцем. Одним мешала, скажем так, специфика семейного уклада, державшая их в стороне от парадной жизни; другие просто не придавали этому значения, третьим мешала некая идеологическая стыдливость — нежелание слишком уж отличаться от простых советских людей, поскольку «бросаться в глаза» было вообще не принято; кто-то просто с трудом отвыкал от привычки к скромной неприхотливой жизни, обретенной в детстве и закрепленной в суровые двадцатые.

Советские кинозвезды в умении «выглядеть и держаться» явно уступали театральным актрисам. Тут уж ничего не попишешь — сценическая среда, сценическая культура во всех своих началах много выше, аристократичней кинематографической. И требовательней к своим носителям.

Во всяком случае, никто из кинозвезд той поры — ни Зоя Федорова, ни Ада Войцик, ни Елена Кузьмина, ни Марина Ладынина, ни Ольга Жизнева, ни Лидия Смирнова — не отличался приметной разодетостью. Более или менее отличались Тамара Макарова, Валентина Серова, Татьяна Окуневская.

Особый случай — нарядность Орловой. Она всегда выглядела «на людях» с какой-то подчеркнутой скромностью. Строгие костюмы. Платья самого демократичного фасона и расцветки. Будучи неплохой рукодельницей (это от мамы), она могла что-то сделать или доделать своими руками. Даже в наиболее благополучные годы, имея под рукой превосходных портних, Любовь Петровна сохранила традицию собственного пошива. Называлось это «сама-сама». Если кто-то из ближайших подруг — Галина Шаховская, например, — приходила к ней в какой-нибудь новой интересной кофточке, хозяйка сразу выстреливала вопрос: «Сама?» Наиболее употребительный ответ: «Сама-сама!» Также и наоборот.

Портнихи, конечно, были тоже, но далеко не так часто, как многим думалось. Разговоры о том, что на нее постоянно работала сама Ламанова, — полный абсурд. Если и было, то раз-другой, не больше. Я слышал както краем уха, что одно из концертных платьев, сделанное Ламановой для Орловой, ей не очень понравилось, и она его подправила — «сама-сама!».

Более или менее постоянно в разные времена Любовь Петровна имела дело с двумя московскими знаменитостями: Варварой Данилиной и Еленой Ефимовой (многие заказчицы знали ее под девичьей фамилией — Марфинская). Данилина была столь же дорогой портнихой, как и Ламанова, но резко отличалась от нее манерой общения — и делового, и житейского. Не любила в отличие от последней быть на виду, давить авторитетом (вернее, не любила делать это откровенно, прилюдно), держалась строго, немногословно. И при этом была весьма и весьма своенравна.

Вообще-то Любовь Петровна недолюбливала такой стиль поведения, но мастерство Данилиной было безупречно — особенно по части костюмов. Тут стоит оговорить один нюанс. В первые послевоенные годы в моду вошли так называемые классические «английские» костюмы, и характерно, что многие женщины предпочитали шить их у мужских портных. Был такой костюм, судя по фотографиям, и у Орловой, но все же предпочитала она костюмы более свободного стиля («фантази»), и вот здесь-то репутация Данилиной считалась самой высокой.

Ефимова была не более знаменита, чем Ламанова или Данилина, но в чем-то притягательней. Недаром она имела самую обширную клиентуру. Веселая, озорная, что называется, душа нараспашку, ее энергии и работоспособности хватило бы на десятерых. Да и фантазией ее Бог не обделил. У нее «шили» Ладынина, Целиковская, Сергеева — из кинозвездной плеяды. У нее шили и наиболее любимые подруги Любови Петровны, сестры-хореографы Наталья Глан и Галина Шаховская.

По-моему, она не имела дела со «шляпницами», а вот с Генрихом Барковским, обувным «гроссмейстером», точно имела. Это имя я впервые услышал от Льва Миронова, когда рассказал ему, какие замечательные туфельки — из черной замши с тонкой перепонкой и золотыми пуговками — я увидел как-то на даче у актрисы. Лев Николаевич сразу их вспомнил и произнес со значительным видом: «Это от Барковского!»

Еще один маленький домашний секрет — ее украшения. Вряд ли кому могло прийти в голову, что Орлова — Орлова! — носит дешевые, пуще того — фальшивые драгоценности. На этом и строился невинный обман. Правда, было у нее несколько настоящих и дорогих вещиц — браслет, серьги, старинная брошка (по-моему, больше для показа гостям), но носила она (когда носила, ибо особого пристрастия к ювелирным прикрасам не питала) чаще всего рыночные поделки. Но, разумеется, не всякие — выбранные, подобранные, иногда подправленные и, как правило, заграничные. Выглядели они на ней баснословной роскошью.

...К великому сожалению, по экрану тридцатых-сороковых годов едва ли можно получить ясное представление, сколь органично сочетание советских кинозвезд с «высокой модой». Ролей, отражавших бытовой уклад советской элиты, они почти не играли.

Ладынина лишь однажды показала себя на экране в истинно модном одеянии — в «Сказании о земле Сибирской». Не без изящества выглядят как бы простенькие платьица Целиковской в «Воздушном извозчике». Один-два броских туалета мельком демонстрирует Сергеева в «Актрисе». Вершина шика начала тридцатых — это, конечно, Мария Стрелкова в «Веселых ребятах», а вот образчик «изысканной строгости» конца сороковых — Ольга Жизнева в «Солистке балета» и «Суде чести».

Модно, то есть с изыском, одетую Орлову, естественно, видели чаще других. В «Цирке», в «Светлом пути», в «Весне», во «Встрече на Эльбе». Заметим в который раз, что в первом и последнем случаях она — американка, и изыск ее — целиком иностранный.

Других советских звезд, провоцирующих у зрительниц острое желание заиметь точно такое же платье (пальто, шубу, костюм и т.п.), не припомню. Гораздо успешнее несли в советский коллектив «высокую моду» иностранки Франческа Гааль, Марика Рёкк, Дина Дурбин, Лоретта Янг, Джанет Макдональд, Цара Леандр, Алиса Фей. И даже Морин О'Салливан из «Тарзана». Недаром же звучало в народе после войны:

Не нужен мне панбархат,
Не нужен креп-сатен,
Хочу ходить в лохмотьях,
Как маленькая Джейн!

Бывая за границей, Любовь Петровна обычно даже не заглядывала в модные журналы — не то чтоб приобретать и везти их в Москву. Если и захватывала что-то с собой, то для подруг, для портних. Зато внимательно, цепко приглядывалась, что носят женщины светского круга — кинозвезды, жены знаменитостей. Вот тут она не стеснялась действительно чем-то попользоваться, что-то переснять. Известна ее реплика по поводу визитов к Чаплину: «Каждый год езжу туда, хочу посмотреть, во что одета Уна (жена Чарли Чаплина), а она, как назло, опять в беременном платье. Никакого толку от таких поездок!» Шутила, конечно, чуть-чуть, но досадовала всерьез.

...А иногда это делалось так. В 1946 году Любовь Петровна впервые полетела в Париж. В аэропорту она заметила, что все парижанки в более длинных юбках, чем у нее. А машина уже наготове, в гостинице ждет журналистская братия, фотографы.

Любовь Петровна пошла в туалет, быстро отпустила юбку на несколько сантиметров, аккуратно все зацепила безопасными булавками (без них ни в какие дальние вояжи не отправлялась), накинула мех и вышла как ни в чем не бывало. Однако, попав в гостиницу и хорошо присмотревшись к парижанкам, она увидела, что поторопилась. Молодые, хорошо одетые дамы носили юбки даже более короткие, чем была у нее в изначальном виде. Тут же в гостиничном номере она вытащила ножницы (без них тоже никуда), опытной рукой быстро обрезала юбку, наметала, подшила и таким образом привела свой вид в полное соответствие с последней парижской модой. Как и полагалось настоящей кинозвезде.

На этом можно было б и завершить тему моды, но, к счастью или к несчастью, мода задавала тон не только в приватной жизни. Мода была первейшим побудителем Орловой и Александрова и в общественной, и в творческой жизни. Разумеется, я говорю о моде в расширительном смысле.

Александров всю жизнь стремился создавать модные фильмы, которые именно в данный момент способны иметь наибольший спрос, наивысшую цену в массовом и официальном сознании. Пока эти две формы сознания совпадали, его кинематограф в общем и целом пребывал в благополучии. Как только начался разлад, как только общественное сознание стало обретать независимость и самостоятельность и все больше противостоять лживому официозу, кончилось его время. Пришла растерянность, пришли неудачи — к несчастью, недоступные трезвой самооценке.

Первая такая неудача — «Русский сувенир». Притом громкая, скандальная неудача. Собственно, скандальной оказалась именно неудача — не столько фильм как таковой. При всей своей схематичности, при всей кричащей безвкусице он представлял собой простонапросто пресное зрелище. Не снимай его режиссер Александров, не играй в нем Орлова и еще с полдюжины популярнейших актеров, не предшествуй ему столь бахвальная реклама, дело, возможно, не обернулось бы таким громогласным бесславием. Но в том-то и беда, что это было «кино от Александрова».

Он отлично чувствовал, сколь опасны для их репутации те перемены, что происходили в стране после смерти Сталина. Пять лет он выжидал, приглядывался и прислушивался, пока не осознал необратимость этих перемен и победительную силу новых веяний. Ему было только за пятьдесят, и что могло быть досаднее для него, чем ощущать себя отсталым, устаревшим, бывшим? В то время как другие режиссеры его поколения — Ромм, Пырьев, Калатозов, Хейфиц, Козинцев, Юткевич — победно входят в новое время?

В очередной раз его обуяло желание забежать вперед прогресса — сотворить нечто передовое, модное. Супермодное. Супероттепельное...

Главный герой его ленты — импозантный американский миллионер, волей судеб вынужденный совершить путешествие по СССР. От Байкала до Москвы. Вояж оборачивается политическим прозрением — новоявленный «мистер Твистер» (а точнее, «мистер Вест» из первой советской кинокомедии, весьма похожей по замыслу) проникается к «стране большевиков» безграничной симпатией, уважением и доверием. «Храните деньги в сберегательной кассе!» — объявляет он в финале мировой общественности. Как бы в шутку и «как бы» всерьез. Поскольку в картине есть еще и главная героиня — неотразимо-прекрасная русская женщина (естественно, Орлова), понятно, что в метаморфозе, постигшей обаятельного миллионера, не обошлось без романтического стимула.

Александров до конца жизни упорно держался мнения, что сотворил хороший и, главное, очень смелый фильм. И если его не поняли и не приняли, то лишь из-за цензурных — редакторских — подчисток. Раз пять, не меньше, пересказывал он мне содержание эпизода, не вошедшего в фильм, искренне полагая, что наличие его и еще одного-двух похожих могло бы радикально изменить реакцию публики.

В этом эпизоде главная героиня Варвара Комарова приглашает американца прогуляться в... тайгу. Вдвоем. Когда они приближаются к опушке, авторский голос (за кадром) испуганно ее одергивает: «Варвара, опомнитесь! Куда вы идете! С кем?!» На что героиня находчиво отвечает, обернувшись на камеру: «Вы обо мне не беспокойтесь! Вы о себе беспокойтесь!» И продолжает свой дерзостный путь. Честно говоря, я так и не понял, о каком риске предупреждал авторский голос: о гражданском или об интимно-женском, но уточнять как-то не хотелось.

Все в фильме было по последней моде — и прежде всего политической. Постоянные разговоры о мирном сосуществовании, о бессмыслице «холодной войны» — детища американского империализма, о миролюбии Советской страны и, разумеется, о ее неуклонном и неизбежном процветании. Доказательством последнего служил целый набор наимоднейших житейских примет — последних «достижений социализма»: «Ту-104», гостиница «Украина», лимузин «Чайка», Кутузовский проспект, новостройки Ангарска, стадион в Лужниках, якутский алмаз величиной с яблоко, шагающий гигант экскаватор, перекрытие Енисея...

Заодно достижением стали и цыгане, наконец-то обретшие свое подлинное призвание и желанное место — лесосплав на сибирских реках. И тюрьма, переставшая за ненадобностью выполнять свою прямую функцию и приспособленная под турбазу. И даже ватники: убогая, хотя и удобная рабоче-крестьянская прозодежда здесь отливает синим, красным, зеленым, малиновым шелком.

Уж эти ватники! Именно с них начался легкий, осторожный спор с Александровым — первый и последний за все время нашего знакомства. Диалог, помнится, выглядел примерно так:

— Но согласитесь, Григорий Васильевич, эти ватники... Нет, я понимаю — это не самая важная деталь... но они метафорический сколок общего стиля, общего духа. Как невольная подсказка, у нас тут все невзаправду, все муляж. И вся система доказательств получается аттракционной, шутейной, даже где-то издевательской......

— Вы не совсем правы. Это же просто шутка. Я тоже знаю, что ватники — не такие. Но мне хотелось показать, какими они могут быть. В шутку, конечно...

— Но тогда и цыгане — ударники лесосплава — тоже шутка? А иначе в такое трудно поверить.

— А вот представьте, я лично видел этих цыган. И сразу понял, как хорошо это придумано — приспособить их к лесосплаву. Они ведь любят кочевать, да? Не надо навязывать им оседлость, не надо привязывать к одному месту. Вот лесосплав — это как раз для них. И работают, и кочуют.

— Ну, а тюрьма... которая турбаза, — тоже в шутку?

— Ну, вы же знаете, сколько тюрем освободилось после разоблачения культа личности. Я сам видел такую тюрьму — нам показывали...

— Я понимаю, я верю. Но в картине все это подается как характерное, повсеместное. Как обобщение. Так получается, что все исконные приметы нашего неблагоустройства у нас вроде как решены. Цыгане уже не цыгане, тюрьма — не тюрьма... Верю, что такое бывает, как сказал ваш главный автор, Николай Эрдман, — помните, в «Самоубийце»? — «бывает и женщина с бородой». Однако речь у вас не о том, что бывает, а о том, что есть. Вы же не подаете это, как нечто исключительное...

— Ну, это не совсем так. Я хотел наглядно показать нашему правительству, какие аргументы, какие факты лучше всего действуют на иностранцев. Чем их действительно можно пронять. И даже обращать в свою веру. Я просто привел им примеры. А они обиделись. Что, «он» знает больше начальства?! Смеет давать советы?! И вообще, не «его» ума эти дела. А прислушались бы, проявили бы поменьше чиновной спеси, сегодня многое было бы по-другому. Лучше.

...Та круговерть, которая поднялась вокруг фильма по выходе его на экран и внесла столько непривычного смятения в благополучный мир героев моей книги, была отчасти спровоцирована самим Александровым. Он кипуче разрекламировал свою будущую работу. Как никогда. Где он только не выступал, чего только не обещал! Рассказывал об эпичности замысла, о постановочном размахе, об актерах, которые будут сниматься. Уже одни их имена предвещали успех: Андрей Попов, Павел Кадочников, Эраст Гарин, Элина Быстрицкая. Не говоря уже про Орлову.

Все ждали чуда. И он искренне верил, что способен сотворить его. У Орловой же еще на стадии сценария возникли кое-какие недоумения. Она выражала их очень осторожно, заранее зная, что Гришенька вряд ли ее послушает.

К тому же Чарли привыкла полностью доверять Спенсеру и никогда не жалела об этом: ведь сколько раз он оказывался победителем вопреки многим авторитетам.

А реакция публики была сокрушительной. И тем более горькой, что практически единодушной. В неприятии картины сходились все: и простой зритель, и художественно искушенный, и даже начальственный, у которого в эти годы тоже проклюнулось что-то вроде эстетической разборчивости. Особенно задели Григория Васильевича и Любовь Петровну два проявления этой реакции.

Одно случилось во ВГИКе. Александров привез картину студентам, рассчитывая на дружную похвалу своей смелости и чувству юмора. И, конечно же, на свой авторитет. Ну и наверно, на какой-то дисциплинарный кодекс, не позволяющий проявлять в институтских стенах слишком резкий негативизм. Как же он просчитался! ВГИК конца пятидесятых переживал едва ли не самую замечательную пору своего бытия — в нем бродил дух переустройства, творческого дерзания и гражданской принципиальности. Это был пик оттепели — мозги развинтились, языки развязались. И фильм Александрова, и он сам оказались под обстрелом. Режиссер сидел на сцене рядом с ректором института, а в двух шагах от него студенты — имена многих из них сегодня всенародно знамениты — весело, ядовито, безжалостно изгалялись над его детищем. Еще не состоявшийся, но уже популярный, уже почитаемый Геннадий Шпаликов выдал, по своему обыкновению, косноязычно-мудрое резюме: «Ребята, сегодня вот нам показали — и хорошо показали, лучше нельзя, — какое кино нам делать не надо. Никогда!»

С критикой Григорию Васильевичу приходилось иметь дело не раз и не два. Начиная с «Веселых ребят». Но публика и начальство всегда были на его стороне (дружелюбная сталинская критика «Светлого пути» никак не повлияла на его придворный престиж). Он это чувствовал и потому весьма терпимо, улыбчиво реагировал на критику собратьев по кинематографу — к тому же это вполне соответствовало его характеру.

Александров никогда не выходил из себя. Но тут, во ВГИКе, я увидел в его глазах настоящую злобу. В ответном слове, произнесенном с гневным придыханием, он сказал: «Теперь я вижу, что вы пришли в эти стены не для того, чтоб учиться кинематографу, а для того, чтоб его разрушать. Вы не уважаете кинематограф, потому что вы его не знаете, не понимаете!» И резко сошел со сцены под смешливый шумок аудитории.

Второй тяжкий удар нанес «Крокодил» — популярнейший сатирический журнал той поры. Он опубликовал две параллельные подборки: слева те самые широковещательные посулы режиссера, справа мнения рядовых зрителей. Притом с фотографиями — и слева, и справа. Мнения зрителей были совершенно созвучны вгиковским: насмешливы и безжалостны.

Эта «капля» переполнила чашу терпения... нет, не Александрова, а Любови Петровны. Она пожаловалась. Но не начальству (на такую заведомую глупость была не способна), а друзьям-товарищам: Образцову, Юткевичу, Завадскому, Долматовскому и многим другим. В результате чего появилось коллективное письмо в «Советской культуре», протестующее против беспардонной, неуважительной по отношению к знаменитому режиссеру критики.

Но делу это не помогло, а только пуще подогрело ощущение провала. Любовь Петровна переживала этот провал именно так, как переживала плохо сидящее платье — да не покажется это сравнение кощунством!

В последние годы она «шилась» в основном в ателье «Москвичка», что на Калининском проспекте. Вокруг нее всегда суетились несколько мастериц, и все полтора-два часа она сыпала шутками, сияла улыбкой, а меж тем придирчиво, переживательно всматривалась: не морщинит ли где? Все ли «как на перчатке»? Каждую подозрительную складочку подвергала тщательнейшему исследованию. Говорила: «Я не имею права, чтоб морщинка. Все равно, как если б у меня публично вырвалось непристойное слово...»

Непристойно морщинил в данном разе «Русский сувенир».

...«Золотой век» кинематографа Александрова и Орловой остался далеко в прошлом — да и «позолоченный», то есть послевоенный, тоже. Что могли сотворить два очень и очень немолодых человека, да еще после тринадцатилетнего антракта — покойного, благостного, более чем благоустроенного...

Нет, разумеется, новая картина, новая победа была им очень даже нужна. И не столько Александрову, сколько Орловой. Любовь Петровна органически не переносила безделья и прозябания на блекнущих лаврах. Скудный творческий паек, получаемый ею в театре и на встречах со зрителями, не только не удовлетворял, но даже отчасти раздражал ее.

Все же можно предположить, что взялась она за новую роль со сложным чувством. Конечно, с охотой, конечно, с надеждой, но не без трепета. Она не могла не понимать, что это ее последняя роль, ее лебединая песня и что помимо прямых творческих задач ей надо еще подтвердить себя. Как Орлову. Ту самую. Чего греха таить, ее неувядаемость, ставшая легендой, стоила ей в то время немалых и подчас болезненных усилий. Она отнюдь не была уверена, что кинокамера при всех изощренных стараниях режиссера и оператора не подведет, не разоблачит ненароком ее возраст. (Документалисты и хроникеры несколько раз покушались запечатлеть ее — на любых условиях... Она предпочитала не рисковать.)

Возможно, не была она абсолютно уверена и в Александрове. Провал «Русского сувенира» в 1960 году оставил след в ее памяти — не приведи бог было ненароком упомянуть при ней эту картину, даже в самом невинном контексте. Похоже, она понимала, что «Русский сувенир» явил собой не просто мимоходную неудачу, досадный и непредвиденный срыв, но тяжкую и уже непоправимую катастрофу. И то сказать: вместо тихого, неприметного убывания в Лету кинематограф Александрова и Орловой предпочел шумную, игривую агонию на глазах у публики. И самое горькое состояло именно в том, что это был их подлинный, кровный кинематограф, только иссохший, выморочный — рожденный уже бесчувственным, уже машинальным, неподвижным мироощущением. Чарли и Спенсер, два великих мистификатора и балагура своего времени, решив тряхнуть стариной и осчастливить верных поклонников, набрали в грудь воздуха и принялись не столько рассказывать, сколько молоть сказку, что раскусила даже самая доверчивая и преданная сказителям публика.

Верность своим творческим и жизненным принципам не всегда плодотворна. В иных ситуациях она начинает работать против тебя. В такой ситуации — не ощущая ее коварства, ее обманчивой безмятежности — Александров с Орловой и попытались снова напомнить о своем величии. И сразу со всей наглядностью все расставили по местам.

Стало окончательно ясно — *что* ушло и *что* осталось. Ушли наивная романтическая самозабвенность, раскованность темперамента, телесная энергетика. Детская непринужденность фантазии. А еще чувство подъема, риска, «телячьей радости» бытия. Чувство зала...

В силе же остались: «легкость в мыслях», отглаженная, открыточная ненатуральность изобразительной фактуры, наворот сюжетных и визуальных аттракционов, броские контрасты между шикарной бедностью и сказочным шиком. И острое пристрастие к «нужным», политически престижным темам. И такая же острая, с трудом скрываемая приязнь к иностранщине, к удобствам и роскошествам презренной западной цивилизации. И культ безупречной, душевно и физически бодрой личности, не разъеденной ни завиральными идеями, ни безыдейностью... Понятно, что в эпоху «реального социализма» такие реликты под ногами не валялись — не то что в предвоенные времена, — а если где еще и водились, так только в разведке: и то среди остатков старшего, ветеранского поколения.

Вот с такой оснасткой они и дерзнули пуститься в плавание во второй раз. Корабль назывался «Скворец и Лира». После двухлетнего круиза по отечественным и зарубежным водам он обрел вид по-своему любопытной, по-своему выразительной кунсткамеры идеологических мифов советского парадного кинематографа. И прежде всего кинематографа времен малокартинья.

Тут надо заметить, что вторая попытка возвращения в действующий строй звездной пары несколько отличалась от предыдущей. Тогда Александров попытался догнать время. Теперь же он попробовал повернуть время вспять. Но не слишком далеко — не к «Весне», не к «Волге-Волге», а к «Встрече на Эльбе» — сверхконъюнктурной работе, успех которой был в сильной мере запрограммирован. И на этот раз он решил подстраховаться той же темой противостояния «двух миров — двух систем», веря в то, что она со всей своей привычной аурой по-прежнему актуальна и, сдобренная авантюрными перипетиями, практически беспроигрышна... Сохранил он и тему Орловой: Золушка, рождение звезды, супершпионка, неотразимо победительная от начала и до конца.

В партнеры Орловой был выбран П. Вельяминов — улыбчивый, обаятельный актер с повадкой сельского интеллигента. Он довольно органично вжился в одну из постоянных масок кинематографа Александрова — избранника звезды. Безупречного героя, достойнейшего из достойнейших... Хотя разница между ним и его предшественниками — С. Столяровым, Е. Самойловым, В. Давыдовым, Н. Черкасовым — была довольно приметна. Он выглядел менее монументально и романтично, зато — как и положено верному и примерному супругу — был более надежен, основателен, душевно прост и сердечен. Немаловажно еще и то, что он очень подходил «новой» Орловой своей возрастной неопределенностью.

Фильм курировал генерал-полковник КГБ Семен Цвигун. (Уж не его ли — с почтительным придыханием — играет сам Александров в одном из эпизодов фильма?) Впрочем, опора эта была чисто номинальной — для пущей важности и спокойствия. Руководство студии и Госкино и без того делали все возможное, чтобы маститый классик творил без помех, чтобы в картине было по меньшей мере на что посмотреть. Рекламный анонс периода немого кино в подобном случае не преминул бы помянуть «грандиозные декорации... ослепительные туалеты... роскошные виды Швейцарии, Германии, Чехословакии» и т. п.

Казалось, фильму суждена хорошая прокатная судьба и высокая оценка государственной прессы. И вдруг — то ли гром с ясного неба, то ли чудеса в решете.

Картина не вышла на экран.

Поскольку никакого документа, четко называющего вещи своими именами, обнаружить не удалось, придется довольствоваться устными свидетельствами людей, причастных к этой страннейшей истории.

И впрямь фантасмагория какая-то. Картина одного из самых правоверных классиков советского кино разделила судьбу «Комиссара», «Истории Аси Клячиной», «Проверки на дорогах», «Темы», «Агонии». Чем же так не угодил фильм власть имущим? А вот послушаем... Впрочем, нет — сначала вспомним.

Когда долгожданный «Скворец и Лира» был запрещен для показа, в киношных кругах возникли, как водится, слухи и разнотолки. Говорили, что фильм оказался столь дурного качества, что даже видавшее виды начальство развело руками. И естественно, закрыло картину, дабы не компрометировать важную, государственного значения тему, а заодно и Александрова с Орловой, репутацией которых оно весьма дорожило. Фильм не соответствовал изменившимся политическим реалиям...

Отдаленно схожую версию мне довелось услышать от самого Григория Васильевича. Когда я спросил его, что произошло с картиной, он, как всегда, спокойно и улыбчиво пояснил, что картина принята, но сейчас идет процесс налаживания отношений с ФРГ, и фильм, по мнению наших руководителей, может произвести не очень благоприятное впечатление на западных немцев и спугнуть этот процесс, что надо подождать годик-другой, и все будет в порядке.

Была еще экстравагантная сплетня, что Александров ненароком, по простоте душевной, выдал какие-то сверхважные тайны советской разведки...

...Александров не раз, мягко выражаясь, мистифицировал друзей и знакомых, говоря, что в своих зарубежных поездках он выполняет попутно особо важные задания правительства и «компетентных органов» — дипломатические, разведывательные. Но именно эти его «хлестаковские» саморазоблачения наводят на мысль, что ничего похожего не было. Могло быть. Наверняка многие из тех корифеев советской литературы и искусства, которым дозволено было ездить по свету, платили за это определенную дань «компетентным органам». Думаю, однако, что Александрова это не коснулось. Его склонность к «недержанию» фантазии была общеизвестна — в надежные, серьезные осведомители он не годился. И он, и Орлова были гораздо полезней в качестве витрины — показательно-образцовой пары свободных деятелей культуры. Светски импозантных, богатых, преуспевающих...

А теперь послушаем тех, кто был причастен к запрету картины, кого принято в подобных ситуациях именовать «гонителями» и «душителями» прогрессивного советского кино. Самое интересное, между прочим, что некоторые из них — лица, занимавшие весьма значительные посты в Госкино и на «Мосфильме», просто не помнят, из-за чего сыр-бор разгорелся. Что-то такое действительно было, кто-то позвонил, кто-то на что-то намекнул, и притом недвусмысленно... Так вот оно и получилось. Разумеется, неизвестно, сколько здесь от короткой памяти, сколько от нежелания вспоминать.

«А дело было так, — гласит версия А.В. Романова, тогдашнего председателя Госкино, — сверху фильм никто не запрещал. Студия вообще не представила его нам. Мы его не обсуждали. А закрыла картину сама Люба. Она увидела себя на экране и очень себе не понравилась. И расстроилась, потому что выглядела не такой, какой хотела. И очень рассердилась за это на Александрова. Тогда было предложено переснять «неудавшиеся сцены». Но она уже ни во что не верила. Фильм ей вообще не понравился. Так что пересъемка не состоялась. По-моему, они даже поссорились с Александровым на какое-то время, во всяком случае, такое у меня было впечатление. После смерти Любы снова встал вопрос о выпуске картины, однако Александров отказался: не надо, мол, нарушать ее волю».

Версия эта, при всей ее неожиданности, не показалась мне невероятной. Такое в принципе могло быть, поскольку нечто подобное уже бывало. Любовь Петровна фактически сорвала празднование своего семидесятилетия, не дав возможности прессе даже намекнуть на юбилейную дату. Она запретила печатать свою биографию во многих справочных изданиях, дабы не раскрывать дату рождения. Она потребовала «выбросить» себя из телепередачи, посвященной ей и Александрову, ибо эпизоды, снятые у нее дома, показались Любови Петровне неудачными — в них она выглядела слишком старой... Правда, в ссору с Александровым я напрочь не верю. Такое было невероятно.

Другая версия принадлежит не менее высокопоставленному лицу — Н. Т. Сизову, директору «Мосфильма», и она действительно другая: «Фильм запретили органы. Именно они, и никто другой. И вот почему. Помните, была в те годы популярная радиопередача, которую вела Агния Барто. Называлась она «Отзовись!». Передача эта занималась поиском родственников, разлученных войной, и не только в пределах нашей страны, но и за границей. Некоторые люди ехали туда, чтоб увидеть своих близких. И вот представьте, появляется фильм, где главная сюжетная линия состоит в том, что наша разведчица под видом родственницы внедряется в немецкую семью по заданию КГБ. Выглядит некрасиво, с какой стороны ни посмотришь. Фильм как бы предупреждает тамошних людей: не верьте! Все, кто к вам приезжает под видом родных и близких, на самом деле агенты КГБ. Не знаю, может, КГБ и вправду практиковал такой прием и не хотел его афишировать, а может, и просто не желал выглядеть в таком безнравственном виде в глазах людей. В общем, запретили, и никаких других причин запрета не было».

Версия выглядела тоже правдоподобно. Когда же я упомянул имя Цвигуна, который был главным консультантом фильма, все ведал заранее и мог, казалось бы, своим авторитетом спасти картину, собеседник коротко сказал: «Цвигун ничего не мог. Дело решалось выше». Когда же спросил, как сам Александров отнесся к подобному решению органов, собеседник ответил: «По-моему, довольно спокойно».

Эта версия, в общем, была подтверждена и третьим лицом, имевшим *нечиновное* отношение к фильму, — исполнителем главной мужской роли Петром Вельяминовым: «Нам сказали, что госбезопасность возражает, и вопросов, естественно, не возникало. В чем была суть возражений, я уже точно не помню, но что-то там комитет категорически не устроило. Сама по себе картина никакими достоинствами не отличалась. Все там было шито белыми нитками, все ненатурально. И руки у Орловой в кадре не ее... (Нельзя не принять во внимание, что это мнение одного из главных соучастников постановки. — *М.К.*) Конечно, Госкино списало все расходы, картина была дорогущая, но как-то вышли из положения. А Александров... что ж. Сначала он как будто чуть-чуть нервничал, а потом быстро успокоился».

Списывать расходы было, наверно, и впрямь досадно. Самая дорогостоящая картина начала семидесятых! Две серии, сложные декорации, более сотни дорогих костюмов, заграничные экспедиции. И все с размахом, с максимальным комфортом.

Руки у Орловой в картине в самом деле не ее. Рук своих, как известно, Любовь Петровна и в жизни старалась не демонстрировать. А что касается реакции Александрова, то скорее всего она была именно такой, то есть сдержанной, невозмутимой. По-другому реагировать он не умел и не хотел.

Есть еще версия редактора фильма. Скорее всего это версия человека, которого не пожелали ввести в курс дела (и есть тут, видимо, причина, о которой скажу чуть ниже): «Назначили день сдачи картины на студии. Приехал Цвигун, главный консультант картины, очень сдружившийся с Александровым. Посмотрели фильм, начали высказываться. И вдруг встает Цвигун и говорит, что так, мол, и так, комитет возражает по причине несоответствия политическому моменту. Сейчас разрядка, а фильм разжигает антиамериканские настроения. Александров обомлел и очень обиделся на Цвигуна. Больше речи о выпуске картины уже не возникало».

То, что Цвигун не изложил более вероятную причину, в какой-то мере объяснимо. Он изложил самую благопристойную. А вот было ли это откровением для Александрова, сильно сомневаюсь. Зная Григория Васильевича, мне легче допустить, что Цвигун еще до начала обсуждения имел с ним доверительный разговор — было бы глупо и неосторожно с его стороны открывать карты киношному начальству и прятать их от Александрова. Гораздо проще и надежнее было по-свойски поделиться с Александровым «большим секретом» и вместе посоветоваться о более высокой и убедительной для народа легенде. А то, что Александров был способен ловко разыграть на людях удивление и обиду, сомневаться не приходится. Такое с ним случалось не раз и не два, да и сговоры подобного рода были ему привычны. И уж конечно, не в его обычаях было держать обиду на таких людей, как Цвигун.

Словом, сюжет в духе знаменитого «Расемона». Не удивлюсь, если имеются и другие версии запрета.

Итак, картина остается на полке, и как будто нет особых оснований об этом жалеть. Вот случай, когда запрет вроде бы устраивает все заинтересованные стороны, даже антагонистически настроенные. Вроде бы. И все же, все же...

Когда смотришь по второму разу эту откровенно слабую ленту, которая даже не провоцирует в тебе сколько-нибудь пылкого критического задора — только снисходительную иронию, — перед твоим взором вдруг начинает открываться некое занятное образное действо. Выражаясь красивым постмодернистским языком, фильм начинает восприниматься как действенный, достаточно впечатляющий симулякр. Подобие определенной художественной формы — в данном случае «политического фильма» послевоенных лет — в силу объективных и случайных обстоятельств стихийно преображается в новую форму.

Да, по идее, по всей своей простодушной видимости этот фильм бездумно продолжает традиции «шедевров» тоталитарной эпохи — «Встреча на Эльбе», «Заговор обреченных», «Секретная миссия», «Серебристая пыль». Однако, сделанный в отличие от них без страсти и веры (и вообще вызывающе бесстрастно), он предстает на поверку каким-то нездоровым и даже зловещим зрелищем. Обманный, почти сомнамбулический мир, населенный бесполыми и бескровными — и тем самым заведомо призрачными — существами. Он являет себя в этом фильме с пугающей откровенностью. Все дело в том, что мир этот, воистину мертвенный, не вовсе мертв. Он оставался и остается до сих пор живой частью того мировосприятия, которое задавало тон всей советской действительности в течение десятков лет. Последующие десятилетия оно приметно деградировало, но тем пуще и яростней продолжает цепляться за жизнь и творить ее по своему разумению.

Другое дело, что к началу семидесятых метод формирования этого мировосприятия несколько изменился — стал сложнее, изощреннее, лицемернее. И вот этого знаменитый режиссер не учел — да и не мог учесть. По сути, Александров и Орлова создали здесь последнюю и самую откровенную вариацию на излюбленную свою тему — «мир нашей мечты». Его идеальность подчеркнута прежде всего отсутствием в нем времени — ощущения «начал» и «концов». Мы имеем здесь три впечатляющих своей протяженностью хронотипа: трехчасовой хронотип самого фильма, длительный хронотип происходящего в фильме действия (сороковые-семидесятые годы) и некий хронотип вечности, в котором пребывает героиня Орловой, оставаясь «вечно молодой» во всех эпохах. Это и вправду жутковато — как всякое чувство безвременья, бездны.

Естественно, в этом мире не должно быть ничего скоротечного, преходящего. Относительного и условного. Явления человеческого бытия не могут присутствовать здесь в своей живой неповторимости. Здесь могут обитать только видимости данных явлений. Видимость возраста. Видимость дела. Видимость любви. Видимость идеалов. Сам того не желая, Александров зеркально отразил феномен советского сознания и подсознания. Вечный и неподвижный, каким тщился быть сам режим.

Этот мир в своем идеальном состоянии не предполагал каких-либо истинных, спорных и смутных страстей, увлечений, приоритетов... Кроме одного — быть среди *избранных* властью, а соответственно — иметь богатство, славу, почет. Но уж никак не идеологию. В таком мире старалась жить вся советская элита, строящая для себя рай на земле и одновременно не устававшая бороться с тем, что этот «рай» обеспечивало должным комфортом и «законностью», — с тлетворным влиянием Запада. Но даже и в элитарных сферах далеко не всем было доступно самое вожделенное: *быть среди «избранных» и здесь, и там.* Верх мечты каждого советского интеллигента, отравленного хоть каплей тщеславия.

Об этой мечте Александров и Орлова не раз и не два проговаривались с экрана — и до войны, и после.

В последней же своей работе они сказали *про это* с такой неподдельной искренностью и прямотой, что недреманному оку какого-нибудь верховного опричника картина взаправду могла показаться крамолой. И действительно, единственной целью шпионских игр и политических хитросплетений было только одно — дать возможность прекрасной женщине и ее избраннику пожить (в соответствии со своими амбициями и сокровенными желаниями) среди банкиров, генералов, аристократов, министров-капиталистов в шикарных особняках, старинных замках, фешенебельных отелях. В живописнейших уголках Европы... Ради этого и вертятся, противоборствуют «два мира — две системы», ради этого приведены в движение все винтики и шпунтики международной политики.

Создатель советской музыкальной кинокомедии, призванной воспевать державу и Любовь Орлову, на этот раз отдал весь свой остаточный творческий пыл одной Орловой — реальной, малопохожей на «ту, которую»... но все еще узнаваемую.

О державе Александров думал мало. Его не заботила чувственная выразительность фона, достоверность среды, характеров, сюжетных зигзагов — и, наверное, хорошо, что не заботила. Ему сподручнее было создавать музей восковых персон — среду, в которой было столько же оригинальности и правды, сколько в речах и делах советских правителей. Александров не смог, не сумел спрятать фальшь советского державного мышления, его безвкусицы и убогого кругозора. Не смог придать ему даже толику обязательного правдоподобия. Как оно было, так он и снял.

Легко допускаю, что все это не осталось не замеченным... «кое-кем». Вполне возможно, что кто-то из высоких коллег главного куратора (не все же там дураки) почуял хорошо разработанным нюхом мертвенный запашок, довольно внятно исходящий от фильма, а может, нашелся под рукой толковый референт в небольших чинах. (Вот вам еще одна версия.)

Так и видишь уютный зальчик на пятом, начальственном, этаже Лубянки, где только что закончился «секретный» просмотр «Скворца и Лиры»... Так и слышишь вельможный досадливый хмык с почетного кресла: «Заставь дурака Богу молиться...»

За полтора года до смерти, которой Любовь Петровна, похоже, не ждала, не предчувствовала, ибо строила долгосрочные планы — и бытовые, и театральные, — состоялся ее последний выход на экран. Правда, экран был телевизионный, что, как известно, не равнозначно экрану кинематографическому — менее интимному, свойскому, зато более волшебному.

Многое, очень многое значил для нее этот выход. Как ни прятала она голову под крыло, как ни бодрилась, чуткая интуиция подсказывала ей, что это скорее всего последняя возможность выставить себя напоказ (назовем вещи своими именами), явить миру еще раз свою звездную стать, свою женскую неувядаемость, оживить восторги зрителей, да и просто ощутить себя еще в силе. И потому готовилась она к этому выходу, как никогда, долго и тщательно. И, как никогда, неспокойно. Можно представить, чего все это ей стоило. Не только возраст, но и болезнь уже давала о себе знать: все хуже спалось, все чаще уставала. Кожа на лице непоправимо желтела. Все тяжелей давалась широкая улыбка, задорно распахнутый взгляд.

Выход имел успех — было много звонков, поздравлений, были «ахи» и «охи», но не было... эха. Не было *того* очарования. Удивить удивила, но не всерьез и ненадолго. И по-другому быть не могло, ибо никакого художественного зерна — ни сюжетного, ни словесного, ни антуражного — в этой акции не содержалось. Все свелось к «живой фотографии» в жанре киноокрытки. Впечатление было занятным, но до чуда явно недотягивало — разве что и впрямь самого обыкновенного чуда.

Признаюсь честно, даже в последние дни перед ее смертью я продолжал наивно верить Александрову, что все хорошо, ничего страшного не происходит. У Любови Петровны всего лишь осложненная форма желтухи, вскорости она вернется домой и тогда, возможно, пока будет окончательно выздоравливать, посерьезнее займется моей особой, то есть будущей книгой.

Невозможно было поверить в страшное. Все, что виделось мне в эти дни в этом доме, вселяло спокойствие и надежду. Казалось прочным, ненарушимым, отлаженным раз и навсегда. Ну, болеет Любовь Петровна... Ну, в больнице... Так разве ж впервой?

Григорий Васильевич был, как всегда, и бодр, и ясен. При его умении экономно расходовать витальную энергию он должен был, казалось, жить до девяноста как минимум. Да и вокруг него царила столь же безмятежная, покойная атмосфера. Ни в ком не ощущалось предчувствия грядущей беды.

А уж те беды, которые обрушатся на этот дом с ее уходом, и в страшном сне невозможно было предугадать. Дугласу (Василию Григорьевичу) было всего-то за пятьдесят — он выглядел и физически, и душевно вполне жизнестойким человеком. Мягковат был, мягкотел, это правда, зато уж Галя, его жена... Рослая, сильная, несколько грубоватой, мужеподобной стати, по профессии — фотограф... При ее крепкой руке и остром глазе можно было, казалось, не беспокоиться за настоящее и будущее этого дома.

А было еще и «третье поколение» — внук, тоже Григорий Васильевич, высокий, плечистый юноша, вгиковец, будущий режиссер. Какие там беды?!

И вся эта прочность и безмятежность едва ли не вдруг оказалась видимостью. Миражом. Химерой. В какие-нибудь девять-десять лет все обернулось... «пригоршней праха». Падением и разором.

Вскоре после смерти Орловой не стало Дугласа — нежданно-негаданно, что называется, в одночасье. Григорий Васильевич перенес и эту потерю с невозмутимостью римского патриция — по крайней мере никаких следов надлома на его лице не читалось. Прошло не более двух лет, и свершается нечто малопонятное: Галя выходит за него замуж. Внуковское общество, изрядно взбудораженное событием, поговаривало, что это чисто прагматический шаг. В целях наилучшей сохранности наследственного достояния.

Трудно комментировать это — вроде бы достояние так и так сохранялось в лучшем виде. Других наследников, кроме внука, ведь не было. Но кто ж знает? Может, и вправду был в этом какой-то практический смысл. Избежать возможных формальных сложностей в будущем, ненужного крючкотворства.

Но Рок продолжал творить свое дело, не обращая внимания на маленькие человеческие уловки. В 1983 году умирает Григорий Васильевич, а следом за ним после тяжкой, почти внезапной болезни и Галя.

А единственный наследник (так и не ставший режиссером, да и вообще оказавшийся на поверку чуждым творчества) поступил со своим достоянием в традициях старомодного романа, то есть обратил все в денежную массу и уехал в дальние страны. Что-то продал, что-то сдал в аренду, а бумажный «хлам» (не возиться же с ним, в самом деле!) оставил пылиться, где есть. Следы его затерялись где-то в «европах».

Все прахом... кроме Памяти. Память будет витать в воздухе этих мест, будет приманивать мысленный взор и слух живыми картинами.

...Внуковский март, который уже со дня ее смерти? Я стою перед знакомыми воротами, в которые мне уже никогда не войти, вглядываюсь через забор в знакомые очертания дома — там пусто и голо. Безлюдно. Тихо. Но проходит минута-другая, и чувствую на лице теплый предвечерний ветер, слышу успокоительный шум листвы, вижу, как рдеют цветы на клумбе, как огненно мерцают оконные стекла на втором этаже. На террасе мелькают знакомые лица, слышится звяканье посуды, смех, чей-то вскрик, голоса. И громче всех Ее — смешливо-досадливый: «Ну, вот, опять нет света! Это после вчерашней грозы. Ну, ничего, стемнеет — зажжем свечи. У меня много. Будет еще уютнее...»

Да, таково предназначение Любови Орловой: поддерживать мажорный тонус, свой светлый образ, свой престиж. Сделать невозможное, дабы все выглядело хорошо.

Она творила это в своем доме с той же страстью и умелостью, с какой в лучшие годы творила это же на экране с помощью Григория Александрова — своего мужа. Не было в СССР другого лица и другой стати, другой улыбки и голоса, которые так наглядно, так убедительно говорили бы о том, что все у нас хорошо. Отныне и навсегда все хорошо!

...И для нее, недвижно и безголосо лежащей в море цветов, одетой в любимую бледно-розовую парчу, не было бы наверняка большей радости, чем знать: задуманное удалось. Она прекрасна. И все вокруг нее выглядит хорошо.

Так оно, помнится, и было...

ФИЛЬМОГРАФИЯ

Любовь Алены, 1934 г.

Режиссер Б. Юрцев; *сценарий* Л. Ларского, Б. Юрцева.

В ролях: Л. Орлова — жена иностранного инженера миссис Эллен Гетвуд и др.

Петербургская ночь. «Москинокомбинат», 1934 г.

Режиссеры Г. Рошаль, В. Строева; *сценарий* Г. Рошаля, В. Строевой; *оператор* Д. Фельдман; *художники* И. Шпинель, П. Бейтнер; *композитор* Д. Кабалевский.

В ролях: Б. Добронравов, А. Горюнов, К. Тарасова, Л. Фенин, Л. Орлова (Грушенька), И. Доронин, И. Кудрявцева.

Веселые ребята. «Москинокомбинат», 1934 г.

Режиссер Г. Александров; *сценарий* В. Масса, Н. Эрдмана, Г. Александрова; *оператор* В. Нильсен; *художник* А. Уткин; *композитор* И. Дунаевский.

В ролях: Л. Утесов, Л. Орлова (Анюта), М. Стрелкова, Е. Тяпкина, Ф. Курихин.

Цирк. «Мосфильм», 1936 г.

Режиссер Г. Александров; *оператор* Б. Петров; *художник* Г. Гривцов; *композитор* И. Дунаевский.

В ролях: Л. Орлова (Марион Диксон), Е. Мельникова, В. Володин, С. Столяров, П. Массальский, А. Комиссаров, Ф. Курихин, С. Антимонов, Н. Отто.

Волга-Волга. «Мосфильм», 1938 г.

Режиссер и сценарист Г. Александров; *сценарий* М. Вольпина, Н. Эрдмана; *оператор* Б. Петров; *художники* Г. Гривцов, М. Карякин; *композитор* И. Дунаевский.

В ролях: И. Ильинский, Л. Орлова (Дуня Петрова — Стрелка), А. Тутышкин, В. Володин, П. Оленев, С. Антимонов, М. Миронова, Н. Кондратьев.

Ошибка инженера Кочина. «Мосфильм», 1939 г.

Режиссер А. Мачерет; *сценарий* А. Мачерета, Ю. Олеши по пьесе «Очная ставка» братьев Тур и Л. Шейнина.

В ролях: Л. Орлова (Ксения), М. Жаров, Б. Петкер, Ф. Раневская, Н. Дорохин.

Светлый путь. «Мосфильм», 1940 г.

Режиссер Г. Александров; *сценарий* В. Ардова; *оператор* Б. Петров; *художник* Б. Кноблок; *композитор* И. Дунаевский.

В ролях: Л. Орлова (Таня Морозова), Е. Самойлов, Е. Тяпкина, В. Володин, О. Абдулов, Н. Коновалов, А. Зуева, Р. Зеленая, П. Оленев, Ф. Селезнев.

«Боевой киносборник № 4» — Приказ выполнен. «Мосфильм», 1941 г.

Режиссер Г. Александров; *авторы конферанса* А. Раскин, М. Слободской, Г. Александров.

В ролях: Л. Орлова (Стрелка) и др.

Одна семья. Бакинская киностудия, 1943 г.

Режиссер и сценарист Г. Александров.

В ролях: Л. Орлова и др.

Фильм не был выпущен на экран.

Весна. «Мосфильм», 1947 г.

Режиссер Г. Александров; *сценарий* Г. Александрова, А. Раскина, М. Слободского; *оператор* Ю. Екельчик; *художники* К. Ефимов, В. Каплуновский; *композитор* И. Дунаевский.

В ролях: Л. Орлова (Шатрова, Никитина), Н. Черкасов, Н. Коновалов, М. Сидоркин, В. Зайчиков, Р. Плятт, Ф. Раневская, Р. Зеленая, Б. Петкер.

Дело Артамоновых. «Мосфильм», 1941 г.

Режиссер Г. Рошаль; *сценарий* С. Ермолинского по роману А. Горького; *оператор* Л. Косматов; *художник* В. Егоров; *композитор* М. Коваль.

В ролях: С. Ромоданов, Т. Чистякова, М. Державин, В. Марецкая, В. Балашов, А. Смирнов, Б. Шумихин, Н. Зорская, Н. Малишевский, Г. Шпигель, К. Лишафаев, Г. Миновицкая, Л. Орлова (Паула Менотти), Е. Тетерин, Г. Светлани.

Встреча на Эльбе. «Мосфильм», 1949 г.

Режиссер Г. Александров; *сценарий* братьев Тур и Л. Шейнина; оператор Э. Тиссэ; *художник* А. Уткин; *композитор* Д. Шостакович.

В ролях: В. Давыдов, К. Нассонов, Б. Андреев, М. Названов, Л. Орлова (Джанет Шервуд), И. Любезнов, В. Владиславский, Ф. Раневская, Э. Гарин, Ю. Юровский, Г. Юдин, В. Кулаков, Л. Сухаревская.

Мусоргский. «Мосфильм», 1950 г.

Режиссер Г. Рошаль; *сценарий* А. Абрамовой, Г. Рошаля; *операторы* М. Магид, Л. Сокольский; *художники* Н. Суворов, А. Векслер; *музыкальная редакция и музыка к фильму* Д. Кабалевского.

В ролях: А. Борисов, Н. Черкасов, В. Балашов, А. Попов, Ю. Леонидов, Б. Фрейндлих, Ф. Никитин, Л. Орлова (Платонова), Л. Штыкан, В. Ушакова, Г. Орлов, В. Морозов, Л. Сухаревская, В. Беззубко, В. Сафронов, К. Адашевский, Л. Фенин, Г. Шпигель, Г. Георгиу.

Композитор Глинка. «Мосфильм», 1952 г.

Режиссер Г. Александров; *сценарий* П. Павленко, Н. Тренева, Г. Александрова; *оператор* Э. Тиссэ; *художник* А. Уткин; *музыкальное оформление* В. Щербачева.

В ролях: Б. Смирнов, Л. Орлова (Людмила Ивановна), Л. Дурасов.

Русский сувенир. «Мосфильм», 1960 г.

Режиссер и сценарист Г. Александров; *оператор* Г. Айзенберг; *художники* М. Богданов, Г. Мясников; *композитор* Т. Хренников.

В ролях: Л. Орлова (Варвара Комарова), Э. Быстрицкая, П. Кадочников.

Скворец и Лира. «Мосфильм»,1947 г.

Режиссер и сценарист Г. Александров.

В ролях: Л. Орлова (разведчица), Г. Александров.

Фильм не был выпущен на экран. Демонстрировался по телевидению в 1996 году.

СОДЕРЖАНИЕ

Литературно-художественное издание

ВЕЧНАЯ ИСТОРИЯ ЛЮБВИ

Кушниров Марк Аронович

Любовь Орловой и Александрова

ЖИЗНЬ КАК КИНО

Ответственный редактор *А. Соловьев*
Художественный редактор *П. Волков*
Технический редактор *Г. Романова*
Компьютерная верстка *Е. Мельникова*
Корректор *И. Федорова*

ООО «Издательство «Эксмо»
123308, Москва, ул. Зорге, д. 1. Тел. 8 (495) 411-68-86, 8 (495) 956-39-21.
Home page: **www.eksmo.ru** E-mail: **info@eksmo.ru**

Өндіруші: «ЭКСМО» АҚБ Баспасы, 123308, Мәскеу, Ресей, Зорге көшесі, 1 үй.
Тел. 8 (495) 411-68-86, 8 (495) 956-39-21
Home page: www.eksmo.ru E-mail: info@eksmo.ru.
Тауар белгісі: «Эксмо»
Қазақстан Республикасында дистрибьютор және өнім бойынша
арыз-талаптарды қабылдаушының
өкілі «РДЦ-Алматы» ЖШС, Алматы қ., Домбровский көш., 3«а», литер Б, офис 1.
Тел.: 8 (727) 2 51 59 89,90,91,92, факс: 8 (727) 251 58 12 вн. 107; E-mail: RDC-Almaty@eksmo.kz
Өнімнің жарамдылық мерзімі шектелмеген.
Сертификация туралы ақпарат сайтта: www.eksmo.ru/certification

Сведения о подтверждении соответствия издания
согласно законодательству РФ о техническом регулировании
можно получить по адресу: http://eksmo.ru/certification/

Өндірген мемлекет: Ресей
Сертификация қарастырылмаған

Подписано в печать 04.03.2015.
Формат 84×108 $^{1}/_{32}$. Гарнитура «Minion Pro».
Печать офсетная. Усл. печ. л. 20,16.
Тираж 2 500 экз. Заказ № 1802

Отпечатано с готовых файлов заказчика
в ОАО «Первая Образцовая типография»,
филиал «УЛЬЯНОВСКИЙ ДОМ ПЕЧАТИ»
432980, г. Ульяновск, ул. Гончарова, 14

ISBN 978-5-699-79331-0
9 785699 793310 >

Оптовая торговля книгами «Эксмо»:
ООО «ТД «Эксмо». 142700, Московская обл., Ленинский р-н, г. Видное,
Белокаменное ш., д. 1, многоканальный тел. 411-50-74.
E-mail: **reception@eksmo-sale.ru**

По вопросам приобретения книг «Эксмо» зарубежными оптовыми покупателями *обращаться в отдел зарубежных продаж ТД «Эксмо»*
E-mail: **international@eksmo-sale.ru**

International Sales: International wholesale customers should contact Foreign Sales Department of Trading House «Eksmo» for their orders.
international@eksmo-sale.ru

По вопросам заказа книг корпоративным клиентам, в том числе в специальном оформлении, *обращаться по тел. +7 (495) 411-68-59, доб. 2261, 1257.*
E-mail: **ivanova.ey@eksmo.ru**

Оптовая торговля бумажно-беловыми
и канцелярскими товарами для школы и офиса «Канц-Эксмо»:
Компания «Канц-Эксмо»: 142702, Московская обл., Ленинский р-н, г. Видное-2,
Белокаменное ш., д. 1, а/я 5. Тел./факс +7 (495) 745-28-87 (многоканальный).
e-mail: **kanc@eksmo-sale.ru**, сайт: www.**kanc-eksmo.ru**

В Санкт-Петербурге: в магазине «Парк Культуры и Чтения БУКВОЕД», Невский пр-т, д.46.
Тел.: +7(812)601-0-601, www.bookvoed.ru/

Полный ассортимент книг издательства «Эксмо» для оптовых покупателей:
В Санкт-Петербурге: ООО СЗКО, пр-т Обуховской Обороны, д. 84Е. Тел. (812) 365-46-03/04.
В Нижнем Новгороде: Филиал ООО ТД «Эксмо» в г. Н. Новгороде, 603094, г. Нижний Новгород, ул. Карпинского, д. 29, бизнес-парк «Грин Плаза». Тел. (831) 216-15-91 (92, 93, 94).
В Ростове-на-Дону: Филиал ООО «Издательство «Эксмо», пр. Стачки, 243А. Тел. (863) 305-09-13/14.
В Самаре: ООО «РДЦ-Самара», пр-т Кирова, д. 75/1, литера «Е». Тел. (846) 207-55-56.
В Екатеринбурге: Филиал ООО «Издательство «Эксмо» в г. Екатеринбурге,
ул. Прибалтийская, д. 24а. Тел. +7 (343) 272-72-01/02/03/04/05/06/07/08.
В Новосибирске: ООО «РДЦ-Новосибирск», Комбинатский пер., д. 3.
Тел. +7 (383) 289-91-42. E-mail: **eksmo-nsk@yandex.ru**
В Киеве: ООО «РДЦ Эксмо-Украина», Московский пр-т, д. 9. Тел./факс: (044) 500-88-23.
В Донецке: ул. Складская, 5В, оф. 107. Тел. +38 (032) 381-81-05/06.
В Харькове: ул. Гвардейцев Железнодорожников, д. 8. Тел. +38 (057) 724-11-56.
Во Львове: ТП ООО «Эксмо-Запад», ул. Бузкова, д. 2. Тел./факс (032) 245-01-71.
В Симферополе: ООО «Эксмо-Крым», ул. Киевская, д. 153.
Тел./факс (0652) 22-90-03, 54-32-99.
В Казахстане: ТОО «РДЦ-Алматы», ул. Домбровского, д. 3а.
Тел./факс (727) 251-59-90/91. **rdc-almaty@mail.ru**

Полный ассортимент продукции издательства «Эксмо»
можно приобрести в магазинах «Новый книжный» и «Читай-город».
Телефон единой справочной: 8 (800) 444-8-444. Звонок по России бесплатный.

Интернет-магазин ООО «Издательство «Эксмо»
www.fiction.eksmo.ru
Розничная продажа книг с доставкой по всему миру.
Тел.: +7 (495) 745-89-14. E-mail: **imarket@eksmo-sale.ru**